Eisteddfod Genedlaethol F

BRO OGWR
1998

CYFANSODDIADAU
a
BEIRNIADAETHAU

Golygydd:
W. J. JONES

Cyhoeddir gan Wasg Dinefwr
dros Lys yr Eisteddfod Genedlaethol

ISBN 0 9519926 6 X

Argraffwyd gan Wasg Dinefwr
Heol Rawlings, Llandybïe, Sir Gaerfyrddin

CYNGOR YR EISTEDDFOD GENEDLAETHOL 1997-1998

Cymrodyr
Dr W. Emrys Evans
W. R. P. George
Norah Isaac
Dr Emyr Wyn Jones
T. W. Thomas
Y Parchedig Gwilym R. Tilsley

SWYDDOGION Y LLYS

Llywydd
Gwilym E. Humphreys

Is-Lywyddion
Y Parchedig Dafydd Rowlands (Archdderwydd)
John Elfed Jones (Cadeirydd Pwyllgor Gwaith Bro Ogwr)
Dewi Jones (Cadeirydd Pwyllgor Gwaith Ynys Môn)

Cadeirydd y Cyngor
Dr Aled Lloyd Davies

Is-Gadeirydd y Cyngor
R. Alun Evans

Cyfreithwyr Mygedol
W. R. P. George
Emyr Lewis

Trysorydd
Eric Davies

Ymgynghorwyr Ariannol
W. Emrys Evans
Syr Melvyn Rosser

Cofiadur yr Orsedd
Jâms Nicolas

Ysgrifenyddion
D. Hugh Thomas, Llys Gwyn, 70 Brynteg Avenue, Pen-y-bont ar Ogwr, CF31 3EL
Geraint R. Jones, Gwern Eithin, Glan Beuno, Bontnewydd, Caernarfon, Gwynedd

Cyfarwyddwr
Elfed Roberts, 40 Parc Tŷ Glas, Llanisien, Caerdydd, CF4 5WU (01222 763777)

Trefnyddion
Hywel Wyn Edwards (Y Gogledd). Neville Evans (Y De)

RHAGAIR

Yn fy rhagair diwethaf ddwy flynedd yn ôl, mynegais obaith y byddai pob beirniad yn darllen y cyfarwyddiadau cyn cyflwyno'i feirniadaeth gan y byddai hyn yn haneru gwaith y golygydd. Eleni eto, dau neu dri'n unig sy'n dangos eu bod wedi gwneud hynny ac wedi cyflwyno'u beirniadaethau mewn ffordd hwylus. Yn hytrach na chwyno eto, cystal imi roi enghraifft o'r hyn a ddymunwn. Dim mwy, dim llai.

Englyn milwr: Pobl ddall

BEIRNIADAETH W. J. JONES

Mentrodd deuddeg nofelydd i'r maes. Dyma air byr am bob un.

Sbectol: 'Llygaid i weld'. Cafodd hwn weledigaeth . . .

Dyma fydd yn ymddangos yn y *Cyfansoddiadau a Beirniadaethau*, beth bynnag a ddaw i law'r golygydd; ond amrywiadau diddorol ar hyn a geir gan ymron bawb, rhywbeth fel . . .

EISTEDDFOD GENEDLAETHOL PEN-Y-BONT AR OGWR

Rhif y Gystadleuaeth: 188

BEIRNIAD: *Puleston Huws*

Byddai'n dda pe bai'r cystadleuwyr yn dilyn y cyfarwyddiadau ond gair am bob un:

BRAIL. Enw ei nofel yw "YN Y GWYLL" . . . Diffyg cleimacs yw gwendid y gwaith hwn . . .

'BYDDED TYWYLLWCH' gan Afagddu. Mae gan hwn/hon nofel dda a dwi am ofalu na all y golygydd olygu dim ar y geiriau hyn at eu gilydd trwy deipio popeth mewn sbês sengl. Lwc iddo nag w i'n un o'r rhai nad yw'n sgrifennu ei beirniadaeth a does dim ots os na fedra i sillebu neu dreiglio geiriau syml fel cwestiynnau, i fynny, ac engraifft, os yw'r ystyr yn glir . . .

Mae beirniaid yn cwyno'n gyson oherwydd diffyg safon. Gall darllenwyr weld hyn ym myd y beirniadaethau hefyd. Mae rhai beirniaid yn ei chael yn fwy anodd na'i gilydd gosod eu syniadau ar bapur a dylai beirniadaeth mewn eisteddfod genedlaethol fod ar yr un gwastad â'r gweithiau buddugol bob amser, yn ddarn o lenyddiaeth. Wrth osod beirniadaethau yn fy meddwl mewn dosbarth cyntaf, ail a thrydydd ar sail yr hyn a ddywedir a'r ffordd o'i fynegi, ni allaf wneud yn well nag aralleirio ychydig ar sylwadau un o'r beirniaid eleni ac awgrymu nad oes modd i neb fod yn feirniad onid yw hefyd yn feistr ar yr iaith.

Mae fy niolch eleni eto i Elfed Roberts, y Cyfarwyddwr, am gadw llygad barcud ar bopeth, i Neville Evans, Trefnydd Eisteddfodau'r De, am ofalu fod pethau'n rhedeg yn llyfn, i B. Mererid Lewis yn Swyddfa'r Eisteddfod am esmwytho fy ngwaith ym mhob ffordd gyda'i gofal a'i thrylwyredd, ac Eddie John yng Ngwasg Dinefwr sydd bob amser yn peri i'r anodd ymddangos mor hawdd.

W. J. Jones

CYNNWYS

* * *

ADRAN ALAWON GWERIN

ADRAN CERDD DANT

ADRAN CERDDORIAETH

ADRAN DYSGWYR

GWAITH LLAFAR

YSGOLION

Blwyddyn 7, 8, a 9

ADRAN GWYDDONIAETH A THECHNOLEG

YMCHWILIO, DADANSODDI A CHREU

Disgyblion ysgolion cynradd

Cystadleuaeth i unigolyn neu i grŵp hyd at 4 o ddisgyblion

Cystadleuaeth i unigolyn neu i grŵp hyd at 4 o ddisgyblion

137 **Cynllunio, creu ac arddangos** offer sy'n trawsnewid ynni dŵr i ynni mecanyddol neu drydanol defnyddiol.
Gwobr: £300 i'w rannu yn ôl doethineb y beirniad (Adran Gwyddoniaeth Ysgol Gyfun Llanhari)
Beirniad: Dafydd Ieuan
Ni fu cystadlu

Cystadleuaeth i blant oed ysgol gynradd

138 **Gwaith graffeg gwreiddiol** maint A4 ar gyfrifiadur. Gellir cyflwyno'r gwaith mewn du a gwyn neu liw. Thema: Ailgylchu.
Gwobr: £300 i'w rannu yn ôl doethineb y beirniad (£250 Pwyllgor Apêl Maesteg; £50 Ysgol Gynradd Cynwyd Sant)
Beirniad: Rhys Harries
Buddugol: £100 i *No. 1* (Gareth Evans, Ysgol Cynwyd Sant, Pen yr ysgol, Maesteg); £50 i *Sky 1* (Sarah Young, Ysgol Cynwyd Sant, Pen yr ysgol, Maesteg); £25 i *Llong Cymru* (Daniel Tabor, Ysgol Cynwyd Sant, Pen yr ysgol, Maesteg) 190

Cystadleuaeth i blant oed ysgol uwchradd

139 **Gwaith graffeg gwreiddiol** maint A4 ar gyfrifiadur. Gellir cyflwyno'r gwaith mewn du a gwyn neu liw. Thema: Unrhyw agwedd ar Egni.
Gwobr: £300 i'w rannu yn ôl doethineb y beirniad (Washington Design)
Beirniad: Hefin G. Gruffydd
Ni fu cystadlu

BARDDONIAETH

Rhif	**TESTUNAU A GWOBRAU ARBENNIG LLYS YR EISTEDDFOD GENEDLAETHOL**	*Tud.*

157 **Gwobr Goffa Daniel Owen**. Nofel heb ei chyhoeddi.
Gwobr: Medal Goffa Daniel Owen a £1,000 (Teledu Agenda)
Beirniaid: Branwen Jarvis, Gwerfyl Pierce Jones, R. Cyril Hughes
Buddugol: *Urien* (Geraint V. Jones, Bro Gennin, Llan Ffestiniog) 1

RHYDDIAITH

171. **Y Fedal Ryddiaith**. Cyfrol o ryddiaith â chefndir diwydiannol.
Gwobr: Y Fedal Ryddiaith (D. Hugh a Beryl Thomas, Pen-y-bont ar Ogwr, er cof am Phyllis Vera Williams, Penrhyndeudraeth) a £750 (£500 Cwmni Yswiriant NFU Mutual; £165 Cronfa Goffa Dr E. D. Jones; £85 Cronfa Catrin a'r diweddar Idris Williams, er cof am Dr Kate Roberts)
Beirniaid: Hafina Clwyd, Ray Evans, Harri Pritchard Jones
Buddugol: *Wing Wong* (Eirug Wyn, Gwynllys, Y Groeslon, Caernarfon) 75

172. **Stori Fer**: Stori wedi ei seilio ar ddigwyddiad hanesyddol.
Gwobr: £200 (£100 Cronfa Robert Jones, Rhos-lan; £90 Cronfa Edward Owen; £10 Cronfa Mair Taliesin)
Beirniad: Beryl Stafford Williams
Buddugol: *Lisa* (Nia H. Chilton, 7 Parc Aelas, Llangernyw, Abergele) 86

173. **Ysgrif**: Portread o unrhyw berfformiwr o dras Cymreig.
Gwobr: £200 (£125 Cronfa E. Morgan Humphreys; £75 Gwobr Uned y TGWU)
Beirniad: Vaughan Hughes
Buddugol: *Enola* (Rhys Powys, 37 Butleigh Avenue, Llandaf, Caerdydd) 94

174. **Pedair sgwrs fer** ar batrwm 'Munud i Feddwl'.
Gwobr: £200 (Cronfa I. D. Hooson; £50 Cronfa Pedr Hir; £50 Cymdeithas Tŷ'r Cymry, Maesteg, er cof am Brinli)
Beirniad: John Roberts
Atal y wobr 100

175. **Llythyr**: Llythyr at ddarlledwyr Cymru heddiw.
Gwobr: £200 (Capel y Tabernacl, Pen-y-bont ar Ogwr)
Beirniad: Emrys Jones
Ni fu cystadlu

176. **Erthygl** ar emynau'r Parchedig W. Rhys Nicholas.
Gwobr: £200 (Cymdeithas Tŷ'r Cymry, Maesteg, er cof am Brinli)
Beirniad: W. I. Cynwil Williams
Buddugol: *Ben* (Isaac Jones, Dôl Aman, 18 Bryn Tŵr, Abergele) 102

ADRAN LLENYDDIAETH

TESTUN ARBENNIG LLYS YR EISTEDDFOD GENEDLAETHOL

Gwobr Goffa Daniel Owen: Nofel heb ei chyhoeddi

BEIRNIADAETH R. CYRIL HUGHES, BRANWEN JARVIS A GWERFYL PIERCE JONES

Twmpathog braidd fu hanes cystadleuaeth Gwobr Goffa Daniel Owen, ond erbyn hyn, magwyd set o ddisgwyliadau a safonau realistig ar ei chyfer. Gan hynny, yr oeddem ein tri yn gytûn ynglŷn â'n disgwyliadau. Chwiliem am nofel sylweddol o ran hyd (trymach, yn y cyfeiriad hwnnw, na'r hyn a ddisgwylid yng nghystadleuaeth y Fedal Ryddiaith), wedi'i sgrifennu'n fywiog, ac a fyddai'n ddigon argyhoeddiadol o ran y cymeriadu a'r cynllunio i ddal ein diddordeb a'n chwilfrydedd. Nid oeddem yn chwilio am newydd-deb llachar na dulliau arbrofol o lunio nofel; ni chwiliem am nofel 'gelfyddydol' na'r nofel 'fawr' fondigrybwyll. Pe deuai nofel felly, byddai croeso iddi, wrth reswm, dim ond iddi fod yn ddiddorol ac yn ddarllenadwy. Ond yr oeddem yn unfryd y byddai nofel draddodiadol dda yn ein bodloni'n llwyr.

Afraid ychwanegu nad ar chwarae bach y cynhyrchir nofel felly. Peth cymhleth, aml-linynnog yw nofel yn ei hanfod, ac y mae'r gofynion, o ran plotio, gwybodaeth gefndirol, cymeriadaeth, amrywiaeth arddull, yn lleng. Rhaid llawenhau, felly, os daw cymaint ag un nofel i gystadleuaeth flynyddol sy'n cwrdd â'r gofyn yn llwyddiannus. Eleni, cafwyd pedair nofel i ddewis o'u plith, pedair nofel wahanol iawn i'w gilydd. Ceir yma bedair *genre* – un nofel sy'n ffuglen wyddonol, un nofel hanesyddol, un nofel ddomestig gyfoes, ac un nofel dditectif. Y mae tair o'r nofelau hyn yn nofelau hirion, a'r bedwaredd, sef y nofel ddomestig, yn un fer.

Gorllewinwr: 'Trwy Adfyd at Aduniad'. A hithau'n agosáu at y mileniwm, peth addas iawn fyddai inni gael nofelau sy'n ffuglenni gwyddonol. Ychydig iawn o sgrifennu o'r fath a fu yn y Gymraeg. Trawodd *Gorllewinwr* ar syniad sy'n llawn posibiliadau, sef ymosodiad atomig ar Brydain sy'n difrodi'r rhan fwyaf o Loegr ond sy'n galluogi Cymru i ailgysylltu yn boliticaidd â'r gwledydd Celtaidd eraill ac ymestyn ei hiaith a'i diwylliant. Gwelir mai hen thema sydd yma – y freuddwyd am y 'Brythoniaid' yn adennill yr Ynys (neu ran ohoni, o leiaf) oddi ar y Saeson, dim ond bod hynny'n digwydd o ganlyniad i holocost niwclear.

Yr hyn a geir yw cronicl o'r ymgyrch, ac yn anffodus mae'r gwaith yn debycach i gofnod swyddogol o ymgyrch filwrol nag ydyw i nofel. Fe ddilynwn yr ymgyrch o dref i dref, ac o afon i afon trwy ogledd Lloegr. Mae'n amlwg fod yr awdur yn gyfarwydd â daearyddiaeth y rhanbarth, a cheir cyfeiriadau lawer at hen enwau lleoedd Brythonaidd. Mae hyn, wrth gwrs, yn gwbl gyson â'r thema o ail-greu'r oes aur. Er bod y gwaith yn disgrifio ymgyrch filwrol, ychydig iawn o densiwn sydd yma. Fe geir peth gwrthwynebiad i'r Cymry, a hwnnw wedi'i ganoli ar Gaerhirfryn, a cheir peth ymladd. Ond ar y cyfan, ymgyrch ac ymdaith ddiddigwydd a geir. Mae'n wir fod y Cadlyw Morgan, un o arweinwyr yr ymgyrch, yn cael ei ladd mewn brwydr, a phenodir y Cadlyw Meurig yn ei le. Ond cymeriadau prennaidd a dieneiniad iawn yw'r ychydig gymeriadau sydd yma – hyd yn oed y Cadlyw Sgotaidd, Hamilton, y 'prif' gymeriad, ond bod hynny'n gor-ddweud. Adrodd am bobl a wneir; nid oes fawr o gig a gwaed yn perthyn iddynt. Ceir ychydig o densiwn o fewn y fyddin Gymreig am fod Eynon yn ymddwyn braidd yn od. Ond erbyn gweld, caru y mae gyda Saesnes o gyffiniau Wigan (a gŵyr y darllenwyr hynny, beth bynnag). Mae'r cyfan yn gorffen yn fuddugoliaethus gyda seremoni fawr yng Nghaerliwelydd lle gwelir cynrychiolwyr llywodraethau Cymru a'r Alban a'r brodorion lleol diolchgar yn cyd-ddathlu, ac yn goron ar y cyfan, cariad Eynon, sy'n gantores ddawnus, yn canu'n hyfryd yn y Gymraeg a'r Saesneg!

Adrodd a thraethu y mae *Gorllewinwr* drwy'r nofel. Ni cheir unrhyw fywiogrwydd yn y dweud, ac ni ddaw'r sefyllfa a ddarlunnir yn fyw o flaen ein llygaid. Teimlir wrth ddarllen mai croniclwr yn sgrifennu mewn un dimensiwn yw *Gorllewinwr*, ac nid llenor creadigol. Y mae'n ŵr gwybodus, ond nid y nofel yw ei briod faes.

Wiliam Tomos: 'Gwlag Ynys Van Diemen'. Unwaith eto, cafwyd syniad da yn sail i'r nofel. Deallwn, drwy ragair byr, bod rhywun o'r enw Arwel ar fwrdd llong hwyliau sy'n cludo carcharorion truenus i Tasmania. Nod y nofel wedyn yw egluro paham y mae Arwel (enw allan o'i gyfnod, gyda llaw) yn cael ei alltudio.

Mab tlawd i lōwr sy'n marw o effeithiau llwch y glo yn ardal y Gwendraeth yw'r crwt a gyflwynir inni. Fe'i megir ar aelwyd dlawd, gapelgar. Nid yw ei gefndir mor ystrydebol ag yr ymddengys ar yr olwg gyntaf gan fod y teulu'n Undodiaid, a delir ar bob cyfle i draethu, yng ngeiriau'r fam-gu, weledigaeth grefyddol a chymdeithasol yr enwad arbennig hwnnw. Pleidwraig rhyddid crefyddol a chydraddoldeb cymdeithasol yw'r fam-gu, ac y mae ymlyniad Arwel, yn ddiweddarach, wrth fudiad Beca fel petai'n codi'n naturiol ac yn anorfod o amgylchiadau ei fagwraeth. Peth arall yw naturioldeb y traethu crefyddol a chymdeithasol a ddaw o enau'r fam-gu: ni lwyddodd Saunders Lewis yn *Merch Gwern Hywel*, hyd yn oed, i blethu traethu diwinyddol i sgwrs gredadwy mewn nofel, a beichus yw ymdrechion *Wiliam Tomos* i wneud hynny.

Yn wir, yn y dweud y mae prif ddiffyg y nofel hon. Mae'r hanes ynddo'i hun yn ddigon diddorol. Dilynwn Arwel i Gaerfyrddin pan ddaw'n brentis gohebydd i un o bapurau newydd y dref; gwelwn ef yn cael ei dynnu fwyfwy i fudiad Beca ac yn dod yn un o'r arweinwyr, cyn iddo orfod wynebu llys barn ac alltudiaeth. Mae hanes ei chwiorydd yn ddigon diddorol hefyd, yn enwedig y chwaer sy'n tyfu'n artist cydnabyddedig ac yn datblygu perthynas lesbaidd â chyd-artist iddi. Ond yn anffodus, nid oes gan *Wiliam Tomos* ddigon o afael ar ei gyfrwng i greu nofel sy'n argyhoeddi.

Er bod peth dawn adrodd stori ganddo, mae'r arddull yn chwalu credinedd. Mae'r iaith yn gymysgedd o dafodiaith ac o Gymraeg hynafol ac anystwyth. Bu'r geiriadur yn fwy o elyn nag o gyfaill i'r awdur hwn. Ni ellir credu yn y ddeialog chwaith. Er enghraifft, cawn blentyn bach yn dweud, 'Na meistres, ni ddeallaf eich ymgom' – a gellid pentyrru enghreifftiau tebyg. Ceir gormod o lawer o foeswersi pedantig ac anystwyth. Ni ellir ystyried gwobrwyo syniad ardderchog y llafuriwyd llawer drosto ond a ddifethwyd gan y dull hwn o'i gyfleu.

Brynrhyg: 'Un Funud Fach'. Down bellach at nofel sydd, er gwaethaf ei gwendidau, yn eich cymell i ddarllen ymlaen. Mae *Brynrhyg* yn ddigon deheuig fel nofelydd i greu ymdeimlad o chwilfrydedd a diddordeb yn y darllenydd. Nofel fer sydd ganddi, o ryw 30,000 o eiriau, yn adrodd hanes teulu sy'n byw yng nghefn gwlad sir Gaerfyrddin: gŵr, gwraig, a'u plentyn chwech oed. Mae'r gŵr, Pryderi, yn treulio'r rhan fwyaf o'i amser yn Llundain, yn ennill ei fywoliaeth fel newyddiadurwr gydag un o'r papurau tabloid. Gŵr caled, uchelgeisiol ydyw, sy'n fodlon aberthu pob egwyddor er mwyn cael stori dda, a symud ymlaen yn ei yrfa. Athrawes yw Esyllt a chanddi wreiddiau dwfn, na fynn hi mo'u llacio, yn yr ardal.

Cryfder y nofel hon yw'r cymeriadau. O dipyn i beth y datgelir inni natur a seiliau personoliaeth Pryderi ac Esyllt. Hyd y dudalen olaf, yr ydym yn dal i ddysgu pethau newydd ac arwyddocaol amdanynt fel pobl. Mae'r awdures yn ddigon doeth hefyd i ddefnyddio deialog yn helaeth a dadlennu ei chymeriadau drwy eu sgwrs, yn hytrach na dibynnu ar ddarnau disgrifiadol i wneud hynny.

Er y gŵyr *Brynrhyg* sut i ddefnyddio'r moddau gwahanol o sgrifennu, rhaid cyfaddef nad yw'n feistr ar arddull. Mae'r dweud yn eiriog a cheir ar y mwyaf o hau dyfyniadau gan feirdd ac emynwyr, ac o ddefnyddio ymadroddion ystrydebol. Ceir y teimlad mai chwilio'i ffordd y mae *Brynrhyg*: mae ganddi ddigon o adnoddau iaith a pheth crap ar dechneg llunio nofel, ond addewid sydd yma yn hytrach na chyflawniad. Serch hynny, teimlai R. Cyril Hughes fod yma waith y dylid ei gyhoeddi.

Yr oeddem ein tri o'r farn fod tyllau yn y plot. Er mor afaelgar yw'r stori, y mae amheuon yn codi ynghylch tebygolrwydd nifer o bethau a threthir hygoeledd y darllenydd ar adegau. Er enghraifft, a ydym i gredu honiad Lleucu, un o gyfeillion Llundeinig Pryderi, na chafodd hi erioed berthynas rywiol â'r aelod seneddol – a'i dyddiadur yn dweud yn wahanol? A ydym i gredu, o ddifri, na fyddai Esyllt erioed wedi amau y gallai Pryderi beidio â bod yn dad i'w phlentyn? Pwysicach byth, o safbwynt y plot, yw natur y prawf meddygol ar y diwedd. Mae'n rhoi tro annisgwyl a chlyfar i'r stori, ond onid oes yma gymysgu rhwng profion gwahanol i'w gilydd?

Ceir sylfeini nofel dda gan *Brynrhyg*. Pwy bynnag yw hi, mae ganddi ddigon o ddeallusrwydd llenyddol i allu mynd ati i gryfhau'r plot ac ystwytho'r dweud.

Urien: 'Semtecs'. Llwyddodd Urien i greu'r peth prin, prin hwnnw – *thriller* Gymraeg soffistigedig a chwbl gyfoes. Nofel yw hon sy'n denu'r darllenydd o'r dechrau. Yn wir, cynyddu a wna ei hapêl wrth inni ddilyn troadau mynych a chywrain y plot, a sylwi ar awgrym fan hyn a lled-awgrym fan draw. Un o ddoniau'r awdur yw sicrhau bod elfen o amheuaeth ac ansicrwydd, o chwalu disgwyliadau, yn cynnal sylw'r darllenydd i'r diwedd. A hyd yn oed pan gyrhaeddir y diwedd, a phob trywydd, fe ymddengys, wedi ei ddilyn yn fedrus i'w ben draw, erys rhywfaint o ddirgelwch, a gorffennir ar nodyn difyr o enigmatig.

Awdur galluog yw *Urien*, felly. Dewisodd roi llysenw ei arwr, sef Semtecs (neu Samuel Tecwyn Turner yn swyddogol) yn deitl ar y gwaith. Mae'r dewis yn adlewyrchu hanfod y nofel, oherwydd er yr holl blotio cywrain, yr arwr ei hun yw'r prif ddiddordeb yn y pen draw. Creadigaeth ydyw yn llinach Adam Dalgliesh neu Inspector Morse neu Aurelio Zen, y plismon amhlismonaidd sy'n gyfuniad cymhleth o'r gŵr gwybodus, diwylliedig a sensitif ac o'r arwr caled, gweithredol. Ditectif-gwnstabl cyffredin ydyw (ac mae hi'n anodd credu mai dyna ei statws), ond y mae'n gyffredin anghyffredin. Bu'n seren yn yr SAS, ond troes ei gefn ar yrfa lachar yn y fyddin ar ôl colli'i gyfaill a'i bartner mewn ysgarmes yng Ngogledd Iwerddon. Mae'n ŵr cyfoethog sy'n cyfeillachu â phobl dlawd; mae'n obsesiynol bron ynghylch ffitrwydd corfforol ac ar yr un pryd yn ymddiddori digon mewn celf a chynllun i gomisiynu gwaith gwreiddiol yn seiliedig ar y Mabinogi i addurno'i dŷ.

Os yw hyn oll yn awgrymu cymeriad sy'n anniddorol yn ei berffeithrwydd, yna nid dyna'r argraff a geir wrth ddarllen y nofel. Mae'r darlun yn rhy gymhleth ac yn rhy wahanol i hynny. Ceir yr un cymhlethdod amheuthun yn y cymeriadu ag a geir yn y plot. Mae saernïaeth a dychmygiad aml-haenog y nofel drwyddi yn haeddu'r ganmoliaeth uchaf.

Rhaid ychwanegu hefyd fod *Urien* yn meddu ar yr arfau technegol priodol i lunio nofel fel hon. Mae'n awdur digon medrus a phrofiadol i allu cuddio'i grefft. Weithiau, rhaid cyfaddef, mae cyflymder a thensiwn y naratif yn llacio rhyw gymaint. Nid yw pob un o'r themâu mor llwyddiannus â'i gilydd; cymharol wan yw'r ymdriniaeth â'r thema garwriaethol, er enghraifft. Brychau mân yw'r rhain, er hynny. Mae dawn yr awdur i adrodd stori ac i greu darluniau a golygfeydd byw yn ddiamheuol. Siawns hefyd na fydd rhyw gynhyrchydd ffilm yn rhywle yn gweld ei gyfle gyda'r nofel hon.

Dywedwyd ar y dechrau ein bod ein tri yn chwilio am nofel ddarllenadwy, ddifyr, grefftus. Dyma hi, yn bendifaddau. Bonws derbyniol yw ei bod hi hefyd yn nofel swmpus iawn y caiff darllenwyr oriau lawer o bleser yn ei darllen. Gwobrwyer *Urien.*

BARDDONIAETH

Cerdd mewn cynghanedd gyflawn heb fod dros 200 llinell: Fflamau

BEIRNIADAETH GERALLT LLOYD OWEN

Y mae wyth o'r naw ymgeisydd yn deall beth a olygir wrth gerdd mewn cynghanedd gyflawn. *Arden* yw'r unig eithriad: ni chafwyd ganddo ragor na dwy linell o gynghanedd, a'r rheiny, mae'n amlwg, ar ddamwain. Awgrymaf yn garedig y dylai loywi ei ramadeg a'i orgraff cyn mynd ati i ddysgu'r cynganeddion.

Er bod y gweddill yn deall gofynion y gystadleuaeth ac yn deall anghenion cynghanedd, ymddengys rhai gwallau o bryd i'w gilydd. Cymerer, er enghraifft, awdl *Llygallt* sy'n sôn am Iddewon yn cael eu hysio i ffwrneisi'r Natsïaid. Ceir ynddi linellau gwallus megis, 'I'w gadw yn gydwybod', 'Yn ei boen fel awchus blant', 'Un wyrth wen o'r aberth hon' (Proest) ac odli 'gelyn' â 'gwenwyn'. Beiau elfennol yw'r rhain, a beiau y gellid eu hanwybyddu efallai pe bai yma farddoniaeth ysgytwol, gignoeth, sef yr union fath o farddoniaeth y mae pwnc yr awdl yn crefu amdani. Ond na, yr hyn a geir drwodd a thro yw llinellau sydd, nid yn unig yn farddoniaeth wael, ond hefyd yn rhyddiaith wael, e.e. 'I'w tranc gan aros eu tro/Yn noeth cyn eu harteithio,/Ffurfient gyfres o resi,/Pob un yn was i'w gras gri'. Un o'r ychydig droeon iddo fygwth barddoni oedd y cwpled, 'Curiadau eu seiniau sydd/Yn crafu muriau crefydd'.

Cysgod y Garn: Awdl annhestunol, hyd y gwelaf fi, gan un sy'n cynganeddu'n gywir ac, yn wir, yn orchestol ar brydiau. Gresyn serch hynny na fuasai'n ymwrthod â geiriau hynafol fel 'gwenyg, amws, nifwl, bygwl, dyfyn, crau' ac ati. Gresyn hefyd na fuasai'n medru ei fynegi ei hun yn groyw heb dywyllu cyngor fel hyn, 'Yr achlust rodd ffust ar ein ffawd,/dyrnu nes darnio ein hanawd./(Onid cnul i uniad cnawd/wna'n wallus gampus gwmpawd?). Brensiach! Ai tynnwr coes sydd yma? Lol botes maip gan rywun neu rywrai heb ddim gwell i'w wneud efallai.

Y Bontfaen: Plentyn pumlwydd oed yn dioddef o ganser yw ei bwnc ef. Yn fy myw ni welaf fod yr awdl yn destunol er gwaethaf yr ymdrech i'w llusgo at y testun yn y cwpled agoriadol, 'Cylch fel golosg yn llosgi/Yn dân am fy llygaid i'. Mae yma fân feflau megis 'a'm llais yn grug', '(l)law cau', odli 'awydd' ag 'aflwydd' a chynghanedd wallus yn y llinellau, 'O'r golwg, cloc ei galon', 'Nadroedd at ddiniweidrwydd' (Proest) ac 'Yn ing mewn si hwiangerdd'. Ond fy nghwyn bennaf yw anallu *Y Bontfaen* i daro'r targed. Prin yw'r troeon y mae'n taro'r bwl fel hyn, 'Blodeua'r ward yn gardiau' neu, 'Pelydrau'r cwarelau cul/Yn goch ar wyneb gwachul./Os brau yw ei goesau brwyn,/Drwy'r llenni daw'r holl wanwyn'. Yn rhy aml teimlaf ei fod yn defnyddio geiriau'n llac er mwyn cynghanedd, e.e. 'Daw cri ei alaeth a'i wead creulon/I ferw'r ymennydd . . .' a 'Hunllefau'r gwaedu mewn llif ergydion'.

Nant Lowrog: Cerdd o hiraeth am gyfaill a fu farw'n ifanc. Mae'r galar yn ddiffuant, decini, wrth i'r awdur syllu i fflamau'r tân ond yn sicr gallasai fod wedi'i fynegi'n fwy graenus na hyn:

> Rwyf yn glaf ac yn anafu heno
>   Wrth dân, a meddylu'n
>   Fy siom ddolefus a hy
>   'N ŵr aethus yn hiraethu.
>
> Mae fy nghalon yn aflonydd heno
>   A minnau o'r newydd
>   Yn wylo'n ddigywilydd
>   Ddagrau'n llyn ar derfyn dydd.

Gwelir amryw o wendidau'r awdl yn y ddau englyn yna: y trawiad hawdd, cyfarwydd; y diffyg ing yn y mynegiant; y defnydd o eiriau agosaf at law megis yr 'hy' bondigrybwyll 'na; yr anallu i brofi'r gwahaniaeth blas rhwng 'digywilydd' a 'heb gywilydd' yn ogystal â bod yn glustfyddar i'r bai rhy debyg yn 'aethus' a 'hiraethu'. Rhaid dweud, fodd bynnag, nad yw *Nant Lowrog* mor dila â hyn bob amser; yn wir mae ganddo ambell englyn eithaf da a phedwar hir-a-thoddaid graenus sydd, dybiwn i, yn argoeli pethau gwell i ddyfod.

Tafod y Ddraig: 'Myfyrdod ar fywyd Emrys ap Iwan'. Addas iawn yw'r ffaith fod y gerdd yn dechrau â chyfeiriad at 'Undydd y Refferendwm' llynedd oherwydd fe fuasai'r gŵr a fathodd y gair 'ymreolaeth' wedi cael ei foddhau'n fawr gan ganlyniad y bleidlais hanesyddol honno. Bid a fo am hynny, rhaid gofyn a yw'r awdl hon eto yn destunol. Cymerer ail a thrydydd pennill y gerdd lle cyfeirir at y siom a'r digalondid a deimlid am y rhan helaethaf o noson y canlyniad ym Medi '97:

Yn ubain trwy eich wynebau, Gymry,
Roedd gwae Emrys yntau'n
Eiriau hallt, 'O wlad frau!
Y lom! Y dlawd ddifflamau.

Rhynasom trwy'r hen oesau
A'n rhawd megis sypyn brau
Mewn gaeaf yn cau gafael
Yn hawdd, er gwreichionen hael.'

Gwir fod yma'r geiriau 'difflamau' a 'gwreichionen' ond synhwyraf nad ydynt yn gyffyrddus yn eu lle ac mai eu swyddogaeth yw ceisio llusgo'r testun at y gerdd. Sylwer hefyd ar ansawdd dila'r cynganeddu yn enwedig yn y llinellau, '. . . Eiriau hallt, "O wlad frau!"' (chwe sillaf, gyda llaw) ac 'A'n rhawd megis sypyn brau', heb sôn am ddefnyddio 'brau' yn y brifodl ddwywaith mewn pedair llinell olynol. Sylwer ymhellach ar anfanyldeb llipa'r mynegiant, 'A'n *rhawd* megis *sypyn* brau' a'r '. . . gaeaf yn *cau* gafael/Yn *hawdd*, er *gwreichionen hael*'. Eto i gyd mae gan *Tafod y Ddraig* rai llinellau go dda, llinellau lle mae geiriau yn tynnu eu pwysau yn hytrach na llenwi twll, e.e. 'Hwn welai warth cenedl wan/Ei hepil, ac o gwpan/Ei hachlod yfai'n awchlym/Hen sudd a roes iddo'i rym;/Sudd chwerw, heb ymchwerwi,/O'i seler ddihyder hi'.

Go dda hefyd yw'r modd y darlunia'r Gymraeg yn gwanychu dan ddylanwad y Saesneg trwy gyffelybu hynny i hen leuad yng nghôl un newydd, 'Haen o darth dros blaned wen/Yw dirywiad cystrawen'. Sylwais ar rai llithriadau: 'difrifwyr' yn lle 'difrïwyr'; synio bod 'tras' yn wrywaidd yn y llinell, 'O glai'r tras yn galw'r triw'; anwybyddu'r 'l' yn 'Un 'rôl y llall; rhoi i'r lli', ac un llinell gwbl ddigynghanedd, sef, 'A phelydrau'r haul ar slant trwy'r ystafell'. Tebyg mai 'haf' a fwriedid, nid 'haul'. Mae gennyf un asgwrn bychan arall i'w grafu gyda'r ymgeisydd hwn, sef pellter afresymol y gyfatebiaeth 'Courier' a 'cyrraedd' yn y dyfyniad hwn, 'A Courier,/Gwawdiwr chwim ei ergydion,/Gallai meingledd hwn eich "cyrraedd"!' Nid yw'r ffaith bod llinell arall o gynghanedd gyflawn wedi ymwthio rhyngddynt yn helpu dim ar fy nghlust i.

Meilir: Cerdd i R. S. Thomas mewn *vers libre* cynganeddol. Wedi dyfynnu cwpled Dewi Emrys, ('A gofid gwerin gyfan/Yn fy nghri fel taerni tân') â'r awdur rhagddo fel hyn, 'Ti yw Fwlcan ein canu –/Y gof a'i einion fel llosgfynydd/Yn gwreichioni cerddi o'n cur./Gŵr celf y geiriau coeth/Yn curo dy geinciau eirias/Yn wyrth o dan dy forthwyl./O gur dy genedl yr esgor dy ganu –/Gwreichion o watwar a chariad/A geiriau bardd yn llosgi i'r byw'. Oes, mae yma ddigonedd o wreichion ond hytrach yn ymylol yw'r testun unwaith eto yn y gerdd hon. Sonnir, mae'n wir, am bobl Manafon, 'A fu'n dân yn nwfn dy enaid,/Yn danwydd i'th soned wynias', a chyfeirir at siom a dicter R.S. yn Eglwys-fach, 'Taniaist dros dy wlad dy hunan,/A'th Gymreictod yn codi/Yn rhuthr dall fel perth ar dân', a'r machlud yn Ynys-las ac wedyn yn Aberdaron, 'yn marw'n waed/Gan fflam iachar dy gynddaredd', ond serch hynny nid yw'r gerdd yn ei hanfod yn fy argyhoeddi o'i thestunolrwydd. Straenllyd yw'r cymhwysiad. Mannau gwannaf yr ymgais hon yw'r llinellau bywgraffiadol fel y rhain, 'Dyfod yn dy afiaith/Â thân yn dy wythiennau/Yn offeiriad dibrofiad, brwd/I blwyf araf Manafon . . ./Dod o Goleg Llandaf/I goleg arall yn fugail geiriau . . ./Mynd yn ddiddig i Geredigion/Yn gawr hyf wedi dysgu'r iaith . . .'. Ond er tegwch â *Meilir* rhaid dweud bod rhannau da ganddo, yn enwedig y diweddglo, 'Yn y llan o gerrig llwyd,/Awr addoliad, plygaist ar ddeulin/I holi yn y tawelwch/Y Duw sydd yno trwy beidio â bod!/Y Duw mud yn ei addoldy moel,/Y Duw â'i ystyr yn y disgwyl distaw./Sŵn anadl yn gyson yno/Yng ngwagle y bore bach./Tithau ar dy liniau yn dy loes/Yn hoelio pob ymholiad/Yn sownd i'r groes wag."Iôr, pwy ydwyf?" Taer yw'r pader/A gwyd i'r gwyll/O'r llawr oer ger allor wen./Eto, clyw yr ateb –/Neb a dim wrth burdeb Duw,/Neb, wrth blygu'n noeth/I'r Duw dirgel yn Ei dawelwch'. Dyna, i mi, uchafbwynt y gerdd hon. Dau lithriad yn unig a welais, sef, 'Ti yw Neb na wnest adnabod' pryd y byddai 'Ti ydyw Neb' yn achub y gynghanedd, a'r llall oedd, 'Yno daeth natur a'i gysur i'th gur'. Benywaidd yw natur, wrth reswm, ond rhaid gofyn hefyd sut na chlywodd *Meilir* amherseinedd y llinell hon.

Y Crëyr Glas: Cerdd mewn *vers libre* cynganeddol a gafwyd ganddo ef hefyd ac, am unwaith yn y gystadleuaeth, nid oes fawr o amheuaeth ynghylch ei thestunolrwydd. Mae yma fflamau am y gwelir nhw! Stori yw hi am bysgotwr yn dychwelyd adref fin nos o hydref i, 'sirioldeb ei bentre bach'. Fodd bynnag, wrth godi'i olygon tua'r bryniau, 'gwêl yr hafotai gwag/yn hagr hyd at ddagrau'. Tai haf yw'r rheiny bellach, tai fel Tyddyn Du sy'n eiddo i'r 'Sorrells o bellafion Surrey'. Nhw a'u tebyg sy'n codi gwrychyn y bobl leol yn nhafarn y pentref ac, 'yn megino'r mwg hwnnw/a godai yn nirgelion eu calonnau/o hen, hen oes . . .'. Purion, ond nid felly'r llinell echrydus hon, '. . . a chyn stop-tap doedd ond y dim i bethau snapio'. Ni thâl peth fel'na. Sut bynnag, mae'r pysgotwr a dau o'i gyfeillion yn llosgi Tyddyn Du, ond drannoeth, '. . . fe ŵyr pawb/yn glir yng ngolau glas/y dydd na newidiwyd dim/gan chwalfa ddifaol/y noson o wyniasedd'. Serch hynny, bydd y llosgwyr, '. . . a'u gwenau'n gynnes/o obaith, o wybod/fod mafon surion mewn gardd yn Surrey'. O'r gorau, mae hi'n gerdd destunol ac mae ynddi fynegi eithaf pert mewn mannau ond rhaid nodi hefyd mai go elfennol yw'r cynganeddu oherwydd y mae bron draean y llinellau un ai'n llusg neu draws fantach. Cwyn arall gennyf yw'r ffaith fod yma ar y mwyaf o linellau byrion o'r un hyd a'r rheiny'n caethiwo rhythmau naturiol y *vers libre.* Addewid am bethau gwell sydd yma eto.

Prometheus: Awdl yn y mesurau traddodiadol sydd yn lled-seiliedig ar Bedwaredd Gainc y Mabinogi lle mae'r dewin Gwydion yn cyfateb i'r gwyddonydd yn ein hoes ni ac, fel y creodd ef Flodeuwedd yn y chwedl, mae'r gwyddonydd yn ymffrostio y gall yntau 'greu' y 'Flodeuwedd' gyfoes:

> Enaid a luniaf o enyn, enaid
> heb ennyd o berthyn.
> Mae cod y Duwdod Ei Hun
> yn nhywyllwch cnewyllyn.

Ac meddai wedyn, 'Hi yw clôn fy ngwyddoniaeth,/egni yw o'r hyn a'i gwnaeth'. Ond er holl ymffrost y gwyddonydd a'r holl fendithion a ddaeth yn sgîl gwyddoniaeth fodern y mae ochr arall i'r geiniog. Meddai'r bardd am y 'Flodeuwedd' newydd:

> Rhosod sydd arni'n dresi, yn ei gwallt
> y mae gwawr y lili.
> Er glaned, hardded yw hi,
> Y mae danadl amdani.

Mae Gwydion yntau yn newid ei diwn at y diwedd. Gall y gwyddonydd greu ond fel all ddifa hefyd. Meddai Gwydion, '. . . rwy'n troi o gyrion y traeth/yn ddau wyneb gwyddoniaeth./Gwelais nerth a phrydferthwch,/ond gwelaf lid, gwelaf lwch . . .'. Ac meddai'r bardd:

> Lleu ni welodd trwy'r llwyni ei elyn
> na had y diwedd ymhob blodeuyn;
> angau rhwth oedd rhwng yr ynn – a Gronw
> yn bwrw gwayw trwy gnawd a gewyn.

Er nad yw neges yr awdl mor newydd â hynny ac er mai digon tenau yw'r cysylltiad â'r testun, yn fy marn i, yr ydym ill tri'n cytuno mai hon yw'r awdl orau mewn cystadleuaeth siomedig. Ond yr ydym hefyd yn cytuno bod ynddi ddiffygion difrifol. Yn gyntaf, mae ynddi wallau gramadegol a'r rheiny'n effeithio ar y gynghanedd, e.e. 'Hyrddia heulwen yr hwyrddydd – ei olau/yn baladr trwy'r gelltydd'. Gan mai benywaidd yw 'heulwen', 'ei golau' sy'n gywir ond wedyn, wrth gwrs, nid yw 'golau' yn cynganeddu â 'baladr'. Rhag eich diflasu, bodlonaf ar un enghraifft arall yn unig, sef y llinell, 'a'i golau'n gau dan ei gwedd'. Yr hyn sy'n gywir yw, 'a'i golau'n au dan ei gwedd' ond nid yw hynny'n ffurfio cynghanedd sain. Ceir chwe enghraifft o hyn. Nid yw'n anarferol i feirniaid gywiro ambell lithriad mewn awdl cyn iddi ymddangos yng nghyfrol y cyfansoddiadau ond eleni fe olygai hynny ymyrryd yn ormodol â'r gwaith. Sut bynnag, nid y gwallau hyn yw ein hunig gŵyn yn erbyn *Prometheus.* Cymerer yr englyn milwr ar ddechrau'r awdl, 'Tylluan wen sydd heno/ar y wig oer yn rhwygo/sgrechiadau ar frigau'r fro'. Nid '*ar* y wig' does bosib! Ceir hefyd sawl enghraifft o ddweud sâl neu aflêr fel yn yr englyn hwn:

> A lluniaf i Lleu heno, o ddeilen
> ddwylaw ei gâr iddo.
> A rhoi duw i'w gariad o
> yn eilun i'w anwylo.

A chyda llaw, pam na fuasai'r awdur wedi dweud, 'Fe luniaf i Leu heno' gan barchu'r treiglad? Sylwais hefyd ar ddau englyn olynol, y naill yn diweddu â'r llinell, 'yn galw enwau'i gilydd' a'r llall yn dechrau â'r llinell, 'Calon wrth galon â'i gilydd'. Mae rhyw ddiofalwch fel'na yn britho'r gerdd.

Felly, beth yw'r dyfarniad? Does dim dwywaith nad oes deunydd bardd da yn *Prometheus*, ac er imi fod yn llawdrwm ar ei ddiffygion y mae ganddo hefyd ei ragoriaethau, e.e. y dyfyniadau ar ddechrau'r sylwadau hyn. Nid yw, fodd bynnag, wedi cyrraedd y safon a ddisgwylid gan feirniaid y gystadleuaeth eleni, ac felly, er mawr siom iddo ef a ni, rhaid atal y gadair ym Mro Ogwr.

BEIRNIADAETH ROBAT POWEL

Mentrodd naw ymgeisydd i'r gystadleuaeth eleni. Er bod y testun yn ymddangos yn ddigon symbylus, braidd yn siomedig oedd y safon at ei gilydd, a chysylltiad nifer o'r awdlau â'r testun yn denau neu'n anweledig. Yn draddodiadol, rhannaf y cyfansoddiadau yn dri dosbarth.

DOSBARTH III

Arden: Er bod cyfeiriadau at dân a fflamau'n britho llinellau *Arden*, ni ellir dweud hynny am y gynghanedd. Cyfres o benillion cwbl ddigynghanedd am danau go iawn a thân cariad yw ei ymdrech, ac nid yw'r rheiny fawr gwell na rhigymau, lle maent yn ddealladwy.

Cysgod y Garn: Creadur pur wahanol yw *Cysgod y Garn*. Gall gynganeddu'n rhugl ac mae'n gyfarwydd â'r mesurau traddodiadol. Yn anffodus, nid oes i'r gerdd ystyr na chyfeiriad clir, ac mae'r mynegiant yn rhy aml yn annelwig. Anodd hefyd yw gweld unrhyw berthnasedd â'r testun. Mae'n dechrau fel petai am gymryd rhyw drywydd chwedlonol, ac nid heb addewid, 'Blodeuwedd wyrf a ffurfiwyd/Yn noeth o friallu nwyd', ond tywyllu y mae'r awdl wedyn nes inni fynd ar goll mewn rhannau megis, 'Yn fab cyndyn eu [*sic*] hemyn a'u hamaeth,/A dalodd grocbris am ei brentisiaeth,/Yn wamal herwr i demlau hiraeth,/Hen wg a'm dygodd o'm gardd gymdogaeth . . .'. Ar adegau briga arlliw o fugeilgerdd ramantaidd i'r wyneb cyn i'r gwaith syrthio eto mewn llinellau fel, 'Hen wraig yn chwys yr Aga/Yn crasu ein croeso'n y bora . . .'. Bron na theimlwn fod mwy nag un bardd wrthi oherwydd yma a thraw fflachia gwreichionen trwy'r mwrllwch, fel y cwpled syml, 'Yr afon yn feddw lonydd,/A'r gwawn yn ariannu'r gwŷdd'. Tebyg bod rhyw weledigaeth gan *Cysgod y Garn*, ond rhaid iddo ei symleiddio a'i mynegi'n fwy uniongyrchol cyn y gall eraill ei gwerthfawrogi hefyd.

DOSBARTH II

Llygallt: Awdl ddiffuant am brofiadau'r Iddewon yng ngwersyll lladd Sobibor yn ystod yr ail ryfel byd a fflamau'r testun yn amlwg pan losgir cyrff y trueiniaid yno. Gwelir angerdd y bardd yn ei ymdrechion i gyfleu erchylltra'r gwersyll, ond nid yw'r mynegiant yn deilwng o ddwyster y pwnc. Digon effeithiol yw'r disgrifiad dechreuol o lond trenau o Iddewon yn cyrraedd y gwersyll, ond mewn adrannau eraill try'r gerdd yn ei hunfan, braidd, a'r naws haniaethol yn gor-lywodraethu. Un gwendid yn yr awdl yw'r straen rhethregol wrth i'r bardd geisio cyfleu erchylltra'r gwersyll, 'O'r angau ac o'r ingoedd – sy'n eu llef,/Sain eu llais rydd chwaoedd [*sic*]/Wylofus, flinderus floedd'. Gwendid arall yw'r dweud diafael mewn cynifer o'r rhannau, megis, 'Dienaid yw lladd dynion/Yn grefftwyr, siopwyr a'u sôn/Am ddegau o bethau bach'. Mae *Llygallt* ar ei orau yn ei ddisgrifiadau tawel megis hwn am safle'r gwersyll, 'Ni ddaw gwawr i ŵydd y gwyll/Na hafau yno i sefyll/Ar ludw encil miloedd . . .'. Pe ceid rhagor o'r arddull hon gellid bod wedi ei leoli'n uwch yn y gystadleuaeth.

Tafod y Ddraig: Is-deitl y bardd ar yr ymdrech hon yw, 'Myfyrdod ar fywyd Emrys ap Iwan'. Ceir tair adran i'r awdl, y gyntaf yn darlunio Cymru ar noson y refferendwm ac ysbryd Emrys yno'n rhannu ein teimladau, a'r ddwy olaf yn olrhain athroniaeth Emrys a'i arwyddocâd i Gymru. Defnyddir y mesurau traddodiadol a'r *vers libre* ar gyfer ei gynghanedd. Codwyd fy amheuon pan ddarllenais y gair 'myfyrdod' yn yr is-deitl, a gwireddwyd fy ofnau. Mae *Tafod y Ddraig* yn hyddysg yn mywyd ac arwyddocâd ei destun, ond ofnaf iddo ddewis y cyfrwng anghywir, oherwydd traethawd a gafwyd ganddo yn hytrach na barddoniaeth. Mae'r gwaith yn tueddu i din-droi yn ei unfan, â gormod o ddweud a dim digon o awgrymu. Ni welaf ei gysylltiad â'r testun ychwaith, heblaw am gariad tanllyd Emrys at ei wlad, efallai. Nid yw'r bardd heb allu, a defnyddir ambell ddelwedd ddiddorol, 'Ehedodd iaith ei hyder o'r ddalen,/Yn golomen wen fel o'r arch yn her', ond rhy brin o lawer yw'r rhain. Pan roddir cynnig ar linell fachog, methir yn aml â tharo deg, megis, 'Yna'r llawenydd yn gorllewino . . .'. Onid y gorllewin sy'n llawenhau, ac nid fel arall? Nodweddiadol o'r arddull yw'r englyn canlynol, lle'r amherir ar ddelwedd addawol gan y mynegiant anystwyth a'r dewis o eirfa:

> Brawddegau'n dabwrdd eigion, oedd traw'r lli
>   'Ddeutu'r llong yr awrhon;
> Onid oedd distrych y don
> Ar rudd yn flas ceryddon?

Ceir lliaws o gerddi teyrnged cofiadwy yn y Gymraeg. Talai i *Tafod y Ddraig* bori yn y rheiny i ganfod sut mae canmol person yn effeithiol mewn barddoniaeth eglur.

Nant Lowrog: Bardd arall sy'n cymysgu'r *vers libre* a'r mesurau traddodiaol o fewn un gerdd, a hynny mewn awdl sy'n mynegi hiraeth ar ôl marwolaeth cyfaill. Fflamau'r gerdd yw'r rheiny yn y tân y sylla'r bardd iddo wedi angladd ei ffrind, a lle gwêl ddyddiau a phrofiadau'r gorffennol a rannodd a'r cyfaill, 'Y tân rhudd sy'n taenu'i wres/Heno â'i luniau cynnes'. Am ddechrau'n epigramatig y mae'r bardd, ond argraff haniaethol a di-fflach a grëir gan y cwpled, 'Mae yn nhiroedd celloedd cof/Ingoedd nad ânt yn angof'. Un gair yn ormod sydd i'r ymadrodd, 'nhiroedd celloedd cod,' tra mae 'ingoedd/angof' yn hen drawiad. Nid yw'r ddelwedd gyntaf yn llwyddiannus ychwaith, 'Daeth fel llucheden heno/Yn glec . . .', oherwydd nid sŵn clec ond goleuni a geir o lucheden. Adroddir hanes cyfeillgarwch y ddau'n ddiffuant iawn, ond braidd yn ddiafael yw'r mynegiant a phrin yw gwir rythm barddoniaeth yn llawer o'r llinellau. Ceir ambell gyffyrddiad difyr am hel lodesi a'r 'hen Saab yn abwyd', ond mae gormod o ddarluniau ystrydebol fel, 'Un hael anghyffredin oedd,/Cadarn ac ifanc ydoedd'. Fe'i harweinir gan y gynghanedd hefyd at ddewis mwy nag un gair anaddas, e.e. 'Ond *arlwy* wag sydd i'r darlun'.

Serch hynny, mae dawn gan *Nant Lowrog,* fel y gwelir mewn englyn campus wrth iddo ddisgrifio ei fynediad i'w orffennol yn fflamau'r tân:

Taeraf fod y fflamau'n torri yno'n
    Ddarluniau, ffenestri
  Mewn golosg, ac yn llosgi
  Mae ein doe a'n hechdoe ni.

Mae'n llwyddo hefyd i grynhoi galar sy'n uno'r holl gyfeillion yn yr angladd:

Fel un yn ein halaeth, heddiw'r aethom
Fel un i gofio'r dyn a adwaenom,
Fel un yn ein pwrpas fe safasom,
Fel un â'r loes, fel un yr wylasom . . .

Cynnal y fath ganu uniongyrchol trwy gerdd gyfan fydd y gamp i *Nant Lowrog.*

Y Bontfaen: Awdl arall sy'n cychwyn yn annelwig, 'Cylch fel golosg yn llosgi/Yn dân am fy llygaid i,/Iasau'n groen . . .'. Yn raddol daw'n eglur mai plentyn yn derbyn triniaeth am ganser ac ymateb ei rieni i'r argyfwng yw sylwedd yr awdl, ond ni welaf unrhyw gysylltiad rhwng hynny â'r testun a osodwyd. Ceir yma ymdrech ddidwyll i fynegi angerdd a gofid y rhieni, ond yn rhy aml adrodd hanes a geir a'r mynegiant yn gyffredin neu'n aneglur. Amherir ar y dweud yn rhy aml gan naill ai linellau haniaethol, diergyd, megis, 'Y daw golud ei golau,/Ei rhin i ddyfalbarhau', neu ddewis geirfa anaddas megis, '. . . rhoddi ffydd/Lle'r oedd *ffawd* yn cilio' (pam ffawd?); 'Cymun yng ngwenwyn "chemo"'. Cemotherapi a olygir wrth y 'chemo', ond mae'r talfyriad yn creu argraff ysgafn anffodus. Ceir rhannau hefyd lle mae'n gamp canfod ystyr o gwbl, megis wrth iddo sôn am y meddyg, 'Rhoi mewn gwên sawl rhwymyn gwâr'. Beth, tybed, yw 'rhwymyn gwâr'? Gwraidd y drwg, mi dybiaf, yw bod *Y Bontfaen* yn cael ei gamarwain yn rhy fynych gan y gynghanedd a'r odl at eiriau amhriodol. Fodd bynnag, mae dawn gan y bardd hwn, fel y gwelir yn y trosiad, 'Blodeua'r ward yn gardiau', a'r disgrifiad o'r haul yn taro trwy ffenestri'r ysbyty, 'Drwy'r llenni daw'r holl wanwyn;/Bwrlwm sy'n larwm o liw/Yn yr eiliad amryliw'. Mwy o gyffyrddiadau cliriach felly sydd eu hangen. Braidd yn rhyfedd yw diwedd y gerdd. Gan i'r plentyn wella a dychwelyd o'r ysbyty disgwylir mynegiant o lawenydd yn ddiweddglo, ond yn lle hynny ni cheir ond atgof am y boen a fu, 'A'i gystudd i'm coluddion – i naddu'. Ymhlith mân wallau'r awdl ceir y duedd i gynganeddu'r ng- yn 'ing' ac 'angerdd' â'r ddwy gytsain wahanol mewn geiriau fel 'diymhon-gar' a 'hwian-gerdd'.

Y Crëyr Glas: Awdl mewn *vers libre* cynganeddol am losgi tŷ haf. Gwelir yn y caniadau cyntaf fedr y bardd, ond gwelir ar yr un pryd mai un esgeulus ydyw, a parha'r argraff hon trwy gydol y gerdd. Egyr trwy ddarlun synhwyrus o niwl yr hwyr uwch llyn, ond amherir ar hwnnw trwy ddelwedd anffodus, '. . . deuai sisialau/gwynt yn dylyfu gên'. Pur anghymharus yw 'sisialau' a 'dylyfu gên'. Yna disgrifia liwiau cyfnewidiol yr hwyrnos, 'fel pe bai bom wedi ffrwydro', a chyffredinedd yr ymadrodd hwn yn difetha'r naws yn llwyr. Rhydd yr awdl hanes pysgotwr yn dychwelyd tuag adre heibio i'r tŷ haf lle cymerwyd lle Modryb Jên, 'yn curo mat yn ei brat bras' gan y, 'Sorrells o bellafion Surrey'. Yn ddiweddarach rhoddir y tŷ haf ar dân, a daw fflamau'r testun i'r amlwg.

Mae awdl *Y Crëyr Glas* yn grafog mewn mannau ac yn ddychanol wrth bortreadu perchnogion y tŷ haf, 'Hetiau haul a sbloet o "welis"/gwyrdd o ryw gylchgrawn garddio/a'u sgein fel sglefr'. Ond y brif argraff a geir yw bod yma fardd da sydd wedi llunio ymdrech ar frys. Gwelir hen drawiadau'n blith draphlith megis, 'bregliach brain', 'y byd yn diasbedain', a 'ddeffry ddyffryn'. Mae'r ymdrech at greu uchafbwynt wrth ddarlunio'r llosgi, 'Yn Nhyddyn Du roedd 'na dân', yn rhethreg anarbennig. Mae angen mwy o ofal a thrylwyredd na hyn i lunio awdl lwyddiannus, ond teimlaf fod hynny o fewn cyrraedd *Y Crëyr Glas* os ymdrecha.

Meilir: Cerdd deyrnged i R. S. Thomas, mewn *vers libre* cynganeddol, a fflamau awen y bardd mawr hwnnw yw'r testun. Adroddir hanes ei fywyd yn ffyddlon a sonnir wrth fynd heibio am gymeriadau adnabyddus yn ei waith megis Iago Prydderch a Cynddylan ar dractor.

Codwyd fy nghalon gan y trosiad agoriadol, 'Ti yw Fwlcan ein canu,/Y gof a'i einion fel llosgfynydd/yn gwreichioni cerddi o'n cur', ond tueddu i or-wneud a chymysgu'r trosiadau y mae *Meilir* wedyn trwy sôn am roi, 'drama ar lwyfan dy ganu/A'n hing ar gynfas' a dweud bod, 'anniddigrwydd yn ddagrau/Berw ar hob eirias/Dy enaid'. Digon effeithiol yw'r darn cynnil am Fanafon lle, 'mae'r golau mor brin â gwên ei thrigolion', ond collir yr awch ar y mynegiant wrth i'r awdl fynd rhagddi a cheir rhannau digon rhyddieithiol, 'Mynd yn ddiddig i Geredigion/Yn gawr hyf wedi dysgu'r iaith',/Ond y cur wedi cyrraedd', ac onid oedd *Meilir* wedi darllen R. Williams Parry cyn galw Cwm Tryweryn yn 'gofadail i'n gofidiau'? Yna, tua'r diwedd, cyfyd safon yr awdl eto pan dynnir portread o R. S. Thomas yn chwilio am ei Dduw, 'Y Duw mud yn ei addoldy moel,/Y Duw a'i ystyr yn y disgwyl distaw'.

Mae *Meilir* yn fardd medrus, yn trafod ei gyfrwng yn ddeheuig, a bydd ei awdl yn rhoi pleser i lawer. Gwendid y gerdd hon yw ei bod yn troi'n gronicl o symudiadau a chreadigaethau R. S. Thomas. Nid oes budd mewn ailddisgrifio pethau a ddisgrifwyd gan feistr eisoes. Pe bai *Meilir* yn canolbwyntio mwy ar arwyddocâd R. S. Thomas i Gymru ac i'r byd, byddai ei gerdd yn fwy nerthol.

DOSBARTH I

Prometheus: Cerdd y bardd hwn yw'r unig awdl sy'n haeddu ei lle yn y dosbarth cyntaf, a'r unig un a ystyriais ar gyfer y gadair. Alegori o'r gwyddonydd a'i waith a geir, a'r bardd yn defnyddio chwedl Branwen yn gelfydd i ddelweddu ei neges. Egyr y gerdd yn sŵn sgrech tylluan, y lleuad yn codi a fflamau'r machlud yn adlewyrchu ar y môr tu hwnt i Lŷn a Môn. Yna cawn ymson Gwydion, y gwyddonydd, yn brolio ei allu i greu bywyd yn ffurf Blodeuwedd, 'Hi yw clôn fy ngwyddoniaeth,/Egni yw o'r hyn a'i gwnaeth'. Ond daw amheuon i boeni'r bardd a cheir ail ymson Gwydion lle sylweddola'r drwg y gall ei ddewiniaeth ei achosi, 'A Gronw yno'n llonydd/Yn bwrw gwayw o'r gwŷdd'. Mae'r gerdd yn cau gyda'r rhybudd bod gwyddoniaeth fel pe bai'n hyrddio ei wayw atom heddiw, a sgrech y dylluan sy'n cloi'r awdl.

Cefais flas ar yr awdl hon. Ceir ynddi'r syniadaeth fwyaf gwreiddiol o blith cynigion y gystadleuaeth, ac adeiledd gofalus yn sicrhau cyfanwaith crwn. Defnyddia *Prometheus* ei gyfrwng yn effeithiol i greu naws yr hwyrddydd ac i awgrymu'r grymoedd ysgeler sy'n bygwth o du gwyddoniaeth. Delwedda ei fater trwy fyd natur mewn englyn rhagorol am y machlud:

> Yn y llif yn ymbellhau – am y rhod
> Mae marwydos golau,
> Fel Gwydion yno'n cynnau
> Tân i'w bair hyd dywyn bae.

A dangosir peryglon gwyddoniaeth inni trwy ddelwedd Lleu, a fanteisiodd ar wyddoniaeth ond a laddwyd o'i herwydd:

> Lleu ni welodd trwy'r llwyni ei elyn
> na had y diwedd ymhob blodeuyn.

Gwaetha'r modd, ceir rhannau lle mae *Prometheus* yn disgyn o'r uchelfannau. Fel y noda fy nghyd-feirniaid, mae'n gwneud gwallau gramadegol y byddai eu cywiro'n difetha'r gynghanedd. O safbwynt techneg gynganeddol, symleidd-dra yw ei naws. Gwneir defnydd helaeth iawn o'r cynghaneddion llusg a thraws fantach, y cynganeddion hawsaf, a gellid disgwyl gwell meistrolaeth dechnegol na hyn gan un sydd yn ddiau'n meddu ar gryn ddawn i greu barddoniaeth. O ran y cynnwys, mae gennyf amheuon am ail ymson Gwydion lle mae'n edifarhau am yr anfadwaith y mae wedi'i wneud, 'Ond gwelaf lid, gwelaf lwch'. Nid yw hyn yn argyhoeddi yn union ar ôl i'r un Gwydion glodfori ei gampau creadigol fel gwyddonydd.

Nid oes amheuaeth nad yw'r gadair genedlaethol o fewn cyrraedd y bardd galluog hwn, ac edrychaf ymlaen at weld ei gadeirio rywbryd. Mae'n loes calon gennyf orfod penderfynu nad yn 1998 y bydd hyn ddigwydd, a hynny o drwch asgell gwybedyn. Atalier y wobr.

BEIRNIADAETH GRUFFYDD ALED WILLIAMS

Yr oedd y testun eleni, 'Fflamau', yn un ymddangosiadol addawol, ond esgorodd ar gystadleuaeth siomedig.

Cerdd ddigynghanedd a gafwyd gan *Arden* ac felly rhaid ei ddiarddel o'r gystadleuaeth. Eithr mae'n rhagori ar y tri bardd nesaf a enwir o ran testunoldeb ei gerdd.

Y Bontfaen: Cerdd am blentyn mewn ysbyty yn dioddef o ganser. Y tad sy'n llefaru, ac mae manylion y gerdd mor fyw a chroyw fel y gellir credu mai adrodd profiad gwirioneddol a wneir. Y mae *Y Bontfaen* yn fardd galluog a all greu darluniau cameo trawiadol:

> Meddyg ar goedd yn meddwl, a'i eiriau
> Mewn clorian drwy'r cwbwl,
> Manna'r esboniad manwl.

Neu'r pennill hwn o gywydd:

> Blodeua'r ward yn gardiau
> Yn dwyn ein gobaith ni'n dau.

Yn anffodus, fodd bynnag, egwan ac ysbeidiol a chwbl anargyhoeddiadol yw ymdrechion y bardd i destunoli'r gerdd. Canodd *Y Bontfaen* gerdd dda – yn wir, un o gerddi gorau'r gystadleuaeth – ond ai un a luniodd yn wreiddiol ar destun arall ydyw mewn gwirionedd?

Tafod y Ddraig: Pwnc y bardd hwn yw 'Myfyrdod ar fywyd Emrys ap Iwan'. Ar ddechrau'r gerdd eir â ni'n ôl i noson cyhoeddi canlyniadau'r Refferendwm ar ddatganoli. Dychmygir Emrys yno'n bresennol yn dioddef artaith y canlyniadau cynharaf ac yn cystwyo ei wlad – 'Y dlawd ddi-fflamau' [*sic*] – cyn gweld y 'llawenydd yn gorllewino' yng Ngwynedd a Chaerfyrddin. Y mae *Tafod y Ddraig* yn gynganeddwr rhugl a graenus. Ond unwaith eto dyma gerdd nad yw'n argyhoeddi o ran ei thestunoldeb, ac mae'r ddyfais o 'atgyfodi' Emrys yn rhy artiffisial i'm chwaeth i. Anffodus hefyd yw'r amlygrwydd a roddir yn ail ran y gerdd i hen nain Ffrengig honedig Emrys ('Coflaid ei hendaid oedd hi,/Y Ffrances achlesol', etc.). Dangosodd yr hanesydd lleol o Glwyd, Bill Wynne-Woodhouse, yn y cylchgrawn *Hel Achau* yn 1987 mai rhith (neu'n hytrach Saesnes!) oedd hon (gweler hefyd ysgrif Bedwyr Lewis Jones, 'Hen Nain Emrys ap Iwan', yn *Taliesin* Nadolig

CADAIR YR EISTEDDFOD

Rhodd John Elfed a Sheila Jones,
er cof am Urien Maelgwyn Jones a Mary Jones, Maentwrog
a David Thomas Rosser ac Alice Rosser, Castell-nedd.
Cynlluniwyd a gwnaed gan Tom Price, Corneli.

1987 sy'n crynhoi erthygl wreiddiol Wynne-Woodhouse). Y tro hwn, ysywaeth, yr hanesydd, nid y bardd, biau'r gwir di-goll!

Meilir: Lluniodd y bardd hwn gerdd deyrnged i R. S. Thomas mewn *vers libre* cynganeddol. Gosododd *Meilir* ddyfyniad o waith Dewi Emrys, 'A gofid gwerin gyfan/Yn fy nghri fel taerni tân', yn bennawd uwchben ei gerdd a mynd rhagddo i gyfarch R. S. Thomas fel 'Fwlcan ein canu', ond prin fod yr ystrywiau hyn yn ddigon i destunoli ei gerdd. Y mae *Meilir* yn gynganeddwr ystwyth ac ar ei orau gall ganu'n bur effeithiol, fel yn y darn hwn sy'n disgrifio Iago Prydderch:

Un dwys oedd, heb weld y sêr,
Na chlywed salm ehedydd,
Na synhwyro, â'r nos yn arian,
Y wlad sy'n anweledig;
Na swyn yr Hollbresennol.

Olrheinir gyrfa'r bardd o Fanafon i Ben Llŷn mewn mydryddiaeth gymen gan adleisio'i gerddi'n sgilgar ar dro. Ar wahân i'w diffyg testunoldeb sylfaenol, gwendid canolog arall cerdd *Meilir* yw nad yw fel cyfanwaith yn cynnig unrhyw olwg newydd neu wahanol ar ei gwrthrych.

Canodd y pum bardd sy'n weddill gerddi sy'n ymgysylltu'n ystyrlon â'r testun 'Fflamau' ac y gellir eu hystyried o ddifrif yn y gystadleuaeth hon o'r herwydd.

Llygallt: Cerdd am dynged yr Iddewon yng ngwersyll-garchar Sobibor yn nwyrain Gwlad Pwyl. Y mae addewid yng ngrymuster y darlun a geir ar ddechrau'r gerdd:

Yn nhreflan tylluannod [*sic*]
Heb awr nad oedd nos yn bod
Ar elor wnaed o reiliau
Y meirwon fel briwsion brau
Osodwyd gerllaw'r seidin
Yn un praidd . . .

A cheir ambell englyn effeithiol megis yr un canlynol sy'n darlunio'r newid a fu yng nghyffiniau'r gwersyll:

Troi'r ardal yn anialwch – a gadael
Gwerdd goedwig dan fwrllwch;
Wylo lle bu tawelwch
A sŵn lladd, mae'i glesni'n llwch.

Y mae'r gerdd yn ddiwyro destunol gyda'r fflamau sy'n difodi cyrff yr Iddewon yn fotiff canolog yn y gerdd. Ond anaml, ysywaeth, y mae'r bardd yn llwyddo i gyrraedd safon y darnau a ddyfynnwyd. Rhaid nodi hefyd mai *Llygallt* yw'r mwyaf elfennol o gynganeddwyr y gystadleuaeth (heb gyfrif y rhyfeddol *Arden,* wrth gwrs). Y mae ar y mwyaf o'i gynganeddion – dros draean ohonynt – yn rhai sain neu lusg, a thueddir hefyd i gynganeddu parau o eiriau, 'Estyn wna'r concrid ddistiau', 'Dynion bob awr a daenant', etc. hyd syrffed. O ymboeni ynglŷn â'i grefft ac ymdrechu am fwy o arbenigrwydd yn ei fynegiant byddai *Llygallt* yn rhagorach bardd.

Cysgod y Garn: Canu am fflam(au) serch a wnaeth y bardd hwn; olrheinir perthynas rhwng dau gariad o danbeidrwydd angerdd llencyndod hyd henaint, gyda'r sôn am fflamau'r amlosgfa ar y diwedd hefyd yn ymgysylltu â'r testun. Dyma'n ddi-os gynganeddwr ystwythaf y gystadleuaeth, a'r bardd helaethaf ei adnoddau geiriol hefyd. Er ei alluoced, fodd bynnag, rwy'n synhwyro nad yw'r bardd hwn yn gwbl o ddifrif. Ar ôl agoriad syber-ramantus yr awdl (ac eithrio un englyn amwys ei ystyr, efallai) cliw cynnar i osgo cellweirus y bardd, mi dybiaf, yw'r hir-a-thoddaid dychanol ei naws hwn, y bydd ei ddarllen efallai yn peri i rai ysu am daflu ei awdur i harbwr Caergybi:

> Garw oedd fy hil a lithiai 'nghywilydd,
> a'i lle yng nghilfach y lloi anghelfydd.
> Rhai a gronnai laid a buswail [*sic*] a budd,
> yn ochain-gwyno am fychan gynnydd.
> Crafwyr fu'n dical crefydd, rhai carbwl,
> y lleygwyr dwl a fu'n llygru'r dolydd.

Anodd gwybod hefyd beth i'w wneud o fardd a all lunio llinell fel, 'yn dennu [*sic*]'r bwgan i dyno'r bygwl'! Ar ôl disgrifio'i feinwen yn ei henaint yn, 'Hen wraig yn chwys yr Aga', dychmyga'r bardd y ddau ohonynt yn mynd i bysgota. Ystryw yw'r ddyfais hon i gynnwys cyfres o ddarluniau cameo o fyd natur (deunydd strae a luniwyd yn wreiddiol ar wahân i'r awdl tybed?). Beth bynnag a feddylir ynghylch tebygolrwydd y cyd-destun, ni ellir gwadu dawn ddisgrifiadol y bardd, fel yn yr englyn hwn sy'n darlunio crëyr glas:

> Edrych ar y drych drwy'r drain! Ai delw
> O'r dulyn ai celain?
> Un a huda dan adain
> Twyll, darged ei fwled fain.

Os nad tynnu coes oedd bwriad y bardd ymddiheuraf iddo. Os yw ennill y gadair yn wir uchelgais ganddo y mae'n meddu ar y ddawn a'r adnoddau i wneud hynny.

Nant Lowrog: Cerdd yn coffáu cyfaill i'r bardd a fu farw'n ifanc ac y cofir amdano wrth syllu i fflamau'r tân. Y mae'r ddyfais ganolog yn un syml ond effeithiol, a'r canu'n amlwg ddiffuant ac yn ddengar o uniongyrchol a di-lol. Gwendid y gerdd yw cyffredinedd y dweud a'r delweddu ar brydiau. Tuedd y bardd yw cynganeddu'r gair cyntaf a ddaw i'w feddwl, heb ymgyrraedd am yr arbennig a'r trawiadol:

> Mae fy nghalon yn aflonydd heno
> A minnau o'r newydd
> Yn wylo'n ddigywilydd
> Ddagrau'n llyn ar derfyn dydd . . .

Un hael anghyffredin oedd,
Cadarn ac ifanc ydoedd,
Un a steil yn ei fwstás,
A'i arddel wnâi ag urddas.

Ond gall *Nant Lowrog* ganu'n well na hyn. Hoffais yr adran mewn *vers libre* sy'n sôn am ddyddiau coleg y ddau gyfaill:

Dau a fu'n siario a ffeirio merched, nodiadau
A ffags:
Dau â rhyw awch, a byd i'w drechu,
A diwygiad y chwedegau breiniol
Yn berwi ynom,
A phlws ein bodolaeth oedd bri Fflers,
Egin Genedlaetholdeb
A newydd-deb *Cuban Heels* . . .

A cheir darlun pur effeithiol o gyfaill y bardd yn ei lesgedd (er bod y sôn am 'Yr hoff frawd' yn enghreifftio'r gwendid yn y dweud y cyfeiriwyd ato eisoes):

Mewn llesgedd yr eisteddai,
Oedi'r oedd, a'i ddydd ar drai,
Yr hoff frawd yn rhoi'i ffarwél,
Ac araf groesi'r gorwel,
Yn loetran uwch cwpanaid
Dan iau ei boenau di-baid.

Gallai'r gadair fod o fewn cyrraedd *Nant Lowrog* pe bai'n ymegnïo ac yn ymroi i ymestyn ei ddoniau cynhenid.

Prometheus: Fflamau gwyddoniaeth yw fflamau'r gerdd hon. Seilir y gerdd ar hanes Blodeuwedd, gyda Gwydion yn llefaru yn rhith gwyddonydd. Trosir y chwedl yn ddameg ynghylch deuoliaeth gwyddoniaeth, ei gwedd greadigol a'i gwedd ddinistriol. Gallai thema o'r fath esgor ar draethu athronyddllyd haniaethol, ond ni ddigwyddodd hynny y tro hwn gan fod gan *Prometheus* ddychymyg bardd. Amlygir hyn yn ddigamsyniol yn yr englynion milwr agoriadol (er bod argoel o wendidau sydd i ddod yn arddodiad anaddas yr ail linell):

Tylluan wen sydd heno
ar [*sic*] y wig oer yn rhwygo
sgrechiadau ar frigau'r fro . . .

Ac wrth i'r wenlloer oeri
mae ystlumod yn codi
o waed dwfn ei llygaid hi.

Mwy pedestraidd yw'r cywydd lle mae Gwydion yn llefaru, 'Wyf Gwydion, wyf wyddoniaeth;/egni wyf o'r hwn a'm gwnaeth./Wyf bennaeth dewiniaeth deg,/

anwylaf fflam technoleg', ond gwelir y bardd ar ei orau yn yr englynion sy'n cyfeirio'n uniongyrchol at y ferch a wnaed o flodau, fel hwn, er enghraifft:

Rhosod sydd arni'n dresi, yn ei gwallt
y mae gwawr y lili.
Er glaned, hardded yw hi,
y mae danadl amdani.

Ac amlygir cryn ddawn sawl tro yn rhan olaf yr awdl hefyd:

Ni welwn yr hudoliaeth – o'n cwmpas
Aeth campau'n dewiniaeth
yn gynrhon o wyddoniaeth
ar gnawd du yn mynnu maeth.

Oes, mae i awdl *Prometheus* ei chryfderau. Ond mae iddi ei gwendidau hefyd. Fel *Llygallt* (er nad i'r un graddau), mae diffyg uchelgais i'w weld yng nghynganeddu *Prometheus.* Bu'r gynghanedd lusg yn gymorth hawdd ei gael iddo droeon lawer. Yn fwy sylfaenol efallai, mae yn yr awdl gryn nifer o wallau iaith. Y mae'r diffyg treiglad i'r gair 'munud' yn y llinell, 'daw munud cyn machludo' yn awgrymu mai goddrych y ferf ydyw, ond awgryma'r cyd-destun ei fod yn adferfol yma ac y dylid ei dreiglo (cymharer hefyd 'ynof, pob awr, pob ennyd'). Defnyddir y ffurf sathredig 'e gynnodd' er mwyn cadw hyd y llinell ('fe gynnodd Gwydion fflamau gwyddoniaeth'). Meflau y gellid yn hawdd eu chwynnu yw rhai o'r pethau hyn, ond ceir gwallau eraill mwy difrifol na ellid mo'u cywiro heb ddryllio'r gynghanedd, megis y llinellau a ganlyn lle amlygir ansicrwydd ynghylch cenedl enwau, 'Hyrddia heulwen yr hwyrddydd – ei olau/yn baladr trwy'r gelltydd', 'Gwn ateb y geneteg'. Diflannai'r gynghanedd hefyd pe treiglid yr ansoddair yn 'a'i golau'n gau dan ei gwedd'. Er gwaethaf doniau diamheuol *Prometheus* nid yw ei arfogaeth ieithyddol yn ddigon dillyn a glân iddo haeddu'r gadair eleni.

Y Crëyr Glas: Y fflamau a daniwyd gan Feibion Glyndŵr (neu berthnasau agos iddynt) yw testun y gerdd *vers libre* hon. Adlewyrcha'r gerdd realiti cymdeithasol cyfoes y mewnlifiad ac edwino'r gymdeithas wledig Gymreig: mewn cystadleuaeth lle mae'r beirdd yn tueddu i fynd yn dalog o'r tu arall heibio i bethau anghysurus o'r fath mae'r pwnc yn un i'w groesawu. Mae agoriad y gerdd, lle darlunnir pysgotwr ar derfyn dydd, yn argoeli'n dda:

Uwch y llyn a'i fwrllwch llwyd,
pan nad oedd ond llepian dŵr
hyd y siâl, deuai sisialau
gwynt yn dylyfu gên
drwy'r ynn yn y dyffryn; . . .
Fel rasel drwy'r tawelwch,
un gŵr a lusgai gwch rhwyfo
o'i ôl hyd y grafel mân.

Wrth ddychwelyd i'w gynefin myfyria'r pysgotwr ynghylch tynged, 'yr hafotai gwag/yn hagr hyd ddagrau' ar lechweddau'r ardal. Yn Nhyddyn Du lle bu Modryb Jên gynt fe geir bellach, 'y Sorrells o bellafion Surrey' (sy'n cynrychioli hefyd yn ddiau, 'y Cecils draw o gyrion Sussex' etc.!):

dod o dir goludog y de
ar ras yn eu Subaru
4 x 4
i glwydo yn ei glydwch,
a chreu 'Rose-lynn' o Dyddyn Du.

Ar ôl dioddef clochdar y Saeson yn y dafarn leol, try'r pysgotwr, 'yn foi heno a phenderfyniad'. Disgrifir ei gyrch ef a'i gyd-losgwyr ar Dyddyn Du, 'Yn Nhyddyn Du, roedd 'na dân:/draig y dreigiau/fry yn rhuo,/lluwch y llechi'n/danchwa, danchwa'. Drannoeth 'fe ŵyr pawb . . . na newidiwyd dim', ond:

bydd tri gwyliwr
a'u gwenau'n gynnes
o obaith, o wybod
fod mafon surion mewn gardd yn Surrey . . .
ac,
ar anterth y goelcerth gain
un eiliad olau,

i eryr Lleu roi llam o'r fflamau.

Mae *Y Crëyr Glas* yn fardd medrus ac adroddodd ei stori'n afaelgar. Mae mater ei gerdd yn apelio'n fwy ataf nag eiddo neb o'i gymheiriaid yn y gystadleuaeth eleni. Ond mae gennyf rai amheuon yn ei gylch. Unwaith neu ddwy mae'n ddiffygiol o ran chwaeth artistig, yn fwyaf arbennig yn y llinell druenus, 'a chyn stop-tap, doedd ond y dim i bethau snapio' (un o isafbwyntiau yr holl gystadleuaeth, ond odid). Yn fwy sylfaenol efallai, y mae golygwedd ei gerdd yn tueddu i fod yn or-syml, yn rhy arwynebol gartwnaidd ac ystrydebol (cyfeiriaf yn arbennig at y darluniau o Fodryb Jên, o drahauster y Saeson yn y dafarn, a'r disgrifiad o gartref y prif gymeriad, '[g]ogor o dŷ cyngor, – cafn/moch a fu ers oes a mwy/ar restr am ffenestri'.). Mae'r gerdd yn un dda – yn un a fyddai'n llawn deilwng o'r wobr mewn eisteddfod daleithiol – ond y mae fymryn yn brin o'r praffter a'r pwysau a'r cymhlethdod meddwl a dychymyg a ddisgwyliwn mewn cerdd a deilyngai gadair y brifwyl.

Eleni, yn fy marn i, fe ddaeth y ddau fardd diwethaf y trafodwyd eu gwaith – ac yn enwedig *Y Crëyr Glas* – i olwg y gadair. Ond am y rhesymau a nodwyd uchod ni fyddwn yn gwbl dawel fy meddwl ynghylch dyfarnu'r naill na'r llall ohonynt yn fuddugol. Cytunaf â'm cyd-feirniaid mai atal y wobr sydd raid.

Dilyniant o gerddi heb fod mewn cynghanedd gyflawn: Rhyddid

BEIRNIADAETH MENNA ELFYN

Derbyniais y fraint o feirniadu'r gystadleuaeth hon yn llawen ond yn betrus am fod pethau mewn celfyddyd a chystadleuaeth sy'n anghymharus. Yn yr ymgais i chwilio am ragoriaeth mae'n rhaid tresmasu ar gerddi, canfod gwendidau a chaniatáu i'r meddwl beirniadol fawrhau'r brychau gan besgi ar amherffeithrwydd. Yn ei hanfod, mynd i ddau begwn gwahanol a wna cystadleuaeth a barddoniaeth. Myn un y broses o ddyrchafu tra bo'r llall yn gofyn i rywun blymio i'r gwaelodion mewn dyfnder emosiynol. Nodaf broblem arall. Myn cystadleuaeth ddisgyblaeth ar destun. Ochr yn ochr â'r testun y mae gwedd gyhoeddus y gystadleuaeth yn medru dylanwadu ar natur y cyfansoddi'n fwy nag mewn un lle arall, gan ddenu y beirdd-siwrne-siawns yn ogystal â'r rheiny sy'n rhodio llwybrau cyfarwydd y grefft. Un o'r maglau mwyaf wrth i feirdd fynd ati i 'gystadlu' yw eu bod, boed yn fwriadus neu beidio, yn gorfod ystyried, nid o reidrwydd, eu lleisiau unigryw nhw'u hunain, ond hefyd chwaeth tri darllenydd doeth. Ac onid un o feini prawf y gwir artist yw ei fod yn dilyn ei reddf a chanu'n gyntaf iddo ef neu hi ei hun, yn hytrach na cheisio canu'r hyn a fyddai'n debygol o apelio at y cyfryw ddoethion? Gall hyn lyffetheirio'r nwyd creadigol.

A daeth tuedd arall yn rhemp yn ei sgîl, sef y duedd i ganu yn 'olau', yn 'boblogaidd', yn 'fenywol' hyd yn oed, yn ogystal â chanu'n destunol-wleidyddolgywir. Ychydig o le sydd i gerddi trymion ym maes-y-gad-gerddi a haws o lawer yw mentro ag arfau cerddi tabloid eu naws.

Yn ystod y blynyddoedd a fu tueddwyd i gyfystyru canu da gyda chanu syml (a 'glân', gair arall beirniadol anghyffwrdd) ac yn aml aeth y cerddi sy'n herio'r ddeallusol neu'r rhai sy'n gofyn am fyfyrdod emosiynol i ddifancoll. Diolch i'r drefn, y mae'r cerddi sy'n cyrraedd y brig eleni yn gwrth-wneud yr holl dueddiadau hyn ac yn adfer y gred y gall cerddi cyfoes fod yn oesol ddeallusol ac emosiynol fyfyriol, yn syml ac ar yr un pryd yn gymhleth o orfoleddus.

Dyma linell neu ddwy am bob cystadleuydd gan nodi bod eu gwaith at ei gilydd yn ddarllenadwy ac ystyrlon. Nid wyf wedi eu gosod mewn unrhyw drefn nes cyrraedd yr hanner dwsin olaf.

Craig y 'Deryn: Cerddi am Mandela, Terry Waite a Rhyddid Cymro. Dylid osgoi rhethregu a chwilio am wreiddioldeb mynegiant. Does dim na wyddom eisoes amdano yn y cerddi hyn sy'n gorffen yn bregethwrol.

Pen y Cei: Ceir rhai pethau hyfryd yn y dilyniant hwn ac mae sawl cerdd yn gweithio ond mae diffyg cysondeb yma. Hoffais, 'heibio'r amrwd ynom ni ein hunain' a'r darlun o'r glöyn byw.

Ymgais: Oes y mae ymgais yma ond gall y bardd fod yn hynod o gwmpasog yn ei fabinogi. Cymer dair llinell i ddweud yr un peth, 'Nid oedd neb yn fwy o werth/ na'i fam, yr orau yn y byd/yn well na phob mam arall', ac yna gan gloi'n rhyfeddol gydag, 'Ei gyllell boced ef yn well na'r un'.

Guiness yn y Gwaed: Mae'r bardd ar dir uwch o lawer yn ei gerddi am Iwerddon ac mae cyffyrddiadau da ganddo; ac eto mae tuedd i gyplysu geiriau fel Connemara â rhin farddonol. Gallai hyn fod yn dwyllodrus.

Rhyddid: Hanes perthynas rhwng person o dde Affrica a Chymru. Braidd yn ailadroddus, efallai, er imi hoffi rhannau ohoni, yn enwedig y clo cyffwrdd.

Mandela: Cerddi'n olrhain hanes y bobl ddu wrth iddynt sicrhau eu hawliau. Ceisiodd fod yn gynnil ond does dim llawer o ddelweddu ffres yma.

Groegwr: Cerddi sy'n sôn am ormes cwricwlwn [*sic*] universitas/y crēwr. Nid oes llawer i'w edmygu yn y gerdd er i'r bardd geisio creu rhyw fath o naratif barddonol.

Branwen: Ceir ambell gyffyrddiad dychanol reit ddifyr gan y bardd hwn ond mae diffygion yn ei gerddi. Mae'r gerdd olaf, 'Mentro', yn fwy addawol na'r lleill ond yn anffodus yr oedd hi'n rhy hwyr i gael gwelliant gyda'r gerdd olaf.

Maes y Dderwen: Mae'r bardd yn gorffen ag ambell linell dda megis, 'A thas ei flynyddoedd wedi ei thoi', ond yma a thraw yn unig y ceir llinellau da.

Llewela: Dyma gerddi reit hynod a diddorol ond ceir peth ymadroddi llafurus, ac nid yw'r bardd wedi dysgu sut mae dethol yn ofalus. Dengys addewid er hynny.

Garth Celyn: Mae yma ymadroddion hynod gyffrous megis, 'Llen gwrtais rhyngom a'r ffwrn', ac mae yma linellau sy'n canu. Mae yma gyffyrddiadau cynganeddol hefyd, rhai sy'n creu naws a chynildeb.

Gersom: Dywedodd *Gersom* mewn un gerdd, 'Anablu'r tafod â geiriau parlysedig'. Dyna, yn anffodus, a wna yntau, sef cordeddu yr hyn y ceisia'i gyfleu. Mae pethau da yma ond eu bod dan gwmwl. Byddai wedi bod yn agos at y dosbarth cyntaf pe bai wedi datglymu ei ddull cwmpasog.

Craig y Frân: Gŵyr y bardd am hanfodion y *vers libre* ond er mor gynnil yw, ceir ganddo ddelweddau treuliedig. Eto i gyd creodd naws hyfryd ac mae'r gerdd olaf yn ategu hynny:

> Yn y môr heno mae ochenaid y misoedd
> llawnder ein dyddiau disgwyl
> penllanw hael ein huniad.

Ceiliog: Cyfnodau bywyd a geir gan *Ceiliog* ond llithrodd i bregethu cyn y diwedd gan foesoli'n anfarddonol o flinderus. Tueddai'r cerddi i fod yn bytiog heb ymestyn y syniadau.

Haul a Gwên: Mae llawer i'w edmygu yn y cerddi hyn, ond yn anffodus nid oes cysondeb yn y mynegiant a cheir ambell ddiweddglo siomedig sy'n tynnu oddi ar weddill y dweud.

Carreg las: Mae ôl straen ar y dweud a hynny ar ddechrau'r dilyniant a cheir ambell linell megis, 'O golledig gymysglyd Dduwoliaeth'. Dyna'r math o ymadroddi marwol sy'n tarfu ar yr ymgais. Dyma un o'r beirdd mwyaf anghyson yn y gystadleuaeth oherwydd cawn linellau gwir afaelgar ganddo megis, 'Had heb unrhyw hud', 'Hud yn diosg haf' a 'Haf yn eira hefyd'. Godidog.

Cyfarwydd: Ceir ymgais lew yma i greu cerddi ag adleisiau chwedlonol yn gefnlen i'r cyfan ac y mae'r môr-wennol a'r clo effeithiol yn ei wneud yn ddilyniant grymus dros ben. Hoffais yr awyrgylch hamddenol a grewyd ac fe wneir hynny heb straen.

A gurwyd ac a gollwyd: Pe bawn i'n chwilio am enghraifft o ddiweddglo effeithiol, ymgais yr ymgeisydd yma fyddai'n rhagori. Ond nid yw'r diweddglo syml, sef, 'Ar sgrîn y ffenestr/Y mae hen wyneb' yn nodweddiadol o holl fwrlwm y cerddi. Er hynny mae egni, bywiogrwydd a chyffyrddiadau canmoladwy yn y mynegiant.

Marchog: Da oedd cael cerddi sy'n ddychanol a deifiol. Hoffais ei ddefnydd o ddyfyniadau gwych Dave Datblygu. Doniol oedd cloi'r gerdd gyntaf â pherl o fratiaith yn fwriadol:

> O Rhiannon! Ti mor thic
> Ma'un fi'n iawn Syr!
> Fi gyn tic.

Gallwn fod wedi ffoli ar y rhain.

Guto: Dyma fardd peryglus ar ei orau. Bardd deallus ond nid â'r deall yn unig y gwneir barddoniaeth; rhaid wrth bwyll a chrebwyll. Hoffais yn arbennig ei ffresni wrth ddweud, 'Chwarae gwyddbwyll' ac 'a Chrëwr sydd eisiau cwmni'. Plethodd Gutun Owain a Karl Marx i'w gerddi ond nid yw'r dilyniant yn gyfanwaith, gwaetha'r modd.

Llwyd: Aeth *Llwyd* i drafferth i osod geiriau fel talp o bensaernïaeth ond collodd yr hanfod pwysig, sef nad oes rhaid wrth bethau ffansi felly i argyhoeddi darllenydd fod cerdd yn llwyddo. Mae cynildeb yma ond does dim llawer o wreiddioldeb.

Goronwy: Ceir darluniau telynegol melys gan *Goronwy*, a cheisiodd greu naws ddarluniadol yn ei ymdrech i greu cerddi sy'n gwireddu ei eiriau clo. Beiddia freuddwydio rhyddid. Yn anffodus, y beiddgarwch awenyddol sydd ar goll yn ei waith.

Dant y Llew: Mae yma ddelweddau gwych ac ymgais dda i greu cerddi gorffenedig sy'n gafael ond ni allodd *Dant y Llew* gynnal ei ddarlun o ryddid. Ceir peth hiwmor hefyd yn y gerdd 'Bod yn rhydd' ond y mae'n tueddu i ganu'n ffwrdd â hi.

Crys Bach: Cychwynna'n glogyrnaidd iawn â llinellau megis, 'Ac yn brysur mesuro hyd a lled gororau'r gegin fach'. Â rhagddo i rethregu, i bregethu. Mae peth gobaith yn y gerdd olaf ond edwinodd y cerddi eraill ymhell cyn cyrraedd y fan hon.

Creigiau'r Bleiddiau: Hoffais ddilyniant y bardd hwn. Creodd ddarluniau cyfochrog rhwng person o Gymru a pherson o Dde Affrica a hynny trwy gyfrwng cyfeillgarwch â merch o'r wlad honno. Rhannu profiadau a wnânt ac mae eu serch at ei gilydd yn atgyfnerthu hanes y ddwy wlad yn lled effeithiol. Ceir cyffyrddiadau hyfryd ganddo ac mae'n gynnil wrth gloi gyda chariad rhwng y ddau ar fin egino, 'Ein du a gwyn ni/yn gymysg/Tan y domen . . .' yw un o'r pethau cofiadwy a ddywedir ond yn anffodus nid yw'r gerdd fel cyfanwaith yn cyfleu gwefrau tebyg.

Y mae'r cystadleuwyr nesaf ar dir uwch er bod un ar y brig ar ei ben ei hun.

Sam: Daeth y casgliad hwn i'r brig oherwydd ei fenter yn ceisio cyflwyno cerddi â sail hanesyddol iddynt ym mrwydr Dyrham yn 577 pan gollodd Brythoniaid Cymru reolaeth dros Wlad yr Haf. Mae'r gerdd 'Dyrham 577 OC' yn hynod effeithiol yn ei symlrwydd ac mae'r cerddi eraill hefyd yn rymus a chynnil.

Llain Las: Mae ystod y cerddi'n amrywiol ac wedi eu saernïo'n dra effeithiol. Mae gafael y gynghanedd yn dynn arnyn nhw, ond ar ôl dweud hynny rhaid datgan nad oes llawer o ffresni yn y mynegiant. Mae'r grefft yn fwy o lawer na'r gallu i ddweud rhywbeth newydd a chofiadwy.

B: Ar y darlleniad cyntaf, dotiais ar y cerddi hyn sy'n mynd â ni i Gernyw ac mae'r rhai cyntaf yn hynod afaelgar, e.e. 'Craig fel man geni yn codi/o freuder cnawd/a'r gwraidd/cyndyn/yn tyrchu'r tywod'. Yn anffodus nid yw *B* yn medru cynnal y darluniau gwych ac erbyn diwedd y dilyniant rydym ar y tir gwastad. Trodd ei farddoniaeth fyw yn rhyddieithol a llac cyn y diwedd.

Iona: Ceir yma deitlau cerddi gorau'r gystadleuaeth, sef 'Stacio meddyliau', 'Macbeth mewn pum munud' a 'Cadoediad cegin'. Mae'r cerddi hefyd yn fyrlymus o effro i ddelwedd a dawn crynhoi teimlad mewn ffordd gelfydd. Wrth ddoethinebu am blant mae *Iona* yn cloi fel hyn, 'Rhof y metal ar fy moch/i deimlo sws oer y *sell by*/a sadio wedyn'. Mae'r gerdd 'Byjis Yncl Len' hefyd yn berl.

Camera: Cerddi fyddai'n gweddu i'r teledu yw'r rhain. Dyna'u rhagoriaeth ac mae eu delweddau mor weladwy effro fel y gellir uniaethu'n syth â'r darlun. Meddyliwch am y gerdd gyntaf un sy'n sôn am sgwrio paent i ffwrdd oddi ar bren. Nid moeli'r ysbrydol mwyach, ond moeli'r pren yr ydym ni. Yn wir, gallwn ddyfynnu'n ddi-ben-draw o'r casgliad hwn. Mae yma hiwmor cynnil, ac weithiau gall gnoi fel yn y llinellau, 'y rhai sy'n meddwl mai aberth/yw dweud wrth begor y *Big Issue* tu fa's i'r opera/gadw'r newid'. Ceir yma fyd-olwg newydd ar ein bywydau pob dydd ac mae'n orlwythog o ddelweddau ac ymadroddion cofiadwy. Mae'n gorffen gyda'i ymddieithredd fel person yn troi'n ymddiheuriad. Wn i ddim a yw'r llinellau sy'n cloi yn argyhoeddi'n hollol, ond efallai mai gorffen yn synhwyrus oedd y nod. Peth bach ydy hynny mewn gwirionedd. Dyma'r unig fardd arall y byddwn wedi bod yn hapus ei goroni.

Ba: Oes mae un arall sy'n sefyll ar wahân i'r lleill. A'r arall hwn yn llwyddo i'n cario i fyd arall tra'n glynu wrth y byd cyfoes. O'r caniad cyntaf, roeddwn yn ymwybodol fy mod yn cael fy nhynnu i mewn i'r dyfnder meddyliol hwnnw y soniais amdano ar y dechrau. Y mae'r cerddi hyn yn ategu'r gred mai barddoniaeth yw'r ffurf berffeithiaf ar y celfyddydau mynegiannol. Yn y cerddi hyn yr awn yn agos at y clywadwy a'r gweladwy, y deallusol a'r emosiynol, a'r dychymyg yn uno'n gywrain â'r byd rhesymegol. Cyffyrdda'r bardd â'r holl feysydd hyn – o'r preifat cellweirus i'r cyhoeddus sad. Er bod y cerddi'n ymwneud i raddau â byd amser a'r pethau sy'n mynd ar goll, llwydda i ddwyn eiliadau o wir gyffro arhosol yn eu hôl. Pennaf rhagoriaeth y cerddi yw eu bod yn gyfoes o ddiamser. Dyma ganu telynegol, ysblennydd. Dotiais gymaint at y cerddi fel imi gael pleser wrth eu hadrodd yn uchel i mi fy hun er mwyn imi ffoli ar symlrwydd a chymhlethdod y dweud. Y mae haen ar haen o ystyron ynddynt sy'n creu un weledigaeth gyfoethog. Fel yn y tair llinell hon:

> amser a blethwyd i gilfachau mud
> fel llythyr caru ym mhocedi'r sêr
> fel llythyr twrne ym mhocedi'r byd.

Dyna ddwyn y trist a'r llawen, y dirgel a'r swyddogol ynghyd a nodi ein bychanfyd ni a'r byd tu hwnt. Y mae crefft y bardd yn unwedd â'i allu i'n cyffroi â mesurau ffres a'r gynghanedd wedi eu hysgeintio'n llechwraidd yng nghanol ei greadigaethau. Ceir dyfnhau a myfyrio deallus wrth i'r bardd gasglu'n ddelweddol y pethau a gaiff eu colli. Un o'm ffefrynnau i yw'r gerdd sy'n agor:

> Oni ddown i'r Waun Ddyfal
> yn dawel a'n dwylo ar led . . .

Ond thâl hi ddim i mi sôn am ffefrynnau oherwydd mae yma ddilyniant mewn mwy nag un ystyr ac undod cyffrous. Y mae llifeiriant y cerddi hyn a'r dynolrwydd synhwyrus sydd ynddynt yn eu gwneud yn rhai cwbl gofiadwy a chelfydd. Cerddi sy'n chwilio am gyfandod mewn byd o dragwyddol ddarnau; cerddi sydd â gweledigaeth gyfannol o fyd sy'n dadfeilio. Ceir synwyrusrwydd effro sy'n gosod y cerddi hyn fel meini prawf cyfoeth barddoniaeth Gymraeg ar ddiwedd y mileniwm.

Braf yw cytuno'n afieithus gyda'm cyd-feirniaid fod y bardd yn teilyngu'r goron a phob anrhydedd a berthyn iddi. Yn wir, dyma'r cerddi telynegol mwyaf cyffrous a welodd cystadleuaeth Coron yr Eisteddfod Genedlaethol yn ystod y degawd a rhagor a aeth heibio.

Cyn i gynnyrch y deg ar hugain o gystadleuwyr am y goron gyrraedd, yr oeddwn ar ganol darllen nofel feistrolgar Morgan Llywelyn, *1916*. Yno mae un cymeriad yn disgrifio barddoniaeth fel, 'sgwrs a gewch gyda chi eich hun ym mannau dirgel a chyfrin yr enaid'. Mae'n amlwg i nifer o'r beirdd eleni gael sgyrsiau felly a'u bodloni eu hunain cyn cyflwyno eu gwaith i ni i'w ddarllen. Mewn geiriau eraill yr oedd hon yn gystadleuaeth dda a safonol a dylai Eisteddfod Genedlaethol Bro Ogwr ymfalchïo yn hynny o beth. Braint i mi oedd cael darllen gwaith nifer o feirdd dawnus sy'n deall rhin barddoniaeth ac sy'n grefftwyr medrus.

Roedd 'Rhyddid' yn destun ardderchog, yn rhoi digon o gyfle i fardd ymateb, ac yn wir cawsom nifer o agweddau ar y testun, yn ymestyn o ryddid cenedl a gwlad hyd at y gri am ryddid personol. Er bod yma ambell ddilyniant siomedig mae rhai o'r ymdrechion hynny yn cynnwys ambell gerdd gref sy'n dangos addewid, ac ni hoffwn i'm beirniadaeth lesteirio neb wrth imi ddosbarthu fel hyn.

DOSBARTH III

Nid beirdd gwael sydd yma ond beirdd sydd heb gyrraedd y safon a ddisgwylir mewn prifwyl. Beirdd efallai sydd heb ddilyn prentisaeth mewn eisteddfodau lleol a thalieithol a beirdd hefyd sydd heb gymryd digon o ofal a thrafferth i gaboli a chwysu uwch eu gwaith. Mae gwahaniaeth rhwng canu rhydd a chanu rhwydd a dyna un o feiau amlwg y dosbarth hwn.

Branwen: Dilyniant o ddeg o gerddi byrion sinicaidd eu naws yn disgrifio a darlunio'r bywyd modern. Mae'r arddull *staccato*, gyda'r llinellau byrion, yn taro fel morthwyl ac mae'r cerddi i gyd yn rhy debyg ac yn cynnwys nifer o wallau iaith. 'Y Crëwr' yw'r gerdd orau yn y dilyniant.

Guinness yn y Gwaed: Cerddi yn ymwneud â rhyddid yn Iwerddon, ond i mi mae mwy o gaethiwed ynddynt na rhyddid. Mae'r enwau a'r stori yn gyfarwydd inni i gyd, a rywsut teimlwm imi glywed y cyfan o'r blaen, a'r diffyg newydd-deb yna sy'n mynnu dod i'r wyneb wrth ddarllen y gwaith. Ceir addewid am bethau llawer gwell yn y gerdd i 'Ballymena'.

Maes y Dderwen: Disgrifio gwahanol agweddau ar ryddid wrth ddilyn cwrs bywyd a wnaeth y bardd yma, patrwm a ddefnyddiwyd sawl tro o'r blaen, a hynny sy'n cyfrif am y diffyg newydd-deb yma eto. Tuedd i nifer o linellau fynd yn rhyddieithol iawn. 'Henaint' yw ei gerdd orau ond bod ynddi ormod o eiriau llanw.

Llwyd: Cerddi cymhleth ac anodd eu dilyn ar brydiau yn ymwneud â'r cread a difodiant y creu hwnnw. Mae iddynt naws grefyddol, yn enwedig felly y gerdd olaf, ond yma eto mae'r cerddi yn rhy debyg ac mae yma ormod o bentyrru geiriau.

Gersom: Taith bywyd yw'r thema ganolog yma eto gan fynd o'r saith mlwydd oed hyd at un a thrigain oed. Mae'r wyth cerdd yn drymlwythog o eiriau llanw ac mae diffyg cynildeb yn amlwg ynddynt i gyd. Prin yw barddoniaeth mewn llinell fel, 'Wel, wel, a hen dân gwyllt yw ffrwydron tir'. Gallai fod wedi mynegi gwewyr yr ifanc yn llawer symlach yn y tair cerdd sydd ganddo o dan y teitlau 18, 19 ac 20 oed, a phaham cynnwys tri oedran mor agos at ei gilydd ac yna un gerdd i 36 hyd at 61 oed ?

Guto: Tynged dyn yw'r llinyn sy'n cydio'r tair cerdd sydd ganddo yn ei ddilyniant. Mae'r gyntaf yn bregethwrol, yr ail yn ddisgrifiadol a'r drydedd yn storïol. Nid yw wedi meistroli'r *vers libre* hyd yn hyn er bod ganddo ambell linell drawiadol. Mae ganddo hefyd nifer o linellau anffodus ac os am ailadrodd stori Samson rhaid gwneud hynny yn llawer mwy newydd na hyn.

Crys Bach: Cerddi mewn llawysgrifen yn cynnwys nifer o lithriadau iaith a geiriau a llinellau cyfarwydd fel, 'Caled yw i wingo yn erbyn y symbylau'. Does dim rhythmau barddoniaeth yn y llinellau chwaith ac yma eto prin yw ei feistrolaeth ar y *vers libre.* Cwestiynu rhyddid o fewn einioes yw ei thema a rhaid cyfaddef fy mod yn cyd-weld â'r bardd mewn dwy linell fel hyn :

> Cwestiwn mawr Jones Bach,
> Cwestiwn mawr.

Carreg Las: Er bod yma linellau da a rhai mewn cynghanedd sy'n sicr yn dangos addewid, mae yma hefyd nifer o linellau gwallus sy'n dangos diffyg cynildeb. Cerddi sy'n dilorni'r bywyd modern sydd ganddo ond mae'r dweud yn feichus ac mae yma ormod o frawddegau sy'n gofyn cwestiwn.

Groegwr: Un arall sy'n dilyn cwrs bywyd lle collir rhyddid mewn hualau oedfa, coleg a henaint a'r unig ryddid yw marwolaeth. Arwynebol yw'r cerddi ar y cyfan ac mae'r llinellau yn amrwd a'r mydr yn drwsgl yn aml. Aeth ei gerdd 'Universitas' yn gatalogaidd wrth iddo restru digwyddiadau hanesyddol.

Mandela: Rwy'n tybio mai yr un bardd â *Groegwr* sydd yma. Casgliad o gerddi a gawsom ganddo ac nid dilyniant. Er iddo ymdrechu i greu awyrgylch mae yma ormodedd o bethau fel 'proffwydol arddel', a 'hudolus swyno' a thuedd hefyd i or-ddefnyddio yr un gair. Yn ei gerdd 'Washington 1963' mae'r gair 'breuddwyd' yn ymddangos bum gwaith mewn wyth o linellau byrion.

Ymgais: Un gerdd sydd yma a hon eto'n dilyn taith bywyd o'r gyfathrach gyntaf i'r priddo olaf. Traethodol yw'r dweud a phrin yw'r mydr drwyddi. Clogyrnaidd yw'r gair sy'n disgrifio'r gwaith efallai ac mae yma hefyd wallau iaith. Mae ôl brys ar y gwaith yma.

Craig y 'Deryn: Casgliad o dair cerdd i Mandela, Terry Waite a Rhyddid Cymro.

Prin yw'r weledigaeth ac mae'r gwead yn llac a llafurus braidd er bod yma ambell linell dda. Teimlwn iddo ddefnyddio'r gair cyntaf a ddeuai i'r meddwl yn rhy aml ac iddo daflu'r gerdd o'i law heb gaboli dim arni.

DOSBARTH II

Mae beirdd y dosbarth hwn yn sicrach eu cerddediad, ac mae ambell un wedi cael gweledigaeth ar y testun. Yn wir, mae yma ambell gerdd unigol o safon uchel lle mae crefft wedi gloywi'r farddoniaeth.

B: Efallai bod y cerddi yma braidd yn ymdrechgar ac yn cynnwys brawddegau rhyddieithol ond mae gan *B* ddawn i ddisgrifio'n gymen iawn yn enwedig felly yn y gerdd i 'Mevagissey', 'Sliwen o siopau yn cylchu'r allt . . .'. Disgrifiadau o daith neu wyliau yng Nghernyw sydd ganddo pan mae'n ymweld ag ambell ardal ac amrywiodd ei fesurau'n grefftus. Weithiau mae'n torri ar ei linellau'n ddigon blêr ac efallai nad yw ei gerddi i gyd yn destunol chwaith. Mae gwell i ddod gan hwn.

Llain Las: Rhydd ddyfyniad Saesneg o waith Herbert Spencer yn is-deitl i'w ddilyniant, sef dilyniant hunangofiannol o blentyndod, llencyndod ac ati, ynghyd â cherddi am ryddid o fewn crefydd a barddoniaeth. Mae ganddo ddawn i ganu'n gaeth:

> Y beirdd a gyrchai o bell
> Westy rhadlon y castell.

Nid yw ei gerdd ar fydr ac odl yn talu am ei lle; mae nifer o hen drawiadau ynddi ac er bod 'Dathlu' yn ddisgrifiadol dda, mae'n rhyddieithol drwyddi draw. Wn i ddim chwaith a ddylid cynnwys cywydd mewn cystadleuaeth am y goron.

Creigiau'r Bleiddiau: Cafodd y bardd hwn weledigaeth ar ei destun, ac er na lwyddodd i saernïo ei gerdd yn ddigon tynn fe gawn ddilyniant boddhaol ganddo. Stori am ferch groenddu yn ymweld ag ardal Y Bala sydd yma, ac wrth iddo grwydro yn yr ardal honno ac 'aros wrth draed Tom Ellis' a mannau tebyg, tynnir darluniau cyfochrog o'r frwydr am ryddid mewn dwy wlad wahanol. Yn yr ymwybod hwnnw syrth y bardd ifanc mewn cariad â'r ferch groenddu:

> Tristwch De Affrig
> Yn Llanycil.
> A dechrau ei charu hi.

Os mai bardd ifanc sydd yma mae yma addewid bendant, a rhoddodd ei waith gryn bleser imi. Y tro hwn, llinellau gwych a rhai gwachul a gawsom ganddo.

Pen y Cei: Er mai casgliad sydd yma, ac er bod ambell gerdd wedi crwydro oddi ar y testun mae yma addewid am bethau gwell, ac ar sail hyn rwyf yn ei roi yn yr ail ddosbarth. Yn rhy aml mae'r dewis o eiriau yn ystrydebol, (palmant aur, chwarel segur, llwybr poblog), ond yn gymysg â hynny mae ambell gameo sy'n llawn lliw yn enwedig yn y gerdd am Bet Llanbedrog. Rhaid iddo ddysgu sut i gynilo yn lle afradu geiriau a llunio llinellau yn drwsgl fel yn y gerdd agoriadol.

Goronwy: Wyth o gerddi sydd gan *Goronwy*, yn troi o gwmpas diffyg rhyddid y Maori ac yn dechrau'n addawol:

> Y ddinas dan garthen ei gwenwyn
> a bysedd ei thyrau tal
> yn estyn drwy'r haenen lasfrown
> fel llaw yn boddi.

Yn y gerdd 'Fi' mae'n sôn am ddifodiant yr iaith:

> Enwau pob dydd ein rhyddid
> yn gaeth yng nghadwyni'r Sais . . .

Gwendid y dilyniant yw ei anwastadrwydd, ond fe'm swynwyd gan ei ganu distaw, dirodres, a bûm yn ystyried ei roi yn y dosbarth cyntaf.

Craig y Frân: Dyma fardd a ddaeth o fewn trwch blewyn i'r dosbarth cyntaf am iddo gyflwyno dilyniant tynn ei wead a gloyw o ran iaith a chrefft. Defnyddiodd ddelwedd trai a llanw i ddisgrifio'n nwydus berthynas mab a merch ac mae ei gerdd gyntaf 'Ti a Fi' ymysg goreuon y gystadleuaeth.

> Ninnau ynghyd
>   fel broc môr wedi'r llanw,
> tonnau ynghwsg wedi'r terfysg
>   a'r chwennych gynt
>   yn chwys oer amdanom.

Nid yw 'Cân yr Hedyn' gystal er bod ynddi linellau cywrain ond mae ar ei orau eto yn 'Cân yr Eginyn' lle mae'n disgrifio ing y ferch wrth iddi sylweddoli ei bod yn disgwyl plentyn. Petai wedi canu ar y lefel yma trwy ei ddilyniant byddai'n agos at y brig.

Dant y Llew: Chwe cherdd ar bynciau eithaf amserol, ond sy'n fwy o gasgliad na dilyniant er eu bod yn destunol. Geirfa rad sydd ganddo gan amlaf, ond mae hyn yn fwriadol efallai yn y gerdd i'r 'Pwshar' ond prin yw'r mannau cofiadwy yn ei waith. Ceir peth hiwmor yma ac acw yn y gerdd 'Bod yn rhydd', sydd mewn mydr ac odl, wrth iddo ganu'n goeglyd am lwyddiant bydol ond ni theimlwn iddo fynd ati o ddifrif y tro hwn.

Haul a Gwên: Cerddi digon diffuant yn sôn am fywyd yn cael ei ddifwyno gan gyffuriau. Mae yma ambell ddisgrifiad da, ond mae'n canu'n rhy hawdd ac arwynebol. Yn ei gerdd 'Cwestiwn Mam', dengys lawer mwy o addewid mewn llinellau fel, 'Cododd amdanat/garchar o garedigrwydd', ond ni lwyddodd i fynd o dan groen y testun y tro hwn.

Ceiliog: Edrych yn ôl ar fywyd sydd yma eto a hynny mewn cerddi digon gonest a didwyll ond heb gynhyrfu dim arnaf er bod y gerdd i lwyddiant mewn prawf gyrru yn plesio. Teimlwn fod y cerddi i gyd yn rhy debyg i'w gilydd ac aeth y bardd yn bregethwr wrth sôn am ddifwyno'r amgylchedd a phentyrru geiriau'n ddiangen. Llwyddodd i bontio rhwng ddoe a heddiw, ond nid yw'r hyn sydd ganddo i'w ddweud yn newydd.

Llewela: Clawr deniadol gyda darluniau yn cyfleu rhyddid a phump o gerddi atgofus gydag ambell linell wallus. Y gerdd orau o ddigon yw 'Tu ôl i'r fêl' lle ceir darlun o ferch ifanc yn colli ei rhyddid wrth orfod priodi, ac er bod yma wallau mae yma hefyd linellau myfyrgar a dwys fel, 'ond cofiaf gilwen fy mam,/a thristwch fy nhad pan gymerodd fy mraich'. Braidd yn ddigyswllt yw'r gerdd olaf. Efallai iddi gael ei chynnwys ar y funud olaf.

A Gurwyd ac a Gollwyd: Rhyddid o gaethiwed bywyd priodasol sy'n llawn trais sydd yn y dilyniant cryf yma, a'r trais hwnnw yn cael ei ddisgrifio yn ingol yn y gerdd agoriadol, 'Yn y dodrefn toredig/y mae breuder ein byw'. Mae'r cyferbynnu rhwng y storm allanol a'r storm fewnol yn y bedwaredd gerdd yn dangos crefft, ac felly hefyd y bumed gerdd lle boddir dagrau gan law. Efallai i'r cerddi fynd yn undonog a diddatblygiad ar brydiau, ond mae hon yn ymdrech loyw.

Marchog: Cri athro ysgol am ryddid wrth iddo edrych allan drwy ffenestr ei ysgol ar ddiwedd gwanwyn, ond ar ddiwedd ei ddilyniant mae'n dychwelyd i'w gynefin ac yn gorfod bodloni ar ei fyd. Mae'n ail-fyw'r gorffennol mewn parti, disgo a dawns, a hynny yn lliwgar mewn llinellau cyffrous:

> Y troellwr yn ei bulpud
> yn arwain y ffyddloniaid
> yn un haid i Hades.

Tebygrwydd y cerddi sy'n fy mhoeni yma eto a hynny er gwaethaf ei iaith ddi-fefl a'i ddisgrifiadau byw. Holed ei hun a wnaeth gyfiawnder â'i thema'r tro hwn.

Iona: Lluniodd *Iona* deitlau da i bob cerdd yn y dilyniant hwn sy'n trin cysylltiadau plant a rhieni. Cerddi modern eu geirfa a'u harddull sydd ganddi wrth iddi ymdrin â phroblemau mam sengl yn ceisio ymdopi â dwyn plant i fyny. Mae yma hiwmor eithaf caled. Trueni am y gwallau treiglo sy'n britho'r cerddi a hefyd y canu llac sy'n amlwg ymhob cerdd, bron. Ond mae yma ddawn ddiamheuol i gyfuno'r llon a'r lleddf mewn bywyd. Sylwch ar y caethiwed a'r rhyddid sydd yn y llinellau hyn:

> Y rhyddid a aeth mewn rhesiad o glytia,
> Mor wyn ar lein nes deifio'r llygad
> dan haul Mehefin.

Mae mwy nag addewid yn y canu hwn.

Cyfarwydd: Cefais beth trafferth i ddilyn trywydd y cerddi hyn er imi eu darllen sawl gwaith. Rhoddwyd is-deitl iddynt, sef 'Teyrnged i ferch ddewr y chwedleuon', ond mae yn y cerddi fwy na hynny er eu bod ar brydiau yn hynod niwlog ac aneglur. Mae'r ieithwedd yn goeth ond yr ystyr yn dywyll. Efallai bod yma gŵyn yn erbyn diffyg rhyddid i ferched ac eto mae yma linellau sy'n disgrifio caethiwed a 'dyddiau adferiad'. Y gymysgfa yma sy'n rhoi trafferth imi. Wedi dweud hyn teimlwn fod yma ambell bennill sy'n fwrlwm o farddoniaeth.

DOSBARTH I

Erys pedwar bardd sydd wedi rhoi graen arbennig iawn ar y gystadleuaeth a dylid cyhoeddi eu gwaith i bawb weld safon y cerddi yng nghystadleuaeth y goron eleni. Dyma air am y pedwar.

Camera: Chwe golygfa wedi eu lleoli yn y bywyd modern gan ddechrau gyda thu mewn ardal ffasiynol yng Nghaerdydd. Mae *Camera* yn ddychanwr heb ei ail a thestun ei ddychan yw'r dosbarth-canol ffug-werinol sy'n byw yn yr ardal honno ac mae'r canu yn ddeifiol ymhob cerdd. Nid peintio'r byd yn wyrdd sy'n bwysig bellach ond crafu hen baent ein doe nes bod y graen yn dangos:

> Yn crafu, nes bod croen y coed yn noeth
> fel diniweidrwydd wedi'i adfer,
> nes bod y graen yn eglur i'n golwg
> fel gwirionedd.

Â rhagddo i ddisgrifio Nadolig yn yr un tŷ a pharodïo yn grafog fel hyn:

> Pwy yw'r rhain yn dod
> allan o'u blychau gwyn?
> Tair Barbie anorecsig a wnaed yn y Trydydd Byd,
> ac un ohonyn nhw'n ddu, yn brawf o'n heangfrydedd.

Llwyddodd i gadw'r safon uchel yma drwy'r dilyniant wrth ganu yn dreiddgar am y byd teledu a'r obsesiwn am hen greiriau, ac mae llygaid arlunydd a chlust bardd ganddo. Mae pob gair bron yn talu am ei le ac mae ei luniau o gymdeithas fel y mae heddiw yn pigo'r cydwybod. Yn ei eiriau ef ei hun, 'yn fwy real na realaeth'.

Garth Celyn: Mynnai'r cerddi hyn ddod yn ôl i'r wyneb, yn enwedig felly'r gerdd delynegol i Dilys. Mae hon yn gân serch ardderchog:

> Llinos ar lwyn,
> a burum mewn blodau.
> Heb dennyn na chyfrwy
> a'r ffrwyn yn ddim ond brwynen.

Cerddi serch sydd ganddo i gyd, o'r un am gariad cyntaf i'r gerdd olaf am ryddid angau ac mae'r gerdd honno'n ingol heb fod yn hunandosturiol o gwbl:

Llen gwrtais rhyngom a'r ffwrn,
a'r diwedd, yn nawdd i'r dyrfa;
Sôn am rawd, a mwrn nodau miwsig.
Hithau yn ffoi trwy'r muriau . . .
Yn forwyn, rhed at ein ffrwd ferwedig,
a'i hun yn gusan ar fin fy rhyddid.

Mae'n canu yn gynnil ac yn gywrain fel hyn ymhob cerdd bron, er nad yw 'Gwrthryfel' gystal â'r gweddill.

Sam: Aeth hwn â ni'n ôl i'r gorffennol pell ac yna'n gelfydd iawn cysylltodd y gorffennol hwnnw â'n presennol. Pum cerdd sydd ganddo, gan ddechrau yn 550 OC lle mae'n disgrifio brwydr ym Mynydd Baddon lle cafodd Brythoniaid y de fuddugoliaeth dros lwyth yr Iwys, ac yn y datganiad ar y dechrau dywedir mai caer Badbury Rings yn swydd Dorset yw Badon. Yna, mewn cerdd fer, ceir darlun o frwydr yn Dyrham yn 577 OC lle collodd Brythoniaid Cymru eu cysylltiad â Brythoniaid y de-orllewin. Mae ei ddawn i ddisgrifio yn amlwg drwy'r cerddi gwych yma, a bron na chlywir cledd ar gledd mewn pennill fel hwn:

Y mynydd yn rhwygo
A chwydfa sgarlad o filwyr
Yn un gofer ar furiau
Cyn i haearn daro haearn
A chnawd.

Ar fore o Awst yn 1997 mae'r bardd yn ymweld â Mynydd Badon ac mae'r blodau yno yn ei atgoffa am y gorffennol pell:

Gwyrais,
A gweld rhwng y gweiriau
Lygad Arthur
Yn wincio yn y Benlas . . .

Dewisodd ei fesur a'i eirfa'n ofalus a chyrraedd uchafbwynt y dilyniant i mi yn ei gerdd olaf ond un lle mae'n mynd ar daith i Eryri a gweld yr un blodau, 'yn britho yn yr haul'. Bron nad oes yma gylch o gerddi yn ogystal â dilyniant. Mae profiad a theimlad dwfn tu ôl iddyn nhw.

Anodd iawn fyddai gorfod dewis rhwng *Sam* a *Camera*, ond yn ffodus i feirniad ac yn anffodus iddynt hwy, mae un bardd yn aros.

Ba: Mae llinellau o'r gwaith gwych hwn eisoes wedi eu serio yn fy nghof, ac o'r darlleniad cyntaf gwyddwn fy mod yng nghwmni bardd arbennig iawn. Er cystal y tri arall yn y dosbarth cyntaf mae hwn ben ac ysgwydd yn uwch, ac o'r gerdd agoriadol sy'n disgrifio a dadansoddi amser, mae'r gri am ryddhad o gaethiwed amser yn pefrio drwy'r cyfanwaith, a'r gri honno yn cael ei chynnal a'i chario ar fesurau a llinellau sy'n gweddu i'r thema. Weithiau mae'n creu yr un awyrgylch a geir yng ngwaith Dylan Thomas ond mae'n llai geiriog, a'r canu serch sydd fel islais drwy'r dilyniant yn wefreiddiol. Ar ôl sôn am amser yn, 'tician ar y silff ben tân', mae'n troi at amser nad oes mesur iddo:

> Mae amser arall allan ar y lôn,
> rhwng lampau budron ar gorneli stryd
> ac anadliadau diog sacsoffon . . .

Ac yna:

> Ac yn yr amser hwnnw y mae pwt
> o hanes enaid pawb, ac ambell gân
> neu alwad ffôn, a phader fach ffwr-bwt.

Cerddi am ddinas Caerdydd sydd yma ond dan yr wyneb mae llawer mwy. Afraid yw dyfynnu'n ormodol ond rhydd y pennill hwn ragflas o'r wledd sy'n eich aros:

> Hon yw dinas y pethau coll
> 'ddaliwyd yn y bwlch rhwng pnawn dydd Sul
> a gweddill amser: pethau y bu stamp
> eneidiau arnynt unwaith: nawr ar goll.

Braint yr Eisteddfod Genedlaethol yw cael coroni *Ba.*

BEIRNIADAETH ALAN LLWYD

Mae'n well gen i osgoi rhagymadroddi a hawlio'r gofod ar gyfer trafod y cerddi buddugol. Derbyniwyd deg ar hugain o ddilyniannau, ac fe'u trafodir fesul un.

DOSBARTH III

Crys Bach: 'Cwestiwn yn magu cwestiynau yw rhyddid', meddai, a cheir sawl agwedd ar ryddid ganddo mewn pedair cerdd. Rhyddieithol yw'r cerddi hyn, a digon bregus eu Cymraeg. Ceir llinellau rhyddieithol ac anghywir eu hiaith fel, 'Rwy'n cofio John ynglyn ac etholiad pum deg naw,/Y Blaid yn sefyll, a'r argoelion yn anobeithiol' yn y gerdd am y cenedlaetholwr 'John y Beic', a llinellau carbwl eu gramadeg fel, 'Does 'na ffoi o'ch rhamant chi' ('Does dim ffoi rhag eich rhamant chi') yn 'Caethwas y Filltir Sgwâr'.

Mandela: Nifer o gerddi am frwydr y duon yn America i'w rhyddhau eu hunain rhag gormes, sarhad ac israddoldeb, o safiad Rosa Parks hyd at wrthryfel Martin Luther King, a'r weithred o'i lofruddio ym Memphis. Diffyg gwreiddioldeb yw'r maen tramgwydd, a diffyg cyffro yn y dweud. Gwelsom gerddi fel y rhain o'r blaen, droeon. Y gerdd orau, efallai, yw'r gerdd am lofruddio Luther King, 'Un ergyd/Yn sgyrnygu'r gair/Nigger'.

Groegwr: Yr un bardd â'r uchod, mae'n debyg. Y thema yw'r daith o'r crud i'r bedd ac ymchwil dyn am ryw fath o ystyr i'w fywyd wrth iddo dreulio, 'Oes o ddisgwyl/I Geidwad y carchar/O'r Glyn/Droi'r allwedd yn y drws'. Undonog yw'r rhythmau ac ystrydebol braidd yw'r canu; ac anffodus, a dweud y lleiaf, yw ambell ymadrodd fel, 'ei Sulaidd gell'.

Gersom: Cerdd rodresgar ei harddull braidd, a cherdd undonog iawn hefyd. Yr un rhythm sylfaenol, gwaelodol sydd iddi drwyddi draw. Tra bo'i harddull yn merfeiddio'r synhwyrau mae ei rhythm yn merwino'r glust. Dyma enghraifft o'r canu, a sylwer ar y rhythm:

> Ond mae paid, paid yn gefynnu gwanwyn plentyndod;
> mae chwipiad geiriau'n darostwng egin-chwyldro . . .

'Mae chwipiad geiriau'n darostwng egin-chwyldro': dyna ddull chwyddedig a rhwysgfawr o ddweud rhywbeth hollol syml, sef fod cerydd rhieni yn cadw plentyn yn ei le. A sut y mae chwip yn darostwng egin? Cymysgu delweddau yw peth fel hyn. Dyma enghraifft arall o'r canu ymdrechgar hwn:

> Doethach, mae'r ferch yn ecsbelydru ffeithiau,
> Gan dreiddio'n bwyllog nudden ystadegau.

Diolch byth am ambell linell raslon fel, 'Fe ddawnsia serch fel thus yn nheml ei chalon'.

Ymgais: Cerdd arall am y daith o'r crud i'r bedd, gan gynnig inni sawl enghraifft o'r modd y caethiwir dyn yn ystod y daith, rheolau'r ysgol, 'caethiwed dysgu crefft', ac yn y blaen. Dengys y llinellau hyn ansawdd y canu, 'fe ddaeth mewn cwsg i'r ddau/y gogoneddus ryddid sydd o gyflawnhau/anghenion blanodd Natur ynom/er parhad ein tras'. 'Cyflawni' nid 'cyflawnhau' sy'n gywir, wrth gwrs. Ceir yr arferiad anfaddeuol o osod ansoddair o flaen enw yma a thraw, er enghraifft, 'aeddfed wy', 'hwylus grefft'; ac mae'r gerdd yn frith o gystrawennu carbwl a ffurfiau gwallus.

Guto: Tair cerdd ddigyswllt braidd, er bod thema grefyddol yn rhedeg drwyddyn nhw. Mae'r mynegiant yn garbwl, ac nid yw'r cystadleuydd hwn yn gwbl sicr o'i eirfa. Ceir, 'fe'i dynn i bridd bedd', 'Trigiannwn yn y gwter gul/lle'n gwthwyd/gan ddeddfau disyfyl ein byd', 'chwe troedfedd o ddaear', 'sy'n gofyn imi dewis', a rhagor, i gyd ar y dudalen gyntaf un.

Craig y 'Deryn: Cerddi i Nelson Mandella, Terry Waite ac ar y testun, 'Rhyddid Cymro'. Pregethwrol, rhethregol a rhyddieithiol yw'r cywair, er enghraifft:

> Utgenwch, chwi, y du eich croen;
> Brysiwch, chwi blantos y gwaradwydd hen,
> I floeddio croeso i wawr eich rhyddid.

Atalnodais y darn uchod yn gywir iddo. Ceir gwallau iaith a gramadeg yma a thraw, er enghraifft, 'O ba rhyw ddefnydd brau ei gwnaed' ac 'Ond ofer Gymru fyddai inni'th gael'.

Llwyd: Cerdd am ddirgelwch y creu, am genesis y cread, am ryddhau'r byd o dywyllwch i oleuni, ac am y pwerau adnewyddol a dinistriol sy'n brwydro yn erbyn ei gilydd yn barhaus. Haniaethol a llawn geiriogrwydd yw'r canu, a digon yw dyfynnu rhai llinellau i brofi'r pwynt, 'Corddiad o oleuni hualog/yn ddirgel/ym muddai/y pelydrau caeth, cyn breintio/dychymyg y Cread/ag amlinelliad/o gorff tywyll/y gofod'.

Llewela: Ceir ambell gyffyrddiad trawiadol yn y cerddi hyn, fel y ddelwedd ym mhennill cyntaf y gerdd '1965', 'Cofiaf daro ar goron aur/yn sefyll yn glir ar ei gorsedd', a'r disgrifiad o'r awyr las fel, 'llygaid cath fach' yn yr un gerdd, ond, yn wir, mae'r iaith flêr, anghywir ac ansicr a geir yn y cerddi hyn yn eu handwyo. Ceir llinellau fel, 'cân llon yr hedydd', 'a chanfyddais byd [a chanfûm fyd] mewn heddwch', 'ond gwelodd neb wyneb', 'a gadwai'th pen [a gadwai dy ben] yn dalog'. Mae'n drist meddwl ein bod ni, feirniaid eisteddfod, yn gorfod arddel dulliau John Morris-Jones o feirniadu o hyd, a thynnu sylw at wallau iaith yn ddiddiwedd. Nid chwarae'r pedant academig yr oedd Syr John, ond ceisio darbwyllo'r beirdd nad oes modd i neb fod yn fardd o fath yn y byd onid yw hefyd yn feistr ar yr iaith. Mae'n rhaid i'r bardd mwyaf cymedrol, hyd yn oed, fod yn feistr ar ffurfiau ac ar deithi iaith. Mae cael bardd medrus nad yw'n feistr llwyr ar holl adnoddau ei iaith yr un mor amhosibl â chael cerddor sy'n fyddar o'r crud neu arlunydd sy'n ddall o'i enedigaeth.

Carreg Las: Mae blerwch a diffygion iaith a mynegiant yn andwyo'r casgliad hwn. Mae'r mynegiant yn garbwl yn aml, er enghraifft, 'Ac ar fron fy sugno/Ymhelodd cenedl fraint./Heb wybod, dirnad dim/Am siwrnai'r alltudiaeth. Fel pagan ger allor Iôr/O golledig gymysglyd Dduwoliaeth . . . Trodd dderwydd yn weinidog a'r annibynnwr yn Bab', ac mewn cerdd arall, 'Treigl amser try'r tŷ yn blas'. Mae angen llawer iawn o ymddisgyblu ar y bardd hwn.

Maes y Dderwen: Casgliad sy'n ein tywys ni o'r crud i'r bedd, fel sawl casgliad arall, gan ddechrau â cherdd i'r 'Baban' a chloi â cherdd am 'Henaint'. Mae gan yr ymgeisydd hwn eitha' crap ar y Gymraeg, ond di-ffrwt yw'r canu. Dim ond un fflach a geir ganddo, 'Adeiladodd wythnos arall/Â phum darn o anobaith', ond diffyg sbarc y gerdd yn gyffredinol sy'n amlygu'r fflach fechan hon. Mwy nodweddiadol o'r canu yw'r llinellau hyn, 'Cododd ar ei draed i ymladd/Ac ymrafael yn benderfynol/Â chais afrwydd ei ymddeoliad cynnar'.

DOSBARTH II

Pen y Cei: Gwelais well cerddi o lawer gan y bardd hwn drwy'r blynyddoedd na'r rhai a gynhwyswyd yn y casgliad hwn. Mae'r gerdd olaf wedi ei chyhoeddi o'r blaen. Bu'n hynod o esgeulus yma a thraw, 'a'r Groes yn lyn [yn llyn] o swigod segur islaw', 'Diflannodd fel yntau ym Merwyn', 'Efallai fod hi'n well', 'Fel eira'n glynnu at [glynu wrth] lechi segur yr Oernant', ac yn y blaen. Mae yma ormod o ymfodloni ar y dweud rhwydd, ac mae angen mwy o gaboli a saernïo gofalus ar y cerddi. Bardd a chanddo'i lais ei hun, ond bydd yn rhaid iddo gael gwared â'r craciau sydd ynddo.

Dant y Llew: Bardd da yw hwn ac ynddo lawer iawn o addewid. Byddai'n uwch mewn cystadleuaeth wannach, ond mae goreuon y gystadleuaeth hon yn ei fwrw i'r cysgodion. Mae ganddo afael gadarn ar y Gymraeg i ddechrau. Mae'r gerdd i Diana yn un dda, ac yn cynnal y delweddau sy'n ymwneud â chaethiwed yn gelfydd o'r dechrau i'r diwedd. Mae'r gerdd sy'n cloi'r casgliad, 'Bwystfil', yn gerdd awgrymog gynnil sy'n aflonyddu ar ddyn. Nid yw'r gerdd, 'Pwshar' gystal â'r gweddill. Nid bardd i'w ddiystyru mo hwn, yn sicr. Yn wir, mae 'Bwystfil' yn werth ei dyfynnu:

> Yno, yn y cysgodion,
> y mae hwn yn pesgi
> ar ŵyn ein hofnau ni.
>
> Nid yn eangderau Penllyn
> na Cheredigion chwaith,
> ond yn crwydro'n rhydd
> yn erwau di-ben-draw
> ein dychymyg dyfnaf ni.
> 'Welaist ti o?'
> – 'Mi glywais amdano!'
> – 'Mi welais ei ôl!'
>
> Yno,
> lle mae ias
> mewn distawrwydd,
> a gwae
> yng nghyffyrddiad y gwynt,
> y mae traed
> yn cripian drwy'r tywyllwch.
>
> Twrch Trwyth ein dyddiau ni,
> a'r helfa ar gychwyn.

Ceiliog: Ar ôl cerdd gyflwyniad, ceir nifer o gerddi byrion dan dri phennawd, 'Y Cyfnod Cynnar', 'Arddegau', 'Y Cyfnod Diweddarach'. Ceir sawl agwedd ar ryddid yn y cerddi hyn: rhyddid plentyndod, sy'n rhyddid rhag gormes amser ('Diwrnod oedolion a heneiddia'), y rhyddid o fod wedi pasio'r prawf gyrru ('Teimlo . . . bod cloau byd i gyd yn agor/gyda[g] allweddi car'), a breuddwydio am y rhyddid a allai ddod yn sgîl ennill y loteri. Mae'r myfyrdodau bychain hyn yn ddigon difyr, ond ni phrofais unrhyw gyffro mawr wrth eu darllen. Mae'r mynegiant yn hynod o lac ar adegau. Efallai mai'r gerdd orau yn ei chynildeb awgrymog yw'r gerdd olaf yn y casgliad, 'Ffactor Gwrthnaid', ond 'Anaml y'i trawant' nid 'Anaml y'u tarawant' a ddylai fod yn y bumed llinell:

> Mor ansicr yw bywyd . . .
> Eisteddaf.
> Anelaf at y botel blastig:
> targed fy ngherrig ar y traeth.
>
> Anaml y'i trawant;
> neidiant o'r neilltu:
> mae yno gerrig eraill.

Haul a Gwên: Hanes merch yn marw o effaith cyffuriau a geir yma, cerddi storïol yn eu hanfod. Adroddir yr hanes yn ddigon celfydd, a cheir darnau trawiadol yma a thraw, ond does dim newydd-deb yma, o safbwynt thema nac ymdriniaeth. Mae'r dweud yn ddigon grymus ar adegau, 'Wedi'r angladd,/tindroi yn ein hunfan/fel cwlwm o gacwn/yn mwmian ein dig'.

B: Cerddi yn ymwneud â gwahanol leoedd yng Nghernyw, 'Agor y drws a wnaeth ac edrych ar Gernyw ac ar Aber Henfelen'. Mae'n cyplysu Cymru a Chernyw yn aml. 'Onid yw'n braf arnyn nhw'r brodorion,/yn rhydd o hualau traddodiad ac iaith?' gofynna. Weithiau mae'n hynod o lac a di-ffrwt ei fynegiant, dro arall mae'n gynnil ac yn drawiadol, er enghraifft, 'Sliwen o siopau yn cylchu'r allt/a'i chynffon yn anwesu'r harbwr'. Nid yw'r gerdd olaf yn y casgliad (i Doli Pentraeth) yn haeddu ei lle, ac afrwydd yw'r llinell glo, ''Rwyt fymryn yn rhyddach o bwn y groes!'

Iona: Cerddi yn ymwneud â'r berthynas rhwng rhieni a'u plant, mewn rhyw fodd neu'i gilydd. 'Pwy faga blant?' gofynnir yn y gerdd gyntaf a'r olaf. Ceir yn y cerddi hyn lawer o bethau da, ac mae dawn yma yn sicr, ond mae llawer o feflau yn amharu ar y gwaith, er enghraifft, 'sgwrs nas gafwyd', 'cyfnod y cyllell', 'Fel'na dan ni'n llwyddo cadw'r cyllyll yn y drôr', 'os y myn', 'Fedri di ddim [eu] lapio nhw mewn wadin', 'sicrwydd eu [h]wynebau', 'y gofgolofn wyn', ac yn y blaen. Ceir ambell ddisgrifiad trawiadol, 'Dwi'n ei gofio fo fel llong fawr/yn [eich] towio chi'r plant i'r ysgol/a chithau fel cychod di-rwyfau/yn tynnu'n gyndyn tu ôl'. Ond, at ei gilydd, mae gormod o lacrwydd yn y casgliad hwn.

Llain-las: Cerddi ar wahanol destunau fel, 'Plentyndod', 'Llencyndod', '"Gwyn eu Byd yr Adar Gwylltion"' (cywydd), 'Y Byd a'r Betws', 'Cerdd Dafod', ac yn y blaen. Mae ganddo un cywydd cyfan a dau ddarn o gywydd mewn cerdd arall. Nid yn y gystadleuaeth hon y mae eu lle. Defnyddier cynghanedd yng nghystadleuaeth y goron, ar bob cyfrif, ond ni ddylid anfon cywyddau i'r gystadleuaeth. Does dim camp ar y cywyddau, fodd bynnag, ac mae'n odli 'uwch' â 'diofalwch' mewn un cwpled. Y ddwy gerdd orau yw'r ddwy gyntaf, 'Plentyndod' a 'Llencyndod'. Er bod y cerddi hyn yn destunol, does dim unoliaeth o gwbwl yn y casgliad.

Branwen: Mam a merch sy'n llefaru yn y cerddi hyn, cerddi sy'n ymwneud â sawl agwedd ar y bywyd cyfoes, o Gardiau Sgriffio at werthwyr *Big Issue.* Cerddi yn y cywair llafar yw'r rhain, ond maen nhw'n llac ac yn afrwydd yn eu mynegiant. Ceir y ffurf 'meddau' am 'meddai' fwy nag unwaith, a ffurf ffug-lenyddol henffasiwn fel, 'Wedi'm defnyddio eto' yng nghanol llifeiriant o eiriau a ffurfiau tafodieithol. Mae dawn yma, yn sicr, ond mae angen ei ffrwyno a'i datblygu.

Marchog: Athro ysgol sy'n llefaru yn y cerddi hyn, a hwnnw'n sylweddoli bod 'diwedd gwanwyn' ar ddod, wrth iddo lithro tua chanol oed. Mae'r cerddi yn llawn o gynnwrf ac asbri ieuenctid – clybiau, disgo, partïon – ond gwêl y bardd y gwacter y tu ôl i'r cyfan. Chwilia am ryddid rhag ei swydd a rhag diflastod heneiddio yn y pethau hyn, ond mae'n sylweddoli mai, 'Mentro'r cyfan i'r foment/ nad oes iddi barhad' a wna. Dyma un o feirdd gorau'r ail ddosbarth, a cheir sawl darn a delwedd drawiadol ganddo.

Creigiau'r Bleiddiau: Ni ddywedir hynny, ond mae'n debyg mai merch sy'n llefaru yn y cerddi hyn. Dau berson, Cymro neu Gymraes a merch o Dde Affrica, Nongquase, yn cyfnewid profiadau ac yn dysgu hanes eu gwlad a'u pobl i'w gilydd. Lleolir y cerddi ym Mhenllyn. Cerddi *vers libre* yw'r rhain eto, er y ceir penillion sy'n cynnwys odlau Gwyddelig yn y gerdd 'Gwreichion'. Daw'r ddwy, neu'r ddau, i sylweddoli fod cryn debygrwydd rhwng y ddwy genedl y maent yn perthyn iddyn nhw, a chlymir y ddwy genedl ynghyd, 'Tristwch De Affrig/Yn Llanycil'. Mae'r syniad yn un da, ac mae'r Gymraeg yn llifeiriol, ond does dim byd cyffrous na boddhaus yn y mynegiant.

Guinness yn y Gwaed: Cerddi am Iwerddon, am arwriaeth ei gorffennol a helbulon ei phresennol. Does dim newydd-deb yn y dweud. Mae'n gymen heb fod yn gyffrous.

Cyfarwydd: Teyrnged i Olwen y chwedlau yw hon, y ferch a gedwid yn gaeth gan ei thad Ysbaddaden Gawr, ac a ryddhawyd gan Arthur a'i farchogion. Mae Cymraeg y bardd hwn yn ddi-fefl, ond mae'n ddi-wefr hefyd, ac yn hynod o aneglur. Mae Olwen yma, fe ellid tybio, yn cynrychioli dewrder ac arwriaeth merched drwy'r oesoedd. Dengys y llinellau hyn ansawdd y canu, 'Est ti trwyddi yn y gêr uchaf,/A'n gadael yn syfrdan yr ochr yma!/Dy weled, a methu a'th gyrraedd;/Ti yn gaeth i'th ryddid ofnadwy;/Ni yn rhydd ac yn gaeth i arswyd dy ryddid . . .' ac yn y blaen, yn yr un cywair undonog. Cymysgir y cyfoes a'r hynafol mewn rhai llinellau, er enghraifft, 'Cynlluniaist dy strategaeth a'th logisteg mor *syw*'!

A Gurwyd ac a Gollwyd: Stori drasig merch sy'n cael ei handwyo'n gorfforol a'i diraddio'n feddyliol gan ei gŵr. Mae gan y bardd hwn Gymraeg cadarn ac ystwyth, ond y mae'r gerdd yn brin o wir farddoniaeth. Mae'r delweddu yn or-ymdrechgar ar brydiau, 'Cofio caethglud yr uniad,/Pyramidiau f'ymdrechion/Dros gynlluniau marw-anedig,/Fflangellau d'eiriau a phlaon d'ymosodiadau;/Afonydd Babilon f'unigrwydd/A thelynau drylliedig y breuddwydion'. Delweddu clinigol, ymenyddol, mathemategol yw peth fel hyn, ymarferiad llenyddol yn unig, ac y mae'r gor-ddelweddu yn lladd diffuantrwydd a phoen yr hyn y ceisir ei gyfleu. Mae'r geiriau yn dod rhyngom a'r dioddefaint, a dechreuwn golli pob cydymdeimlad â'r ferch a gamdriniwyd. Mae geiriogrwydd y diweddglo yn amlygu'r un gwendid yn union, 'Ac er seirff dy gynllwynion/Mae arysgrif rhyddid yn ddwfn ym meini fy ffydd'.

Craig-y-Frân: Cerdd am garu a chenhedlu yw hon, a cherdd hynod o ddelweddol. Drwy ddelweddau y mynegwyd y cyfan, a'r rheini yn ddelweddau rhywiol iawn. Ceir chwe cherdd yma: 'Ti a Fi', 'Cân yr Hedyn', 'Can yr Wy', 'Cân y Blagur', 'Cân yr Eginyn' a 'Ni'. Mae'r ddelwedd o fôr yn rhedeg drwy'r cerddi i gyd, ac mae môr, tonnau, ewyn, ogof, ac yn y blaen, i gyd yn meddu ar gysylltiadau rhywiol. Dyma enghraifft o'r delweddu rhywiol, awgrymog hwn:

> Tanchwa'r don a gipiodd
>   y cledd aur o'm llwynau
>   a'i blannu yn yr eigion.
> Hyrddiadau'r storm,
> cyffyrddiadau mud y dadwrdd cnawdol
> a dafnau'r ewyn
>   rhyngom
> fel cadwynau gwawn.
>
> Yna,
>   mor ddiarwybod imi,
>   y daeth hwrdd penllanw'r môr
>   a thaflu i grafangau'r ogof
>   holl geriach fy hil.

Mae hi'n ehangach na cherdd am ddau gariad yn creu bywyd newydd: mae hi'n gerdd am wyrth a dirgelwch bywyd yn y cread yn gyffredinol. Mae un gwendid amlwg ynddi, sef y ffaith ei bod yn ddyledus i rai o gerddi Euros Bowen am ei delweddau a'i syniadau, yn enwedig cerdd fel 'Ogof Wag' ganddo (*Achlysuron*, 1970), cerdd sy'n llawn o ddelweddu rhywiol, a'r un delweddau yn union ag a geir yng ngherdd *Craig-y-frân*, 'Y groth gyfrin/yn meithrin codiadau'r môr,/yn maethu gostyngiad yr had,/yng nghysgod llanw a thrai/ei distawrwydd . . . A'r ceudwll heddiw'n esgor/ar dwf,/yn ysbail o wynder gwylanod/ar faes yr ogof wag'.

DOSBARTH I

Garth Celyn: Mae'n anodd dilyn ei feddyliau weithiau oherwydd ei arddull gywasgedig, a'i arfer o beidio â chael cystrawennau i ddilyn ei gilydd yn ystyrlon. Mae'n neidio o un peth i'r llall yn rhy ddirybudd ac yn rhy ddisymwth o lawer. Ond mae ganddo feddwl bardd, a geirfa bardd, a dull bardd o'i fynegi ei hun. Mae'r casgliad, fel ag y mae, braidd yn anwastad, ac mae'n meddwi ar ei ddawn ei hun yn rhy aml. Cerddi serch yw llawer o'r cerddi hyn. Mae'r bardd hwn yn dethol ei eiriau a'i ansoddeiriau yn ofalus ar brydiau, er enghraifft, 'Yr afon feddw'n llonydd' a 'Ffwdan o aeron egwan'; ond gall fod yn rhodresgar hefyd, fel y llinell, 'Croes siwgr a thafl-gusan a hysiai', ac nid da'r arferiad o roi'r ansoddair o flaen yr enw. Dyma wir fardd, er hynny.

Goronwy: Cerddi am frodorion Awstralia yn colli eu tir a'u traddodiadau dan ormes y gwynion, gan gynnwys y Cymry. Dyma fardd tawel a chynnil a ŵyr pa bryd i ymatal. Mae'n ymwybodol iawn o rin a gwerth geiriau. Mae'r pennill agoriadol yn argyhoeddi ar unwaith:

> Y ddinas dan garthen ei gwenwyn
> a bysedd ei thyrau tal
> yn estyn drwy'r haenen lasfrown
> fel llaw yn boddi.

Cerdd wych yw 'Bro Breuddwyd' yn ei hundod a'i chymesuredd, ac felly hefyd 'Terra Nullis', gyda'i phennill clo ardderchog, 'Tir neb./A minnau'n neb,/fel pwt o freuddwyd/a gollwyd rhwng cwsg ac effro'. Thema'r cerddi hyn yw'r ymchwil am hunaniaeth, ac mae'r ddelwedd o freuddwyd yn bwysig ac yn amlwg drwy'r holl ganu. Dyma enghraifft o gynildeb trawiadol y dweud:

> Candryll yw ein hanes –
> darnau o chwedlau ar chwâl.
> Ac eto, mae'r cof yn pigo,
> Yn poenydio'n presennol.

A derbyn nad yw'n brifardd coronog eisoes, mae'n hawdd proffwydo llwyddiant i'r bardd hwn yn y gystadleuaeth hon.

Sam: Canodd am frwydr Mynydd Baddon, *c.* 519 OC yn ôl rhai haneswyr, a thipyn cyn hynny yn ôl eraill, pan, 'gafodd Brythoniaid y de fuddugoliaeth dros lwyth yr Iwys y dywedir iddi sicrhau eu rhyddid rhag y Sacsoniaid am dros hanner canrif', a brwydr Dyrham, 577 OC, 'pan gollodd Brythoniaid "Cymru" eu cysyllt-iad â Brythoniaid y de-orllewin, a'u rheolaeth tros Wlad yr Haf'. Ychwanegir, wrth gyflwyno'r cerddi, y 'Dywedir mai caer enfawr Badbury yn swydd Dorset yw Badon', ond does dim sicrwydd ynghylch hynny. Cred arall yw mai ger Caer-faddon yr ymladdwyd y frwydr. Cysylltir enw Arthur â brwydr Mynydd Baddon gan Nennius. Mae cerdd gyntaf *Sam* yn trafod brwydr Mynydd Baddon, a'i ail gerdd yn trafod 'Dyrham 577 OC'. Mae problem gyda'r dyddiad a roir i'r gerdd sy'n ymwneud â brwydr Mynydd Baddon gan *Sam*, sef *c.* 550. Mae hynny lawer o flynyddoedd yn ddiweddarach na'r hyn a roir gan haneswyr, ac ni all y dyddiad fod yn gywir ac Arthur yn bresennol ganddo yn y frwydr yn ôl y gerdd, 'Ond acw/ Ar flaen y gwarchwaith,/Arthur,/Brenin y Brython a Badon'. Ond nid hanesydd mo'r bardd. Mae gan *Sam* ddawn i ddarlunio'n gynnil ac i ail-greu egrwch. Mae naws y canu cynnar arwrgerddol yn gryf yn ei ganu, ac y mae'r modd y cynhaliodd y ddelwedd o ddawns goruchafiaeth y brain yn ail ran y gerdd gyntaf yn draw-iadol. Mae'r cerddi wedyn yn symud o'r gorffennol i'r dyfodol, ac y mae Arthur yn rhedeg drwy'r cyfan. Os collwyd brwydrau yn y gorffennol, bellach y mae brwydr fawr wedi ei hennill wedi i Gymru bleidleisio o blaid y Cynulliad. Mae'r ddelwedd o frain bellach ym magu symbolaeth amgenach:

> Dwy a'u clegar gwatwarus
> Yn dathlu
> Buddugoliaeth filflwyddol
> Tros y gaeaf.
>
> Heb weld, heb ymboeni
> Am ddim
> Ond y naill a'r llall,
> Yng ngwefr y codi tŷ
> A pharhau hen ach
> Mewn cartref newydd.

Mae *Sam* yn fardd da iawn, a hefyd mae ganddo adnabyddiaeth drylwyr o'i iaith. Os oes gwendid yn y gwaith, dibynnu'n ormodol ar ddelweddau ac ymdeimladau o ganu'r gorffennol yw'r gwendid hwnnw. Ar ei orau mae'n gynnil ac yn gofiadwy, a gall gyflwyno delwedd mewn ychydig eiriau, 'Dwy gigfran/Ar adain yn aredig/Yr Awyr'. Aeth yn ôl at ein methiannau cynharaf fel cenedl er mwyn dathlu ein buddugoliaeth ddiweddaraf.

Camera: Dyma fardd cyfoes dychanol, bardd sicr ei drawiad a chanddo lawer iawn o hiwmor brathog. Apeliodd y cerddi hyn yn fawr ataf, am eu bod yn treiddio y tu hwnt i'r croen a'r cnawd at yr asgwrn. Mae'n ddeifiol o ddychanol ar adegau. Mae'r gerdd gyntaf un yn ei gasgliad, 'Golygfa Un: Tŷ yn ardal Pontcanna, Caerdydd', yn sefydlu cywair y cerddi ac yn amlygu ei ddawn ddiamheuol. Yn y gerdd hon dychenir y modd y stripiwn hen gelfi a darnau o bren yn ein cartrefi er mwyn cyrraedd y graen. Dyma'r tueddiad crachaidd, snobyddol diweddaraf, meddai'r bardd, oherwydd mae bod â phaent ar bren yn, 'ei wneud yn blaen i bawb eich bod yn bleb'. 'Gwaredu'r byd o baent' yw ein 'brwydr ddycnaf' erbyn hyn, meddai *Camera* yn ddychanol. Dychanu ein diffyg gwerthoedd ysbrydol yn y gymdeithas fodern a wna *Camera* yn y gerdd hon, 'Petawn i'n sgwrio f'enaid mor lân,/mor syml,/mi fyddwn yn sant'. Ond 'moeli pren' a wneir bellach, nid 'moeli'r ysbryd'. 'Dyma'r agosa' y down ni bellach/at ddod yn ôl at ein coed', meddai'n chwerw o chwareus.

Mae gweddill y cerddi yn yr un cywair dychanol: collfarnu ein Nadoligau materol ni, a'n pryder ffals am gyflwr y byd. Gweithio i'r cyfryngau y mae'r bardd, ac mae'n byw yng Nghaerdydd. Gall weld trwy dwyll a ffalster y bywyd dinesig, cyfryngol yn well na neb, ac mae'n ddeifiol yn ei weledigaeth o wacter y bywyd cyfoes:

> Ni yw tylwyth y trwsus lledr, hil y sbectol haul.
> Y rhai sy'n meddwl mai gormes
> yw colli cytundeb cyfres deledu;
> y rhai sy'n meddwl mai rhyddid
> yw rhoi to eu BMW i lawr wrth grwydro'r Cyfandir;

y rhai sy'n meddwl mai aberth
yw dweud wrth begor y *Big Issue* tu fa's i'r opera
gadw'r newid.

Mewn cerdd arall, 'Golygfa Pump: Stiwdio Deledu', mae'n dychanu ein cymdeithas gamera-ganolog ni: y ddelwedd ar y sgrîn, camerâu diogelwch, ac yn cloi'r gerdd trwy ddweud fod, 'Yn ein meddyliau,/yr arolygu parhaus ar ein hunan-ddelwedd,/fel camera-cylch-cyfyng yn eich pen'. Bardd difyr i fod yn ei gwmni yw hwn, os gallwn oddef ei arferiad parhaus o ddadlennu'r benglog dan y cnawd, a'r hagrwch noeth dan foethusrwydd y dillad. Llithrodd unwaith neu ddwy, 'Ond moeli pren ŷm ['rŷm] ni', 'Nes imi'th weld [imi dy weld] di heno', 'i blingo bloneg y bywyd bras', ond llithriadau annodweddiadol yw'r rhain. Mae gan y bardd hwn ddigon o feistrolaeth ar ei iaith i aflonyddu arnom, ac i gyrraedd at wraidd yr enaid.

Mae'n sicr y gellid coroni un neu ddau o feirdd y dosbarth cyntaf, ond ni wn pwy. Byddai'n rhaid mesur a phwyso rhinweddau a gwendidau yn ofalus. Mae *Camera* yn sicr yn apelio a rhaid i mi gyfaddef fod *Goronwy* wedi gadael cryn argraff arnaf, a *Sam* wedyn . . . ond beth yw'r pwynt? Ymarferiad academaidd diffrwyth yw chwilio am y bardd buddugol yn eu plith, oherwydd y mae un ar ôl.

Ba: Arhoswn yng Nghaerdydd gyda'r bardd disglair hwn. Yn wir, bron na ddywedwn i ei fod yn haeddu dosbarth ar ei ben ei hun. Cydiodd hwn ynof gyda'r darlleniad cyntaf, ac ni laciodd ei afael arnaf. Ni wn sut i ddechrau trafod ei waith. Mae'r cerddi yn dathlu ei gysylltiad â dinas Caerdydd i ddechrau, ond ymhyfrydu ynddi y mae, nid gweld yr ochr dywyll, aflan iddi, fel y byddai'r rhan fwyaf o feirdd. Mae ganddo gariad at y ddinas. Mae'r cerddi hyn yn gyfrodedd o themâu, a'r rheiny wedi eu cydblethu'n glòs. Un thema yw'r angen am warchod amser y tu allan i amser; cadw'r oriau coll y tu allan i amser y clociau a'r calendrau. Mae dau fath o amser yn bod, yn ôl y bardd hwn, sef yr amser swyddogol, gwirioneddol, a'r amser a gedwir drwy atgofion, drwy freuddwydion, a thrwy'r dychymyg. Dyma'r 'amser arall' yn y gerdd gyntaf. Mae'r amser arall hwn yn gwarchod y pethau hynny na all amser ei hun eu cadw: atgofion, argraffiadau, emosiynau. Amser a blethwyd 'i gilfachau mud' yw'r amser hwn, amser sy'n gysylltiedig â man a lle, yng nghof ac ym mhrofiad yr unigolyn. Soniodd T. S. Eliot am rywbeth tebyg yn 'Burnt Norton' yn *Four Quartets*:

To be conscious is not to be in time
But only in time can the moment in the rose-garden,
The moment in the arbour where the rain beat,
The moment in the draughty church at smokefall
Be remembered . . .

Dyma'r, 'amser arall allan ar y lôn,/rhwng lampau budron ar gorneli stryd', ac yn y blaen. Sefydlu'r amser arall hwn a wna'r gerdd gyfareddol gyntaf hon, amser atgofion a breuddwydion, ac amser y dychymyg. Yn yr amser hwnnw, meddai, y mae hanes pob un ohonom. Felly, mae'r bardd am ein tywys i fyd diamser o fewn amser.

Yn ninas Caerdydd y mae'r ail amser yn bodoli i'r bardd hwn. Yno y cedwir yr atgofion. Mae'r ail gerdd yn gerdd o fawl i'r brifddinas, a cherdd ardderchog yw hon eto. Mae'n croesawu'r wawr i'r ddinas yn y gerdd hon, ond er ei fod mor awyddus i groesawu'r wawr, mae'n rhoi, 'sws/ta-ta bach ffyrnig/i'r nos' ar yr yn pryd. Mae'n caru'r ddinas ddydd a nos; mae'n ei charu yn ei chyflawnder. Nid aflendid a wêl gyda dyfodiad y wawr; yn hytrach, mae'r wawr yn gweddnewid y ddinas yn ddinas hud, ac mae hyd yn oed y tarmac yn troi'n 'heol gras'. Mae undod yn y gerdd hon: ('Estyn dy law'; 'Estyn y llall'; 'Estyn y ddwy'n . . .'), ac mae *Ba* yn fydryddwr tan gamp.

Dyma 'ddinas y pethau coll', sef y pethau a fwriwyd o'r neilltu wrth i amser gerdded rhagddo, mân-bethau a oedd yn rhan o fywyd unwaith, mân-bethau a chanddyn nhw gysylltiadau â bywydau pobl. 'Nid oes defodau cymwys i bethau coll', meddai mewn llinell gofiadwy. Dyma'r pethau a oedd yn rhan o brofiadau pobl unwaith – 'ffotograffau pasport', 'menyg chwith', 'allweddi cartref', pethau a oedd yn gysylltiedig â phrofiadau fel gwyliau a bywyd teuluol. Y dyhead am geisio achub rhai pethau, rhai profiadau, rhag mynd ar ddifancoll yng nghanol llif amser yw un o themâu'r cerddi hyn.

Mae amser yn ein caethiwo, hynny yw, amser y cloc, amser gwirioneddol. Mae'r amser arall yn ein rhyddhau, er mai amser o fewn amser ydyw. 'Only through time time is conquered', meddai Eliot yn 'Burnt Norton'. Gallwn grwydro yn y dychymyg yn rhydd o'i afael i unrhyw le ac ar unrhyw adeg. Gallwn ddawnsio'n rhydd o afael hualau amser drwy'r dychymyg, drwy ein breuddwydion a'n hatgofion. Mae'r ddelwedd o ddawns yn ganolog i'r cerddi, sef y weithred hon o ddawnsio'n rhydd o afael amser, dawnsio a hedfan i blith y pethau coll, yr oriau coll. Ceir y syniad o ddawns o fewn amser yn 'Burnt Norton' hefyd, o ran diddordeb, 'at the still point, there the dance is . . . Except for the point, the still point,/There would be no dance, and there is only the dance'. Yn llinellau Eliot mae amser yn troelli nes cyrraedd llonyddwch llwyr, ac yn y llonyddwch hwnnw y mae symudiad amgenach y tu allan i amser.

Mae thema arall yn y cerddi hyn sy'n gysylltiedig â'r thema hon o warchod a chadw amser coll, a'r mân-atgofion a'r mân-betheuach sy'n gysylltiedig ag amser coll. Mae'n rhaid i ni beidio â chael ein cyflyru gan fân-ddefodau a mân-reolau bywyd. Mae'n rhaid i ni ddawnsio'n rhydd o'u gafael, fel y gall y dychymyg redeg yn rhydd, ac mae amser y dychymyg yn amser arall, y tu hwnt i gyfyngiadau amser gwirioneddol. Mae'n rhaid i ni ddod i'r Waun Ddyfal â meddwl agored, yn barod i dderbyn argraffiadau heb gael ein cyflyru ymlaen llaw. Oni ddown i'r Waun Ddyfal felly, nid ydym yn gymwys i fyw bywyd yn llawn. Mae'n rhaid i ni ddod i'r Waun Ddyfal, 'yn ein breuddwyd'. Yn y Waun Ddyfal y gellir profi'r cyffredin, y pethau coll. Mae dynion yn gosod rheolau a chyfyngiadau, a'r rheini'n gyfyngiadau o fewn amser. Gwaherddir dawnsio yng Nghaerdydd ar amseroedd arbennig, caethiwir rhyddid gan gyfyngiadau amser, ond mae'r dychymyg, a'r dyhead i fyw y tu allan i amser gwirioneddol, yn herio rheolau a defodau, ac felly, 'mae'r stryd yn llawn o naw tan ddau/o ddawns y sodlau noethion'. Mae yna ysbrydion o'r gorffennol sy'n byw y tu allan i amser.

Mae'r cerddi hyn hefyd yn gerddi serch godidog. Mae cariad hefyd yn gweddnewid y ddinas, yn rhoi elfen o ledrith a hyfrydwch iddi. Does dim chwyn yn tyfu ar balmentydd Caerdydd oherwydd bod prysurdeb traed pobl, wrth i ddeiliaid y ddinas gyrchu eu gwaith yn un fyddin, yn cadw'r palmentydd yn lân ddi-chwyn, ond bydd cerddediad troednoeth cariad y bardd yn peri i'r palmant flaguro ar ei hôl, 'troednoeth', sylwer: yn rhydd o afael confensiynau, ac yn rhydd i ddawnsio o afael amser. Yn y seithfed gerdd, sy'n gerdd serch arall, trechir amser eto. Awn i fyd diamser cariadon yn y gerdd hon. Dyma fyd sy'n bodoli y tu allan i amser a churiad y cloc, byd tragwyddol cariadon, byd breuddwydion. Yma mae, 'cariadon ifanc yn gariadon henoed': maen nhw'n un â chariadon yr oesoedd, fel Colwmbein a Harlecwin, sef cariadon traddodiadol y comedïau serch Eidalaidd. Harlecwin oedd yr un a gystadleuai am law Colwmbein yn erbyn ymgeiswyr eraill fel Pierrot. Roedd yn anweladwy i bawb ac eithrio Colwmbein; gwisgai fasg a chariai gleddyf pren yn ei law ('Nid oes cleddyf rhyngof a'm hanwylyd'). Roedd Colwmbein hefyd yn anweladwy i lygaid meidrolion, ac efallai fod y bardd yn awgrymu bod y cariadon hefyd yn anweladwy, gan eu bod yn byw y tu allan i'n hamser ni. Mae'r rhain hefyd yn cyd-ddawnsio yn eu hamser nhw. 'Cysgu mae amser, effro yw ein cariad', meddai *Ba*. Mae amser wedi peidio â bod. Dyma brofiad cyffredin cariadon yr oesoedd. 'Time was away and somewhere else', meddai Louis MacNeice yn ei gerdd 'Meeting Point', oherwydd bod dau wedi ymgolli ym myd cariad:

> Time was away and she was here
> And life no longer what it was,
> The bell was silent in the air
> And all the room one glow because
> Time was away and she was here.

'Our whisper woke no clocks', meddai Auden yn ei gerdd serch 'The Dream', a dyna'r union fyd a gonsurir yma.

Mae'r bardd yn dychwelyd i fyd amser gwirioneddol yn y gerdd olaf. Sylweddola mai 'amser amherffaith' yw'r amser hwn sy'n caniatáu i ni freuddwydio ynddo, seibiannau yn unig yng nghanol 'tician digyfaddawd' y cloc. Mae dyfodiad y sêr a'r nos yn arwyddocáu dychweliad amser gwirioneddol. Mae'n sylweddoli, 'na all breuddwyd/drwsio egwyddor clociau'. Mae amser yn cerdded rhagddo yn ddidrugaredd. Awgrymir mai amser gwirioneddol sy'n ennill y frwydr yn y pen draw, ond mae'r bardd am gipio un orig olaf o'i afael, ac am ddawnsio un ddawns arall cyn i amser gaethiwo'r traed. Ceisiwyd ymosod ar y modd y mae amser yn dileu drwy bedwar dull a modd: atgofion, hedfan ar adenydd dychymyg, ceisio marwnadu'r trugareddau a fwriwyd o'r neilltu gan amser, a breuddwydion, ond mae'n rhaid byw yn y byd hwn o amser hefyd. Erbyn y gerdd olaf hon mae'r bardd yn byw o fewn amser a'r tu allan i amser. Mae cyfaddawd wedi digwydd; ac ni ellir byw y tu allan i amser heb orfod byw oddi fewn i amser.

Mae'r cerddi hyn yn gerddi cyfoethog gan fardd arbennig iawn. Cerddodd fel cerddorfa undyn feistraidd, fawreddog i mewn i ddosbarth o fyfyrwyr yn ymarfer y ffidil. Mae ganddo ddyfeisgarwch mydryddol yn ogystal â dychymyg gloyw a deallusrwydd llym. Mae pob un o'r cerddi hyn ar fesur gwahanol, o *terza rima* (mesur cerdd enwog Shelley, 'Ode to the West Wind', er enghraifft) y gerdd gyntaf hyd at fesur arbrofol y gerdd olaf, lle mae'n cloi pob pennill â chwpled cywydd, a phrifodl y bumed llinell yn odli â phrifodlau'r cwpledi cywydd.

Os bu bardd yn haeddu coron eisteddfodol erioed, *Ba* yw hwnnw. 'Wn i ddim beth yw arwyddocâd ei ffugenw. Mae *ba* yn hanner y gair *bardd*, ond nid hanner bardd mo hwn, ond bardd ardderchog. Braint iddo yw ennill Coron Eisteddfod Genedlaethol Bro Ogwr, ond braint i'r Eisteddfod hon hefyd yw cael coroni bardd mor gwbwl arbennig â hwn. Coroner *Ba* heb unrhyw amheuaeth.

Dilyniant o gerddi

RHYDDID

Tician mae amser ar y silff ben tân,
mewn capeli gwag a pheiriannau ffôn:
amser digidol yn glinigol lân.

Mae amser arall allan ar y lôn,
rhwng lampau budron ar gorneli stryd
ac anadliadau diog sacsoffon;

amser a blethwyd i gilfachau mud
fel llythyr caru ym mhocedi'r sêr,
fel llythyr twrne ym mhocedi'r byd;

amser a'i gwantwm yn guriadau blêr
calonnau heb eu cydamseru'n dwt:
synchro-mesh yn crensian wrth newid gêr.

Ac yn yr amser hwnnw y mae pwt
o hanes enaid pawb, ac ambell gân
neu alwad ffôn, a phader fach ffwr-bwt.

Estyn dy law
i deimlo'r bore'n
boenus o agos
fel atgof blas,
a disgwyl am wyrth
y twymo araf
sy'n troi y tarmac
yn heol gras.

Estyn y llall
yn gymar iddi
lle nad oes gweddi
ond awyr wag
yn loyw i gyd,
a'r haul ar godi
drwy sŵn moduron
ac oglau brag.

Estyn y ddwy'n
gyfeillgar allan
i'r colomennod
ac adar y to;
ond cofia roi sws
ta-ta bach ffyrnig
i'r nos sy'n 'madael
â'r byd, dros dro.

Hon yw dinas y pethau coll
'ddaliwyd yn y bwlch rhwng pnawn dydd Sul
a gweddill amser; pethau y bu stamp
eneidiau arnynt unwaith; nawr ar goll.

Mewn cwteri, o dan bontydd trên,
ym morderi'r parciau'n llechu'n saff
o afael atgof ac arwyddocâd,
ffotograffau pasport, menyg chwith,

poteli whisgi hanner-gwag o wlith,
allweddi cartref, arian mân; â'r baw,
sy'n lluwchio pan ddaw'r gwynt yn nyddiau'r cŵn,
yn bwrw arnynt am yn ail â'r glaw.

Heb eu claddu, heb eu marwnadu'n iawn:
nid oes defodau cymwys i bethau coll,
dim ond bytheirio byr o dro i dro
cyn ymryddhau, a'u gollwng nhw dros go'.

Oni ddown i'r Waun Ddyfal
yn dawel, â'n dwylo ar led,
i glustfeinio gweddïau,
i wrando cyffesion cred
ceidwaid ei siopau cornel,

ffyddloniaid y 'Flora' a'r 'Crwys';
oni ddown i'r Waun Ddyfal felly,
nid ŷm gymwys.

Oni ddown i'r Waun Ddyfal
a garwn, pan fydd y gwlith
ar doeau'r ceir yn belenni,
i wylio ei hadar brith
a'i hen wragedd sy'n rhegi
ei gilydd wrth groesi'r lôn;
oni ddown i'r Waun Ddyfal felly,
nid yw'n ddigon.

Oni ddown i'r Waun Ddyfal
i ddawnsio, â hithau'n boeth,
a llwch cyfarwydd ei phalmant
yn gras dan ein gwadnau noeth,
i blith ei mil fforddolion,
yn rhith mewn ffenestri llwyd;
oni ddown i'r Waun Ddyfal felly
yn ein breuddwyd?

Rhaid peidio dawnsio yng Nghaerdydd
rhwng wyth a deg y bore:
mae camerâu yr Heddlu Cudd
a'r Cyngor am y gore
yn edrych mas i weld pwy sydd
yn beiddio torri'r rheol
na chaiff neb ddawnsio yng Nghaerdydd
ar stryd na pharc na heol.

Mae dawnsio wedi deg o'r gloch
yn weithred a gyfyngir
i gwarter awr mewn 'sgidiau coch
mewn mannau lle'r hebryngir
y dawnswyr iddynt foch ym moch,
heb oddef stranc na neidio,
ac erbyn un ar ddeg o'r gloch
rhaid i bob dawnsio beidio.

Ond ambell Chwefror ar ddydd Iau,
pan fydd y niwl a'r barrug
yn fwgwd am y camerâu
fel bo'r swyddogion sarrug

CORON YR EISTEDDFOD

Rhodd Cwmni Sony.
Cynlluniwyd a gwnaed gan Ruth Davies, Corris.

yn swatio'n gynnes yn eu ffau
gan ddal diodydd poethion,
mae'r stryd yn llawn o naw tan ddau
o ddawns y sodlau noethion.

Nid oes chwyn
yn tyfu byth
ar balmentydd
y brifddinas,
lle y chwyth
gwynt mynwentydd

drwy brysurdeb
dyddiau gwaith
a'u defodau;
nid oes amser
cofio iaith
hen adnodau.

Ond mi wn
pan ddeui di'n
droednoeth heno,
yn ein hamser
ataf i,
pan orffenno

heddiw arall
a chybôl
ei brysuro,
bydd y palmant
ar dy ôl
yn blaguro.

Nid oes cleddyf rhyngof â'm hanwylyd,
cerddwn ar hyd coridorau cwsg
law yn llaw neu forddwyd llyfn ym morddwyd,
cyd-brydleswyr palas ein breuddwydion,

Weithiau'n eryrod, weithiau'n dylluanod,
hedwn ar adain ara' deg ymysg
siandelîrs ein plantos a'n hynafiaid
(glaw yn cledro'r gwydr oddi allan).

Cysgu mae amser, effro yw ein cariad,
cyd-ddawnsiwn yn gymesur yn ein masg:
cariadon ifanc yn gariadon henoed,
am byth yn Golwmbein a Harlecwin.

Yn yr amser amherffaith y caniateir
i ni freuddwydio ynddo, mewn seibiannau
rhwng ufuddhau i'r tician digyfaddawd,
pan fydd y sêr i'w gweld, a'r holl fydysawd
yn canu'i delynegion i ni'n dau,
yn nhywyllwch canhwyllau, yn sŵn ceir,
mae'r nos yn cau.

Am nad yw arad dychymyg yn troi'r stryd
yn fraenar cyfiaith lle cawn ni weddïo,
am nad yw'n codi'r trugareddau gollwyd
heb eu marwnadu'n iawn, am na all breuddwyd
drwsio egwyddor clociau, am y tro
yn salem ein noswylio, dyna glyd
yw byw dan glo.

Yma mae ein cyfaddawd, ein hamser cain,
rhwng diniweidrwydd rhemp ein caru cyntaf
a'r llwch anadlwyd gennym ers blynyddoedd
yn llundain-ddoeth, yn gyfrwys fel dinasoedd.
Rhyngddynt, a rhwng y coed ar lannau Taf
noswyliwn mewn dawns olaf yn sŵn brain,
ryw noson braf.

Ba

Englyn: Bwlch

BEIRNIADAETH RICHARD JONES

Cydnabûm imi dderbyn trigain a phedair o ymdrechion cynganeddol, neu rangynganeddol, pob ymdrech wedi ei threfnu'n bedair llinell a bron bob un, mewn rhyw fodd neu'i gilydd, ar y testun, ond mae nifer ohonyn nhw'n wallus mewn gair neu gynghanedd, neu'n amherthnasol i'r testun, ac felly, er eu bod yn ofid i'r glust a'r deall, maent yn gymorth i ddidoli'r annheilwng oddi wrth y gweddill. Roedd y testun yn codi rhywfaint o ofn arnaf, oherwydd ei bosibiliadau delweddol.

Maddeued y beirdd imi os methais â gweld neu werthfawrogi unrhyw ddelwedd, ond at ei gilydd triniaeth ddiffiniadol, eiriadurol a gafwyd gan yr ymgeiswyr, neu ddelweddu ystrydebol, diddychymyg a diafael. Mae pum cynnig *Unig* a dau gynnig *Trist* yn eu rhoi mewn dosbarth unig a thrist gan nad oes fawr o syniad ganddynt am ofynion cynghanedd ac acen. Ychydig yn unig ar y blaen iddynt am resymau tebyg ond eu bod yn cynganeddu'n well y mae *Heddiw 2, Keir Hardie, Mab Afradlon, Llais o'r Ynys 1, 2, 3, Tippex 1, 2, 3, 4,* y ddau olaf gyda'u hamryw gynigion fel rhywun sy'n prynu nifer o docynnau loteri i wella'u siawns mathemategol o ennill. Gwell fyddai treulio pedair awr, dyweder, yn llunio englyn da, nag awr yr un i lunio pedwar englyn nad ydynt cystal. Mae mwyafrif y ffugenwau sy'n dilyn gyda'i gilydd yn y dosbarth hwn oherwydd cyffredinedd eu syniad a'u mynegiant: *Adref, Gethin, Idris, Ebill, Gwell Hwyr na Hwyrach 1, 2, 3, Ab Iestyn, Heddiw 1, Taid, Mac, Y Garnedd, Meilir, Gersom, Pen-bwlch, Lowri, Hermon, Ifan, Twm, Dic, Harri, Mab Harri, Ordnans, Glyndŵr, Beudy Bach, Colli Perthynas.* Dyma enghreifftiau o'r mynegiant a geir gan rai o ymgeiswyr y dosbarth hwn:

> Y bedd diaddurn lle bu (*Glan-rhos*)

Ac meddai *Wil*, gan gyfeirio at sefyll yn y bwlch:

> Yn lle hyn sefyll yno
> Yw ein braint i arbed bro

Ceir yma nifer o hen drawiadau fel, 'A'i mawredd drwy'r mieri' (*Berdiwr*) a 'Rhyw ddisgwyl, disgwyl bob dydd/A'r boen yn ddagrau beunydd,' gan *Saron.* Mae *Peredur* yn mynegi tristwch eithaf colli Mam yn chwithig iawn:

> Nid braf yw hen aelwyd bro
> A Mam annwyl ddim yno.

Rywsut ymylai cynnig *Cae Diwcs* at fod yn ddigrif ei fynegiant. Dyma'i englyn:

> Dyw annwyl! Lladd Diana – diwedd byd
> I ddau bach fu'r anga';
> er eu cur, i'r papura'
> yr oedd hon yn 'Stori Dda'.

Gresyn bod sŵn 't' yn fy nghlust yn ddiateb yn yr esgyll hwn gan *Gruff*:

Ond rhieni dewr, uniaith,
Sy'n dyfal gynnal y gwaith.

Angau sy'n bylchu yn englyn *Llwyd* ond byddai'n haws credu i Nain fod yn codi ei llaw i ffarwelio na:

Ni chwyd law i groesawu
Lle i'w bwth, mae'n wag lle bu.

Mae trydedd llinell *Cymwynaswr* yn cyfeirio at fwlch testunol-boblogaidd, 'Drwy hwn treiddiodd estroniaith'.

Deuwn at gorlan y goreuon gyda'r rhain, *Tro ar Fyd, Bob, Yr Eneth Gadd ei Gwrthod, Ifan, Os Myn Glod, Pentre Wern.* Dyma fwlch *Pentre Wern:*

Aelwyd a neb yn holi, cadair wag
Gyda'r hwyr yn gwmni . . .

Meddai *Demetrius* wedyn, 'Er cracio'r/eicon yn derfynol . . .'. Yna mynnodd y gynghanedd i'r Effesiaid fod yn ffôl.

Hoffais, 'Un a ŵyr ei ffordd drwy'r drain', gan *Golgotha*, ond nid wyf yn siŵr pwy yw'r 'mwynwr' yn englyn da *Wal Sych*. Mae esgyll englyn *Mathew* yn dorcalonnus o wir mewn bywyd, ysywaeth:

Ond un fwyn a'i llais swynol
I hedd ei nyth ni ddaw'n ôl.

Mae *Dyma'r lle* yn gweld y bwlch ar garreg fedd ei ddyweddi ac yn edliw ei ddiwedd anorfod iddo yntau, '. . . darn ohoni/Yn blaen, a heb ei lenwi,/Fan hyn rhoddir fy enw i'. 'F'enw' fyddai'n osgoi'r amheuaeth o sill yn ormod.

Ni fyddwn wedi bod yn hapus â theilyngdod unrhyw un o'r englynion hyn o gofio am safon yr Eisteddfod Genedlaethol, ond trwy drugaredd, mae englyn *Rhyd yr Ewig* yn aros. Mae'n dechrau trwy ddweud, 'I'r fan lle bu ailgyfannu . . .'. Mae bwlch sylweddol wedi difetha'r cyfanrwydd a chaiff hwnnw'i lenwi, 'Â thrwch/O'r berth ddrain . . .', rywsut, rywsut felly, a'r 'drain' yn boenus gyda'r naill yn gorfod derbyn gan y llall sut y digwyddodd y bylchu, ond, '. . . yfory/Daw yr anllad ddafad ddu/A'i hoen eilwaith . . .'. Mae anlladrwydd y natur ddynol yn peri syrthio ganwaith i'r un bai, neu ryw achos edliw, efallai, yn dod, '. . . a'i chwalu'. Nid 'i'w chwalu', sylwer, ond 'a'i chwalu', gan nad oedd bwriad yma; dim ond digwydd anorfod a'r canlyniadau'n anochel. Diolch, *Rhyd yr Ewig* a diolch i'r beirdd eraill a fentrodd i'r maes hefyd. Mae *Rhyd yr Ewig* yn deilwng iawn o'r wobr a'r anrhydedd.

Yr Englyn

BWLCH

I'r fan lle bu'r ailgyfannu – â thrwch
O'r berth ddrain, yfory
Daw yr anllad ddafad ddu
A'i hoen eilwaith a'i chwalu.

Rhyd yr Ewig

Englyn Ysgafn: Shoni bob Ochor

BEIRNIADAETH MEDWYN JONES

Tasg anodd ydy cyfansoddi englyn ysgafn, bachog a chofiadwy. Rhaid cyfyngu'r dweud i ddeg sill ar hugain, a'i gaboli nes bydd y gwaith gorffenedig yn swyno'r glust.

Ymgeisiodd 32, ond mae dau englyn *Dim Dal* a'r pedwar o eiddo *Penarth* heb arlliw o gynghanedd ynddynt.

Mae brychau ar amryw o rai eraill, *Pry' ar y wal* wedi defnyddio'r gynghanedd lusg mewn dwy linell, a chafodd ei dwyllo gan yr acen yn y cyrch, 'ei ddileit/'E ddyliwn'. Yn anffodus mae *Shani* wedi cael proest yn y llinell gyntaf, ac mae'r llinell olaf yn wallus, 'Wthio'i drwyn. 'Dyw byth adre!' Mae llinell gyntaf *E M* yn anghywir, 'Ceiliog gwynt, cilwg a gwên'. Dylid ateb y ddwy 'g' sydd ynghlwm yn rhan gynta'r llinell ag 'c' yn yr ail ran. *Proton* wedi llunio englyn da, ond ni allaf dderbyn fod cynghanedd yn y llinell olaf, 'Na ŵyr pwy yw ef ei hun'.

Lluniodd *Cachgi* englyn cywir ond bod y dweud yn ddi-liw, a chynnig *Camilla Parker-Bowles* braidd yn niwlog. Mae *Esgair Ebrill* yn cychwyn yn dda, 'O'r bron mae yn gynffon i gyd', ond mae'n gwanhau at y diwedd. Mae *E M* yn ei ail gynnig yn dweud am Shoni, 'Un tila, llipa yw'r llo'. Does fawr o fflach yn ymgais *Poli-Giami*, a gwastad yw englyn *Fo a Fe.* Mae englyn *Gwyn* yn un diddorol. Dyma'r esgyll:

Un gwan, gyda'r cŵn mae'n gi,
I'r cadno'n un o'r cedny.

Mae *Gwynno* yn ei weld yn, 'Un chwit-chwat', a does gan *Celynyn* fawr ddim newydd i'w gynnig. Mae *Ceitho* ar y llaw arall yn cychwyn yn addawol, ond mae'r llinell olaf yn ddryswch imi, 'Ni ofala Dai'r Felin'.

Caed ail gynnig gan *Ceiliog Gwynt,* ond ni chafodd gystal hwyl ar hwn. Daeth cynigion y gweddill i wastad sydd beth yn uwch, a cheir ambell sylw crafog sy'n darlunio'r testun yn dda fel gan *Minnau Hefyd*:

Roedd Now ein cynghorydd ni, – yn addo
Y byddai'n cefnogi
Cais Gomer Pant y Deri
A Rol y Faenol, – a fi!

Ond mae enwi tri pherson a dau le yn siŵr o fod yn ormodiaith.
Mae *Is-gadeirydd* yn gweld Shoni'n 'chwit-chwat' (fel *Gwynno*), ac *Alwen* yn ei weld yn:

Rhodio â'r cathod a'r cŵn
A'i oes yn ffug ddefosiwn!

Mae *Shani* yn gwneud gosodiad diddorol yn y cwpled clo:

Oni bai ei awen bur
Ni fyddai tangnefeddwyr.

Mae hyn yn athronyddu gwych, ond go brin ei fod yn englyn ysgafn ond mae *Sam* wedi cael hwyl dda ar ei gynnig ef:

Hen lidiart ail law ydi, – a'i pherchen
Sydd yn fforchog arni,
Heb wybod p'un i godi
Y dde, y chwith. Wyddoch chi?

Y dde neu'r chwith y carai ddweud, ond mae'r gynghanedd yn feistres greulon.
Caed ymgais ganmoladwy gan *Domino* sy'n cloi drwy ddweud:

Yn y byd nid oes ben bach
Â delwedd anwadalach.

Llwyddodd *Gwynoro* i gael gair gwych i ddisgrifio'r gwrthrych, sef, 'Camilion gwirion yw'r gŵr . . .', ond mae'n gwanhau at y diwedd.
Fe ei hun yw Shoni bob Ochor *Ceiliog Gwynt* ac mae'n cloi'n ddiddorol:

Rwy'n solet o blaid Betty,
Un llai hyll na'r lleill yw hi.

Gweithiodd *Wy Arall* englyn derbyniol:

Un dwl yn gosod ei hun – i eistedd
Wastad ar wal derfyn
I wynebu dau ddibyn,
Ai 'Humpty Dumpty' yw'r dyn?

Awgrymog iawn yw cais *Ceiliog Dandi*:

Roedd 'na ddwy jwc-jwc yn clwcian – arno
I hwyrnos eu hoedran;
Bu yntau ar ei bentan
Heb nabod lliw Siw na Siân.

Siomedig fu'r gystadleuaeth drwyddi draw, a hwyrach mai testun tosturi yw Shoni bob Ochor ac nid testun englyn ysgafn. Mae un ymgeisydd ar ôl ac wedi pendroni'n hir uwch y dyfarnu, credaf mai hwnnw, sef *Hen fêt,* sydd wedi mynd â'r maen i'r wal, ac ef sy'n cael y wobr a'r anrhydedd eleni.

Yr Englyn Ysgafn

Goronwy fu yn groeniach – hyd ei oes
Ond wast fu'i gyfeillach,
Oherwydd, rhoi bu'r corrach
Ei lw i bawb, y diawl bach.

Hen fêt

Cerdd fer gynganeddol heb fod dros 20 llinell: Carchar

BEIRNIADAETH DONALD EVANS

Rhoes gofynion y gystadleuaeth yma ynghyd â natur ei thestun gyfle mawr i'r beirdd caeth ddefnyddio geiriau mewn modd pwerus o gynnil, a gwnaed hynny'n odidog gan nifer calonogol o'r cystadleuwyr. Gair am bob un o'r un ar ddeg yn nhrefn eu teilyngdod.

Idris: Er ei fod yn dweud llawer o wir, yn ddiau, am fywyd mewn carchar nid oes sillaf o gynghanedd yn agos at ei ymgais.

32: Y mae 'na gynghanedd, beth bynnag, ym mhob un o'r llinellau hyn, ond dryswch diystyr yw'r cyfan er hynny. Ac eto, llwyddodd i greu un fflach fechan o farddoniaeth ynghanol yr holl dywyllwch:

A rŵan mae rhywun annwyl – i'th weld
A thi heb ei ddisgwyl . . .

Atgno: Cynnig dyrys arall yn ceisio cyfleu, gallwn feddwl, wewyr a phoen un a garcharwyd i'w gadair olwyn o ganlyniad i ddamwain modur dan effaith alçohol. Ond ceir ambell linell o addewid hwnt ac yma:

Geiriau yfed a gyrru . . .
Gwatwar yw ei garchariad . . .
Dan reol cadair olwyn . . .

Ab Iestyn: Chwe englyn milwr yn cymysglyd ddisgrifio anobaith claf sy'n gaeth i'w afiechyd. Ei englyn gorau yw'r cyntaf:

Er y meddyg a'r moddion
I gorff brau does argraff bron,
Brifo wnaf dan arbrofion.

Bedw: Cymysgedd reit hynod o linellau chwe, saith ac wyth sillaf odledig yn ymdrin â hunllefau un a gaewyd mewn modur drylliedig, wedi gwrthdrawiad, ar ymyl clogwyn. Dyma'r darn gorau o dipyn:

Sgrech! ac fel ffilm ar sgrîn
Y garwa' o luniau gerwin
Esgynnodd i do'r Sgania –

Ellyllon ar hinon ha' . . .

O'r Cysgodion: Cywydd digon syml yn darlunio dihangfa pryfyn o afaelion gwe ynghyd â lledobaith yr adict a'i rhyddhaodd am gyffelyb ollyngiad o'i gadwyni yntau:

O garchar i garchar gwaeth
O boenus ymddibyniaeth
Cadwyn ddur y cyffur certh,
I'm hadfyd diymadferth,
Onid oeda'n gredadwy
Allu mawr y Gallu mwy.

Prys: Cerdd *vers libre* gynganeddol sy'n lleisio hiraeth geiriau am eu hen ryddid creadigol o'u stad gyfyng yng nghyfundrefn y canu caeth. Mae hon yn gân fyrlymus o ddiddorol:

Lle bu'n nwyf, lle bu'n hafiaith
yn olau llachar, fe'n carcharwyd . . .

Ein doniau trist dan gadwyni trwm,
pob rheol yn hual aliwn . . .

Ni,
    y geiriau sy'n gorwedd
    yn y gerdd gaeth.

Clwyfus: Cerdd *vers libre* eto. Hydreiddir hon gan ryw naws gyfriniol o boenus wrth i'r bardd olrhain ymlithriad alaw bêr ei oleuni gynt i lawr yn anadferadwy i chwerwder y cyrion du; cerdd â'i grym yn ei haddfwynder:

Hi unwaith fu'n ein cynnal,
Un felys, nwyfus ei naws
Yn breliwd ein boreau heulwen . . .

Yn dyner yn ei chadwyni
Wyla'r gerdd yng nghiliau'r gwyll,
Masiynwyd ei hemosiynau
I galed furiau'r galon.

Ex Tenebris?: Cerdd *vers libre* gynganeddol arall drachefn, ac un o dymer bur rymus yn ogystal. Â i'r afael, a hynny mewn ymadroddi dieithr o nerthol, â chryfder y cnawd ynghyd â'i wendid a dirgelwch ei dynged:

Cyhyrau'n gadwynau gwael
Ar esgair cribau'r esgyrn,
A cham yn gyfandir chwil . . .

Rhyw yfory, ar farrau
Yr hir wyll, a dry'r allwedd
Ar roddion newydd ryddid
Neu uffern waeth na dirnadaeth dyn?

Dyledwr: Yr olaf o'r cerddi *vers libre* cynganeddol, ac un nodedig o bwerus y tro hwn yn portreadu hir ddibyniaeth claf gorweiddiog ar ei blentyn. Ysgytiol fynegir llethdod undonog y caethiwed drwyddi, ac ychwanega crebachdod seithsill ac wythsill cyson ei *vers libre* at gyfyngdra'i mater, cerdd ddirboenus odiaeth:

Yn ei wely'n hir a'i ddwylo'n wyn
Fe'm gwnaeth yn gaeth am fod gwaed
Ohono'n llifo ynof.

Fy nghyffes yw fy nghyffion,
Magwraeth yw'r magwyrydd
A bore oes ydyw'r barrau heyrn.

Fi yw ei law, fi ei lais,
Fi ei addod, fi ei feddwl,
A fi yw ei gynneddf ef.

Yn undonedd pob heddiw
Daw henaint a gwastraff dynol
Yn don ar don nos a dydd.
Un aberth anniben
Yw fy mywyd enbyd i;
Rwyf deyrnged or-flinedig
Na wêl wawr.

Hwn yw gwely'r frwydr galed
A'i erchwyn yw fy ngharchar.

Yn y pen: Cerdd o benillion hir a thoddaid pedair llinell, neu wawdodyn byr degsill os mynner, mesur annisgwyl braidd ar gyfer cân unigol fer, gan mai fel rhannau mewn awdlau y'i defnyddir fel arfer, ond llwyddodd y bardd yma i'w gymhwyso'n feistrolgar at ei bwrpas ei hun, ac mae ei unffurfiaeth drom, fel gyda *vers libre Dyledwr,* yn fodd i ddwysáu'r synnwyr o gyfyngiad. Caethiwed cyffuriau yw'r thema, ac fe'i cenir â'r fath angerdd o naturioldeb fel ag i'w awchlym gyfleu yn ei holl ddirdyndra o gymhlethdodau a gwyrdroadau.

Cafwyd cystadleuaeth ysgubol rhwng y goreuon. Mae *Ex Tenebris?, Clwyfus* a *Prys* yn haeddu eu gwobrwyo, ond rhwng *Dyledwr* ac *Yn y pen* y saif y dyfarniad, a bu'r orfodaeth o ddygnu dewis rhyngddynt, gan na chaniateir rhannu'r wobr, yn rheidrwydd o boen. O'r diwedd, penderfynu o blaid *Yn y pen* gan mai ef a wnaeth y defnydd grymusaf a miniocaf o eiriau, ryw fymryn, i bortreadu natur, gwewyr a dyfnder y stad o gaethiwed. Neu mewn geiriau eraill, dyry'r bardd yma rywfaint o gryfach a mwy amlochrog argraff o'i ing a'i dryblith na *Dyledwr.* Ond hollti blew yw hyn i gyd wrth gwrs, a gwn yn burion, wrth ddyfarnu'r wobr gyflawn i *Yn y pen,* mai gweithred gwbwl ddi-fudd, ac ofer yn y pen draw hefyd, yw ceisio crafu am ronyn o wahaniaeth ansawdd rhwng doniau a chelfyddyd dau fardd fel y rhain.

Cerdd fer gynganeddol

CARCHAR

Fy ngwead innau sy'n fy nghadwyno
I feddwl chwilfriw oes y caethiwo;
Hafau'r clwyf yw'r oriau clo – dw i'n clywad
Sŵn y goriad, ond fi sy'n ei gario.

Aros mewn rhigol mae taith y dolur,
O'r haf i'r gaeaf yr un yw'r gwewyr;
Ac eto rwy'n cuddio y cur – dan glo,
Er imi gwffio holl rym ei gyffur.

Ai'r bore ddaw â diwedd i'r dŵwch,
Neu gri y weddi a grea'r heddwch?
Heddiw yn ei aflonyddwch – rwyf i,
A neb yn sylwi ar boen y salwch.

Does 'na ddim rhagfarn, fi yw y barnwr
Yn aros heddiw o flaen troseddwr.
Yma am oes mae'r gormeswr – fe wn i
Mai ofer cosbi – myfi yw'r cosbwr.

Yn y pen

Soned: Ewenni

BEIRNIADAETH EURYN OGWEN WILLIAMS

Nid y gystadleuaeth hon fydd uchafbwynt yr Eisteddfod eleni. O ran nifer y cystadleuwyr a safon y sonedau mae'n amlwg fod anhawster. Nid yw'r ffurf, neu o bosibl y testun, wedi cyffroi'r awen ac eto mae'n braf dweud ar y cychwyn fod enillydd; enillydd a saernïodd soned sy'n deilwng o'i chyhoeddi yng nghyfrol y cyfansoddiadau a'r beirniadaethau ac nid am mai ef oedd y gorau mewn cystadleuaeth drybeilig o wael.

Pum ymgeisydd oedd yna ac un ohonyn nhw, *Enfys*, wedi mentro dwy ymgais. Nid bod yr un o'r ddwy yn soned. Mae llawer o'n beirdd wedi ceisio ystwytho'r ffurf dros y blynyddoedd ond ar y cyfan mae'r ffurfiau a gysylltir â Petrarch, Milton a Shakespeare wedi bod yn sail i bob arbrawf. Rwyf i'n weddol radical fy agwedd at arbrofi gyda ffurfiau ond mae rhigwm saith cwpled yn un arbrawf rhy bell; neu yn achos *Enfys* yn ddau arbrawf rhy bell. Nid oes dim i'w ddweud ond ei annog i ddarllen soned neu ddwy, sylwi ar y confensiynau odl a mydr a threulio awr neu ddwy yn myfyrio uwch y ffordd y mae datblygiad y syniadaeth yn defnyddio'r ffurf. Fe allai wneud yn waeth na threulio amser gyda'r soned fuddugol. Gair am bob un.

Amos: Mae *Amos* yn deall y ffurf. Y syniad yw problem *Amos*. Nid yw'n fydryddwr naturiol ac mae'r soned drwyddi draw yn gwichian fel hen beiriant rhydlyd. Mae'r syniad canolog hefyd naill ai'n bitw neu'n dywyll; dyma'r cwpled olaf:

> A chyn dychwelyd ni ddeisyfwn fwy
> Na chlywed yn Gymraeg hen enwau'r plwy.

Ni chefais fy syfrdanu gan ddeisyfiad *Amos* ac wn i ddim a fyddai'r pwyllgor wedi dewis y testun os mai dyna'r unig beth oedd gan Ewenni i ysbrydoli'r bardd.

Meic: Byddai *Meic* yn fwy cysurus yn paratoi teithlyfr na soned. Mae'n mydryddu ac yn odli'n ddidrafferth ac yn mynd i dipyn o hwyl wrth roi inni hanes Mathews Ewenni. Mae ei gwpled olaf yntau, ysywaeth, yn nodweddu darn o waith na welodd lawer o ysbrydoliaeth yr awen:

> Pam torri'th fedd ym mynwent eglwys Nolton
> A chodi cofeb iti yng nghapel Hermon?

Pam, yn wir.

Gersom: Mae angen cymryd *Gersom* o ddifri fel cystadleuydd. Mae'n deall sut mae ffurf soned (Shakespearaidd draddodiadol y tro hwn) yn gallu rhoi deinamig i ddatblygiad y syniad. Mae ei fynegiant braidd yn glogyrnaidd weithiau:

Mewn lle deupbwrpas, noddfa sant a gŵr;

Dro arall yn adleisiol henffasiwn:

Gan ddod â rhodd i'r tlawd mewn bwthyn llwm (B'le arall?)
Ac ysbrydoli dawn y dyddiau fu. (Pryd arall?)

Nid yw hon yn soned arbennig ond mae *Gersom* yn deall ei fusnes ac mae ganddo hawl i fod yn y gystadleuaeth.

Eirene: Mae soned *Eirene* yn cyfiawnhau penderfyniad y pwyllgor i gael cystadleuaeth am soned a'r dewis destun; bardd wrth ei waith yn defnyddio disgyblaeth y ffurf i droi'r syniad yn farddoniaeth. Mae yma un ddelwedd – crochenydd wrth ei waith. Mae'r ddelwedd yma yn cael ei datblygu'n gynnil a diymhongar i roi darlun ysbrydol o bregethwr a ddaeth â'r enw Ewenni i sylw holl gapelwyr Cymru. Mae yma gyfeiriadaeth gynnil at ei fywyd a'i ddoniau heb unwaith roi'r argraff fod y soned yn llai na barddoniaeth. Bydd rhai yn credu fod yma or-ddibyniaeth ar eirfa, mydr ac odl traddodiadol gapelaidd; i mi dyna un o gryfderau'r soned. Os yw hynny'n fai, bai ar y testun yw, nid ar y gerdd. Darllenwch y soned a gwerthfawrogwch hi. Rwy'n berffaith hapus fod *Eirene* yn llawn haeddu'r wobr.

Y Soned

EWENNI

Pa ddwylo fu'n dy fowldio ar y cylch
Sy'n troi a throi fel hanes bregus dyn –
A thywallt drosot fedydd dŵr a ylch
Dy enaid tlawd a'th ffurfio ar ei lun?
Pa ran o'r mowldiwr sy'n y llestr pridd
Gan roi i ti dy ffurf, dy waith a'th wedd
Cyn d'anfon wedyn ar hyd ffordd a ffridd
I gludo maeth cynhaliaeth gras a hedd?
Fe'th daniodd di yn gennad er ei fwyn
A gosod arnat sêl ei nefol dras,
Ac ynot cafwyd dawn y llenor mwyn
I rannu gwirioneddau gorsedd gras.
Fe brofaist tithau rym y dwyfol ddawn
A gwybod am gynhaliaeth cwpan llawn.

Eirene

Telyneg: Golud

BEIRNIADAETH EINIR JONES

Diolch yn fawr, ar y dechrau, am gael y gwaith pleserus o ddarllen cynifer o gerddi o bob ffurf ac ansawdd – 31 ohonynt. Roedd yn brofiad diddorol (ac yn dra gwahanol i gywiro gwaith plant ysgol, credwch fi).

At y teitl 'Telyneg' i ddechrau: 'wn i ddim yn union beth sydd wedi digwydd i'r delyneg yn ystod y ganrif hon, ond fel popeth byw y mae wedi esblygu a thyfu, ac mae ei ffurf bellach yn bur wahanol i'r ffurf a gafwyd yn nyddiau Silvan Evans. Cyhoeddodd ef gyfrol o farddoniaeth yn dwyn y teitl *Telynegion* yn ôl yn 1846, a dywed yr awdurdod a ddarllenais i ar y pwnc (W. Leslie Richards yn *Ffurfiau'r Awen*), mai dyna'r tro cyntaf i'r enw ar y math yma o gân gael ei ddefnyddio yn Gymraeg, a chais oedd ar ran y bardd i drosi'r enw '*Lyric*' *á la Wordsworth* i iaith y nefoedd. Sut bynnag am yr enw i'r gân fechan, a sut bynnag am y mesur hefyd – oherwydd gall hwnnw amrywio o fardd i fardd yn ôl yr hwyl – mae un ffactor sy'n ganolog yn y diffiniad o delyneg, a hynny yw teimlad. I Wordsworth, emosiwn wedi ei atgofio ar adeg o lonyddwch ydoedd, ac ymgais felly yw telyneg i gofnodi, disgrifio ac ail greu teimlad, a hynny, nid yn oer a dideimlad wrthrychol, ond gan roi dogn helaeth o ymateb personol yn y darn. Un gair byr ynglŷn â'r mesur wrth fynd heibio: ffurf dderbyniol 1846 ar bethau oedd pedair/chwe/wyth llinell odledig a mydryddol, a dim nonsens. Eithr mae'r ffurf wedi cael ei moderneiddio, a heddiw mae telyneg *vers libre* yn ddigon derbyniol ar *Dalwrn y Beirdd* ac yn *Cyfansoddiadau a Beirniadaethau* hefyd. Yr unig beth nad yw yn newid yw'r stwff sydd yn y fynwent. Felly, da yw nodi bod y cerddi a dderbyniais eleni fel rhes dai Rhyd y Car yn Sain Ffagan. Mae'r telynegion yn amrywio mewn dull a gwedd, o ffasiwn 1846 reit hyd y canu cyfoes, yn y *vers libre*, a da o beth yw hynny. Mae'r panorama oll yn cael ei arddangos yn y cerddi y cefais y pleser o'u darllen.

DOSBARTH III

Nid wyf am ddweud fod neb sydd yn y dosbarth hwn yn anobeithiol. Mae tinc digon hyfryd fan hyn a'r fan draw yng ngwaith *Rhagnell, Dewi, Collwr, Llyfni, Goewin, Llanc Ifanc, Ceri* a *Myrddin*. Ceir yn eu gwaith groestoriad da o hen ffurf a ffurf newydd yn rhwbio ysgwyddau, a chawn ystod eang o brofiadau, o emosiynau'r ifanc arddegol hyd chwiliwr godre'r enfys, o'r ymholwr am gydraddoldeb hyd at ysblanderau natur. Rhaid i mi gyfaddef bod gwaith *Deio Llwyd, Llywarch, Wil Dineidin, Adda Prydderch, Carmel, Cedri* a *Gethin* ychydig yn dywyll neu yn ystrydebol mewn mannau, ond diolch yn fawr i'r grŵp cyfan am gystadlu yr un fath. Mae ganddynt oll ryw sbarc o deimlad, o emosiwn wedi ei atgofio mewn llonyddwch, a phwy a ŵyr, efallai y bydd eu cerddi nesaf yn fwy crwn ac yn fwy cryf.

DOSBARTH II

Mae 14 o ymgeiswyr yn y dosbarth hwn, a llwyddodd pob un ohonynt i'm hargyhoeddi fod ganddynt rywbeth i'w ddweud – rhyw emosiwn neu deimlad a fu'n troi yn eu meddyliau ac yn eplesu'n gerddi. Fel yn y trydydd dosbarth, cefais fathau gwahanol o delynegion gan y dosbarth hwn hefyd. Roedd rhai odledig yn canmol y wlad, cyfoeth natur a phlant bychain; eraill yn y *vers libre* yn dal meddyliau yn gywrain mewn delweddau bachog. Fe rown i gerdd *Y Tlawd Hwn* yn y categori olaf hwnnw. Cerdd am y Fam Teresa yw hon. Un arall yn yr un dull yw cerdd *Danycoed*, sy'n disgrifio'r broses o dynnu llun. Mae *Cri'r Wylan, Deryn, Brython, Pilipala* (a oedd yn gwybod bod y beirniad yn hoff o natur a phethau felly), *Cefn Coch, Parc y Blawd, Awel y Grug, Gerallt, Clinton, Gwladwr, Arianrhod* a *Siôn* yn ddiddos yn y dosbarth hwn. Mae yn eu gwaith syniadau gwreiddiol, ôl emosiwn wedi ei atgofio, trawiad sicr, crefft dderbyniol a destlus: popeth yn wir sy'n dderbyniol mewn telyneg dda. Serch hynny, yr oeddwn i'n chwilio am y cyfuniad prin hwnnw o grefft a sbarc, emosiwn a dawn dweud, pob gair yn berffaith yn ei le i gyfleu yr union syniad, ac mae hynny yn dod â mi at y ddau sydd ar y brig, ac yn bendifaddau yn y dosbarth cyntaf.

DOSBARTH I

'Nswai 'Ngyw: Pan ddarllenais y gerdd fer yma – cerdd ddiodl, ond nid dibatrwm, cefais wefr. Pedwar pennill o dair llinell yr un, ac adeiladwaith arbennig o glyfar yn cyfleu golygfa yr ydym wedi ei gweld ar y teledu, gwaetha'r modd, yn Angola, Ethiopia, Swdan, a gwledydd eraill. Does dim gwahaniaeth pa wlad, yr un yw'r dioddef. Sylwer:

> Tair tywysen felen fel aur
> Godwyd o'r tywod crasboeth
> Ar gledr fy llaw,
>
> Dwy law yn gwpan
> I ddal y dŵr sydd fel gwin
> O'r lori danc rydlyd,
>
> Un goes gref, gyfan
> I hercian wedi'r ffrwydrad
> Heb orfod crefu ar neb
>
> A dim ond ffilm liw
> O wên mam, yn fyw o hyd,
> Ar sgrîn o ddagrau.

Llwyddodd y bardd yma i gyfleu mewn ychydig eiriau, a chan gyfrif i lawr o dair i ddwy ac i un, cyn cyrraedd y 'dim ond' terfynol, deimlad plentyn amddifad mewn gwlad grasboeth, yn derbyn cardod o ŷd a dŵr, wedi iddo golli coes trwy gamu ar fein. Mae gennym fardd fan hyn sy'n cymryd ffeithiau a'u troi yn farddoniaeth ac yn deimlad – yn delyneg dda iawn. Fe fyddwn i'n gwobrwyo *'Nswai 'Ngyw* yn syth bin (er fy mod wedi gorfod cywiro fy nheipio o'r ffugenw dyrys sawl gwaith, cofiwch), oherwydd mae'n ddigon da i ennill – oni bai am un gerdd arall.

Iago: Lleoliad cerdd *Iago* yw Cymru, neu Brydain yn rhywle. Golygfa? Tu allan i ysgol ar ddiwedd y dydd. Mae mam yn aros wrth y giat am ei phlentyn. Daw'r llifeiriant ifanc allan yn llawn asbri, ac yn olaf oll, wedi i'w sŵn iach hwy ddiflannu i lawr y lôn, daw yr un plentyn yma allan, yr un gwahanol, yr un a, 'fathwyd yn feius'. Nid am fy mod yn athrawes plant ag anghenion arbennig yr wyf yn ei gwobrwyo, ond oherwydd i'r bardd lwyddo i droi'r testun, 'Golud', ar ei ben yn y gerdd fach *vers libre* syml.

Mewn byd lle mae'r pwyslais yn ormodol weithiau ar y perffaith a'r call a'r doeth, byd y *Zero Tolerance*, mae angen lle i'r un bach disylw sy'n olud gwir. Yn y cyswllt hwn:

> . . . gwyddai ei fam
> A redodd i'w gasglu i'w mynwes
> Fod sofren
> A fathwyd yn feius
> Mor anhygoel o werthfawr.

Efallai bod *Iago* yn ennill am fy mod i'n wraig ac yn fam, ar un olwg, ond ar olwg arall mae'n ennill oherwydd achos llawer cryfach. Crefft, emosiwn, a neges o'r hyn sydd yn wirioneddol werthfawr – marc ein dynoliaeth. Da iawn, *Iago.* Rhoddodd y bardd hwn ddarlun inni o'r hyn yw golud mewn gwirionedd. Cerdd ardderchog. A diolch i'r beirdd eraill i gyd am gystadlu.

Y Delyneg

GOLUD

Drws prynhawnol yr ysgol
Yn arllwys ei lwyth
Yn fywiog i'r stryd.
Troliant ar wasgar fel afalau
Cyn eu casglu'n ddi-lol
Bob yn un
I'r blychau sy'n rhes yn eu disgwyl.

A'r stryd yn gwagio'n swnllyd,
Treigla o'r drws
Yr un-dyn-bach-ar-ôl
A'i faich
Yn stori drist ar ei wyneb.

Ond gwyddai ei fam
A redodd i'w gasglu i'w mynwes
Fod sofren
A fathwyd yn feius
Mor anhygoel o werthfawr.

Iago

Chwech o Dribannau: Cartrefi Enwog Cymru

BEIRNIADAETH TEGWYN JONES

Daeth un ymgais ar ddeg i law, a da gweld cymaint o ddiddordeb yn yr hen fesur hwn a gysylltir mor agos â Morgannwg. 'Cartrefi Enwog Cymru' oedd y testun, ond tuedd barod nifer o'r cystadleuwyr oedd anghofio'r cartref yn rhai o'u tribannau a chanu'n unig i'r person enwog a drigai yno. Hollti blew i ryw raddau efallai, ond llithriad a oedd o gymorth i'r beirniad wrth ddegymu'r mintys a'r anis. Dyma air byr am bob ymgais:

Huw: Chwech o dribannau ffwrdd-â-hi braidd, gan fardd nad yw'n hollol hapus yn y mesur bob amser. Dyma'i bennill i Ann Griffiths (nid i Ddolwar Fach, sylwer):

> Darganfod y gwirionedd
> A'i fynegi'n orfoledd,
> A drosglwyddodd Ann Dolwar Fach
> Ir [*sic*] gyfeillach a'i [*sic*] chyfaredd.

Mae ganddo bethau ychydig yn well, ond dylai fynd â chasgliad o dribannau da i ryw gornel neilltuedig a'u hadrodd yn uchel iddo ef ei hun er mwyn ymgyfarwyddo â sigl y mesur.

Rhoswyn: Ychydig yn sigledig yw ei afael ef hefyd ar hanfodion y triban, fel y gwelir yn ei bennill i'r Garreg-wen:

> Carreg las ar fedd telynor
> Carreg las ar lawr y neithior,
> Ond yn y Garreg Wen mae tant
> Y weddw a phlant y cerddor.

Nid cynddrwg y lleill, o ran mesur beth bynnag.

Hector: Tribannwr llithrig. Mae ei driban i Ddolwar Fach yn enghraifft deg o gyfuno'r cartref a'r gwrthrych enwog yn llwyddiannus:

> Y forwyn graff a ffyddlon
> Wrth gofio'r holl benillion
> A'th wnaeth ar sail emynau Ann
> Yn gyrchfan pererinion.

Er cystal ei driban i Aber-nant, pennill am D. J. Williams ydyw mewn gwirionedd, heb fod ynddo sôn am y cartref.

O'r de i'r gogledd: Gall lunio tribannau digon cymeradwy, ond ei duedd yw bodloni ar y syniad cyntaf a ddaw i'w feddwl, heb geisio ymgyrraedd at rywbeth mwy gwreiddiol a chofiadwy. Er na ellir amau'r gosodiad ar ddiwedd ei driban i Bantycelyn, peri i mi wenu wnaeth y ddisgynneb:

Ym Mhantycelyn camwn
I aelwyd o ddefosiwn, –
Tŷ'r Perganiedydd – un a roes
Ei oes i Dduw a'r sasiwn.

Cyw Haul: Petai wedi cael cystal hwyl ar bob cynnig ag a gafodd ar ei driban i'r Lasynys, byddai *Cyw Haul* yn nes i'r lan:

Mi fydda i'n eitha ofnus
Wrth fyned i['r] Lasynys
Rhag gweld drychiolaeth erch a gwyd
O freuddwyd yr hen Elis.

Clywais gyffyrddiad yr hen dribanwyr fwy nag unwaith yng ngwaith *Cyw Haul.*

Petros: Hoffais symlrwydd effeithiol ei driban i Ddolwar Fach:

Yn Nolwar Fach ym Maldwyn
Y lluniwyd llawer emyn
Gan ferch a brofodd rym y Gair
Ym miri ffair Llanfyllin.

Ni oes cymaint o sglein ar ei dribannau eraill, a gellid yn hawdd fod wedi gwella ar bethau megis, 'trigfan gŵr y graddau' (Tŷ Mawr, Wybrnant) a, 'Rhyd-ddu sy'n haeddu geirda' (Tŷ'r Ysgol, Rhyd-ddu).

Pedr: Mae ganddo sawl triban sy'n dechrau'n addawol, ond sy'n mynd yn fyr o wynt tua'r diwedd, fel hwn i Bantycelyn:

Mae'r cloc yn dal i dician;
Tra bo Cymraeg ac organ
Bydd blas ei 'eiriau fel y gwin'
Yn swcro gwerin egwan.

Cafodd well hwyl wrth ganu am Fryntynoriad, cartref Ieuan Gwynedd:

Os ydyw yn adfeilion,
Yma bu un o'n dewrion
Fu'n cynnal enw da ein gwlad
Rhag brad y Llyfrau Gleision.

A fyddai, 'Bu yma un o'n dewrion/Yn cynnal enw da ein gwlad' wedi bod yn esmwythach ar y glust, tybed?

Ymwelydd: Canodd chwe thriban rhwydd a chymen, ac ymwelodd â dau gartref na soniodd neb arall amdanynt, sef Pwllcenawon (Lewis Edwards) a'r Ysgwrn. Nid triban i'r cartref a ganodd o dan y pennawd Pantycelyn – na'r Ysgwrn chwaith:

Chwilfrydig dyrfa'n chwilio
Am wyneb i'w anwylo,
Ond ni ddaeth 'Fleur-de-lis' mewn hwyl
O Brifwyl ei gadeirio.

Oni fyddai, 'I'r Brifwyl i'w gadeirio' yn cydio'n well wrth weddill y pennill?

Rhyd-las: Cadwyn o dribannau a gafwyd ganddo ef, lle ceir ailadrodd y gair olaf ym mhob pennill ar ddechrau'r un sy'n dilyn – dyfais gyffredin, fel y gwyddys, ym myd yr englyn. Hyd y gwelaf, nid yw'r gadwyn yn caethiwo fawr iawn arno, a diolchaf iddo am ei ymgais at rywbeth gwahanol. Nid oes cymaint o ffresni a dyfeisgarwch yn y tribannau eu hunain, ysywaeth, ond at ei gilydd y maent yn ddigon derbyniol:

Hawliau ein hiaith roes gychwyn
I'r llenor o Lanuwchllyn,
A ffrwyth ei gymwynasau lu
Wnaeth Goed y Pry yn ffefryn.

Crwydrwr: Tribannwr profiadol y ceir ôl myfyrio a chwilio am rywbeth gwreiddiol yn ei waith. Dyma'i driban i Bantycelyn:

Nid geirie mawl a gweddi
A glywn ni nawr o'i lethri,
Sŵn dryll a rheg ddaw ar y gwynt
Dros ochor Epynt heddi.

Hoffus iawn yw ei bennill am ffermdy Glynsaethmaen, lle ganed y diweddar W. R. Evans:

Wrth dro'd Preseli'n stelcian
Cei'r ffarm a gododd fachan
A'r ddawn i lonni cân a'n llên,
A'i wên led gât yr ydlan.

Ymgais gymeradwy iawn yw eiddo *Crwydrwr.*

Siôn Cwilt: Cân ar fesur triban, yn hytrach na chyfres o dribannau unigol sydd gan *Siôn Cwilt.* Dewisodd aros yn ei ardal ei hun, yr ardal a nodir yn fras gan ei ffugenw, ac yn ei thafodiaith y canodd. Mae ganddo driban rhagarweiniol, ychwanegol, lle gwahoddir ni i ymuno ag ef ar daith o gwmpas cartrefi enwog ei fro:

Wy whant â mynd ar wmdeth,
Der 'da fi yn gidwmeth –
Cei gewc ar gyfoth milltir sgwâr
Dy dalar: dyma'th daleth.

Fe'n tywysir wedyn o Y Bwthyn Dewi Emrys i'r ddau gartref a gysylltir â Chranogwen, gan alw ar y ffordd yn Esgair-wen (Christmas Evans), cartref Sarnicol, Castell Hywel, y Tŵr-gwyn, y Cilie, ac yn y blaen. Dyma'r cystadleuydd a gafodd y weledigaeth gliriaf wrth fyfyrio ar y gamp arbennig hon, ac fel tribannwr medrus llwyddodd i'w chyfleu'n llwyddiannus. Diolch i bob un o'r cystadleuwyr, marciau uchel i *Crwydrwr,* ond rhodder y wobr i *Siôn Cwilt.*

Y tribannau

CARTREFI ENWOG CYMRU

Wy whant â mynd ar wmdeth,
Der 'da fi yn gidwmeth –
Cei gewc ar gyfoth milltir sgwâr
Dy dalar: dyma'th daleth . . .

O Bisgah der i'r Bwthyn
We'n babell awen d'eilun,
A chatre Christmas – Esger-wen
Rhydowen – 'ma ti'r Smotyn!

Dros d'ysgwydd hibo'r isgol
Co gatre'r bardd Sarnicol,
Ma' carreg wen ar ben 'i lôn
Rhynt Cynon a Ffostrasol.

O Gastell Howel 'Dafis'
Der draw i Bont Rhydlewis
Wath yn Nhŵr-gwyn yn fowr 'u ffydd
We' Dafydd a Ben Morris.

I'r Wig, a lan i'r Cilie
Â'i doreth o dalente,
A Rhydclomennod lle we'r swanc
Yn tanco cyn lecsiwne.

O'r bwthyn co'n Cwm Howen
Da'th Sarah Jane, 'merch Capten'
Ond, ti'n dy le, Bryneuron we'
Ei chatre fel Cranogwen.

Wedd 'da ti ryw lefeleth
Bod gida ni shwd doreth
O lefydd mowr fu'n fowr cyhyd,
I gyd yn r'un gwmdogeth?

Siôn Cwilt

Cerdd i unrhyw arwr o'r byd chwaraeon

BEIRNIADAETH DEREC LLWYD MORGAN

Nid da i feirniad ddisgwyl dim byd. Yr oeddwn wedi meddwl y cawn gerddi mawl i Steve James neu Maynard, i Giggs, i John Hartson hyd yn oed (gwnaeth pob un ohonynt gyfraniad gwych i'w timau y llynedd), a cherddi i Robert Croft yn anad neb (ond derbyn pobl i'w plith yw dawn y Gorseddigion, y mae'n amlwg, nid ysgrifennu amdanynt).

Lluniodd *Gersom* gerdd am Colin Jackson, cerdd sydd mewn rhannau'n gwpledi cywydd ac mewn rhannau ddim yn gwpledi cywydd. Ofnaf fod cynnal y mesur yn drech na'r ymgeisydd hwn; er, rhaid cyfaddef fod ganddo rai llinellau o gynghanedd gwirioneddol dda.

Y *vers libre* yw dewis fesur *Marc*, ac Ian Rush yw ei arwr. Byr-gofiant i Rush yw'r gerdd, byr-gofiant gwybodus, cydymdeimladol a chymen ddigon, eithr nid yw'n awenus iawn.

Lob a luniodd y gerdd orau o ddigon; cywydd mawl i Tim Henman sy'n arddangos gwybodaeth feistraidd o dennis ac o gelfyddyd barddoni. Dyma fardd hyderus a rhwydd. Ef biau'r wobr.

Cerdd i unrhyw arwr o'r byd chwaraeon

TIM HENMAN

Yn yr haul ar lawntiau'r ha',
Am un y mae 'Henmania',
Un llanc yn trydanu'r llu,
A'u nerfau sy'n cynhyrfu!

Er gwyched sgil Rusedski
A mwy, Tim Henman i mi,
Fel taran, ac ar annel
Hwn yw'r boi sy'n peltio'r bêl
Megis cawr i lawr y lein,
A'i hymlid hyd y tramlein.

Yna ras at flaen y rhwyd
I chwalu'r hyn ddychwelwyd,
Hoistio lob ar hast o'i law
A dwistiwyd gan fflic distaw,
Heibio i'w wrthwynebydd
Yn dwt i ennill y dydd.

Un ciwt yn y teibrec yw,
Awdur argyfwng ydyw,
Cryfder hwn yw cadw'n cŵl
A'i feddiant ar ei feddwl;
Pan red Henman ar annel,
Llwybr bom yw llwybr y bêl!

Yn arena'r gwrthdaro,
Dawn y gŵr sy'n dwyn i go'
Hafau mefus a hufen
Y byd pan oedd Perry'n ben;
Hwn yn awr yw'n seren ni
I herio grym y cewri.

Y roced o racedwr,
A llwybrau'i saethau'n siŵr;
Torf sy'n synhwyro'r terfyn,
Yn awchu gweld y llwch gwyn:
Ergyd o'i law na ddaw'n ôl –
Ês gain hyd y rhes ganol!

Wedi heth cyfnodau hir,
Heulwen ar gwrt a welir,
Hindda wych, a'r penddu hwn
Yn dawnsio, er ei densiwn,
A chynnwrf yn gwreichioni:
Ail i neb yw'n heilun ni!

Yn yr haul ar lawntiau'r ha',
Am un y mae 'Henmania',
Un sbrigyn o hogyn hy',
Un o fawrion yfory!

Lob

Emyn: Cariad

BEIRNIADAETH JOHN GWILYM JONES

Gyda chwithdod yr ymgymeraf â'r dasg hon gan mai'r Parchedig Meurwyn Williams a drefnwyd yn wreiddiol i'w chyflawni. Roedd Meurwyn wedi dod i adnabod emynyddiaeth Cymru gystal â neb. Carwn feddwl y byddai wedi dod i'r un dyfarniad â mi pe tai wedi byw i wneud y gwaith.

Daeth dau ddwsin o emynau i'r gystadleuaeth, heb yr un anobeithiol yn eu plith. Y mae ynddynt, mae'n wir, ymadroddi ystrydebol a gwendidau mewn mynegiant, yn ogystal â diffyg gweledigaeth i wefreiddio cynulleidfa. Yr oeddwn wedi gobeithio gweld iaith newydd ac arddull newydd a fyddai'n f'ysgwyd. Ond ni chafwyd emyn felly eleni. Eto rhaid dweud imi gael rhyw brofiad defosiynol ym mhob un ohonynt.

Er gwaethaf ei wendidau ceir gan *Louvain* rai cwpledi naturiol eu rhediad. Mae hyn yn wir hefyd am *Glanaber* ac yn ei ddiweddglo mae'r apêl wedi ei mynegi'n gofiadwy. Hoffais ambell linell esmwyth gan *Wil Dineidin* ac agoriad *Wil Dineidin* (2), ond gresyn am y gwallau sy'n amharu ar y ddau waith. Mae anwastadrwydd yn emyn *Mabel* ond mae ambell fan trawiadol hefyd, megis yr un am y, 'Cariad sydd yn ateb gweddi'. Ceir darluniau byw yn emyn *Tomos*, ond gwylied rhag y perygl o gymysgu delweddau. Braidd yn rhy gyfarwydd yw'r syniadau sydd gan *Ioan 1*, ond edmygaf rwyddineb ei fydryddu. Yr un awdur, mae'n siŵr, yw *Ioan 2*. Y mae'r emyn hwn, er yn anfoddhaol ei fynegiant ar brydiau, yn fwy newydd ei syniadaeth. Mae gan *Rhos-y-corn* fesur diddorol. Ceir ganddo beth anghysondeb mydryddol ond y mae cynllun trefnus i'w emyn.

Cyflwynwyd emynau eraill sy'n drefnus eu saernïaeth. Olrhain cariad Crist o'i eni i'w atgyfodiad a wna *Iorwerth*, a hynny'n effeithiol mewn mannau. Dilyn cariad Duw o'r creu i Galfaria a wnaeth *Ebeneser*. Nid yw ei gwpledi clo yn gwbl lwyddiannus, ond dyma emyn rhwydd ei rediad. Dilyn bywyd Iesu ar y ddaear a wna *Ger y Gangell*. Nid yw'n agor ei emyn yn addawol. Mae ganddo gwpled o frawddegau mewn ffurfiau annormal ar ddechrau'r pennill cyntaf. Ond er hyn, a rhai diffygion eraill yn ei fynegiant y gellid eu gwella'n bur hawdd, y mae hwn ymhlith goreuon y gystadleuaeth. Braidd yn rhyddieithol yw mynegiant *Berwyn*, ond mae ganddo syniadau diddorol iawn wrth ddilyn, fesul pennill, wahanol olygfeydd ym mywyd y ddynoliaeth. O bennill i bennill mae *Ffyddiog* yn olrhain cariad Duw trwy dymhorau ei fywyd. Mae rhai mân frychan yn amharu ar emyn gofalus ei wead. Yr un datblygiad trwy fywyd a geir gan *Lleu*. Gellid caboli ychydig ar ddau bennill olaf yr emyn hwn, ond ei ysgafnder sy'n apelio ataf. *Heddfan* a roes inni'r emyn mwyaf uchelgeisiol ei fesur. Mae dilyniant yn agoriadau'r tri phennill, ond mae'r cymal clo ar derfyn y pennill yn wan, 'dyma graidd fy nghân'. Serch hynny mae ei ail bennill yn un o benillion gorau'r gystadleuaeth. Ymgais i fydryddu pennod cariad sydd gan ddau ymgeisydd. Profodd y ddau fel ei gilydd anawsterau i wthio'r adnodau i mewn i fesur ac odl, ond mae gan *Ceredig* drydydd pennill naturiol iawn ei rediad, a chan *Genau'r Glyn* ambell gwpled cynnil ac effeithiol.

Mae agoriad *Pererin* mor anemynyddol nes taro'r darllenydd â'i naturioldeb. Emyn ymbil ydyw, ac ynddo ambell ddarlun byw:

> Am fod 'na blant yn byw
> O dan gymylau,
> A'r henoed yn eu hofn
> Yn cloi eu drysau . . .

Dyma emyn cyfoes ei syniadau ond gellid gwella ar fynegiant ambell gwpled.

Dyma agoriad gafaelgar *Dôl-y-coed:*

> Mae dy gariad fel y gannwyll
> Sy'n goleuo'r conglau du . . .

Gresyn am rai gwendidau yn y mynegiant yng nghorff yr emyn oherwydd y mae'r diweddglo eto'n dderbyniol iawn. Anwastadrwydd ei fynegiant sy'n amharu ar emyn *Angharad.* Ganddi hi y cafwyd rhai o berlau'r gystadleuaeth, megis, 'Ti yw'r gwanwyn yng ngardd Eden'. Pedwar pennill a chytgan a gafwyd gan *Ffiol Ffydd.* Mae yma rai brychau y gellid yn hawdd eu dileu a gobeithiaf y gwneir hynny gyda'r emyn hwn oherwydd ei symudiadau bywiog a rhugl. Mae'n amlwg fod *Moelfryn* yn hen gyfarwydd ag emynau traddodiadol eu mynegiant gan fod yn ei emyn ef lawer adlais. Ond y mae'n bencampwr ar fydryddu cyson ac ymadroddi didramgwydd.

Glan y môr biau'r emyn gorau. Mae'n draddodiadol ei ieithwedd, mae'n wir, ac nid yw mor uchelgeisiol yn ei saernïaeth na'i hyd â llawer o'r emynau eraill. Ond mae ei fynegiant yn ddidramgwydd. Yr unig gyffyrddiad clyfar a geir ynddo yw'r amwysedd bwriadol yn y cymal, 'sy'n ystyr byw', lle y gall 'byw' fod yn enw neu'n ansoddair. Er nad yw'n torri tir newydd, dyma emyn syml a chynnil a diymhongar sy'n cerdded yn naturiol i mewn i gorff ein hemynyddiaeth.

Yr Emyn

CARIAD

O Gariad pur, rhown iti glod,
  Creawdwr rhyfeddodau'r rhod;
Er maint gwrthryfel dynol ryw
  Drwy dy drugaredd fe gawn fyw.
O cymer ni yn awr bob un
  I'n creu o'r newydd ar dy lun.

Dy gread maith mewn gwewyr sydd
  Yn disgwyl gwawr y newydd ddydd
Pan fyddo cariad wrth y llyw,
  A phawb mewn cariad yn cyd-fyw;
Drwy wyrth dy ras, O gwna ni'n un,
  A'n creu o newydd ar dy lun.

Cyflawnder pob cyflawnder yw
  Dy gariad hael, sy'n ystyr byw;
Mae grym dy groes a'th aberth drud
  Yn obaith cymod i'r holl fyd;
O achub ni, ryfeddol Un,
  I fywyd newydd ar dy lun.

Glan y môr

Cerdd mewn *vers libre*: Dawns

BEIRNIADAETH NESTA WYN JONES

Daeth dwy gerdd ar bymtheg i law, chwech ohonynt heb arbenigrwydd mawr ond heb fod yn wachul, chwaith; chwech yn nes ati, ac yna bump o rai gwirioneddol dda sy'n dangos crefft y bardd ar ei orau. Chwiliwn am gerdd annisgwyl ar y testun, os yn bosib, cerdd a soniai am rywbeth heblaw am ddawns y tymhorau neu ddawns cariad – a chefais amrywiaeth, hyd at ddawns y bydysawd a cherddi hyfryd o safon i fyfyrio drostynt.

Tyddynnwr, Emral, Nant Pasgan a *Seiriol* a barodd y syndod pennaf imi, ond cyn dod at y dosbarth cyntaf, gwell dechrau trwy ddweud gair byr am waith pob un.

Monti'r Crythor: Dawns bywyd sydd yma, mi gredaf, ac yn y tair adran gyntaf ceir curiad a rhythm dawns werin, gydag odl. Pe bai wedi cynnal yr un patrwm i'r diwedd byddai'r gerdd yn fwy o undod. Tybed a oedd y gerdd wedi 'gwaelodi' cyn iddo'i gosod ar bapur?

Meurig: Hanes artaith meddwl tad i ferch dair ar ddeg oed sy'n caniatáu iddi fynd i ddawns ac yna:

> Dydd y golch
> Sy'n bradychu cyfrinach pocedi
> A'r llwchyn
> Yn llercian yn y pecyn estron
> Yn mynnu ateb.

Cerdd effeithiol, gyfoes, ond hoffwn pe bai wedi rhoi mwy o sylw i rythm geiriau. Braidd yn undonog yw hi, o'i darllen yn uchel.

Strauss: Sonia hwn am hen walsiau yn 'Fienna lifreiog' gan ddyheu am eu dysgu – ond i beth? Braidd yn bedestraidd yw'r ymresymu ac nid yw'r diweddglo yn argyhoeddi. Ymgais ddiddorol, er hynny.

Bob:

> Prynhawn o Ebrill melyn
> a phloryn o fachgen
> yn gwasgu penliniau
> fel eirin gwlanog aeddfed
> i bincws Harriet,
> y mwynaf o gesig daear.

Er bod gor-ymdrech i ddisgrifio o'r newydd yma, mor effeithiol yw cyffyrddiadau bach syml fel 'Ebrill melyn'. Byddai'n well gen i petai wedi cwtogi ei gerdd a gorffen lle mae, 'Angylion o ŵyn/yn cicio'r gofod . . .' hanner y ffordd trwyddi. Mae'n siwtio'r testun i'r dim felly, hefyd, a chedwir y darnau gorau, e.e. y 'gybolfa o loeau gorffwyll'.

Tincer: Mae'r ddawns yn esgor ar demtasiwn yma:

> Neithiwr
> Roedd rhialtwch o synwyrusrwydd
> A sŵn gwlyb llyfiadau
> Yng ngwres ein hanwesu gwyllt.

Gall y bardd greu awyrgylch a llunio undod thema, ond ni chafodd weledigaeth lachar y tro hwn.

Fleetwood: Ysgrifennodd ef am wahanol ddawnsfeydd bywyd, o ddawns yr hedyn yn y groth hyd at 'ddawns ffarwél', sef angladd. Cynllun braidd yn gaethiwus, a rhythm y llinellu yn herciog ar brydiau. Dyma enghraifft o linellu blêr:

Cariad cywir yn cyrraedd
bloedd bodlondeb
yn cadarnhau a
gweiddi 'gwnaf'.

Er hynny, mae iddi rinweddau pendant, ac mae'n waith bardd sy'n darganfod ei lais ei hun.

Gel: Un o'r cerddi hyfryd hynny sy'n fy ngwylltio am nad oes digon o gliwiau imi wybod ei hystyr, ac mae camsillafu yn dwysáu'r dryswch. Parodd imi feddwl am ddawns y *tarantella*, ond efallai fy mod yn camgymryd. Byddai tri gair o eglurhad o dan y teitl wedi goleuo llawer ar ei hystyr. Edrychwch eto ar y 'clustiau asgellog', 'chwilota', 'fflamencio' (berf?) a 'rhesymeg egwan'. Boddi yn ymyl y lan ydi peth fel hyn – mae yma ddefnydd cerdd ardderchog a chrebwyll i'w llunio.

Nant Pasgan: Cerdd fer ar thema annisgwyl, sef dawns stalwyni gwyn Fienna. Ar wahân i beth gwendid ar ddiwedd yr adran gyntaf cafodd hwyl arni a hoffais y diweddglo sy'n sôn am 'rith Epona yn eu rhawn'. Gallai hwn fod yn gystadleuydd peryglus, oherwydd gŵyr werth awgrym, yn hytrach na dweud.

Arglwydd y Cwm: Disgrifiad o'r wawr – y lleuad 'yn troi am ei gwâl', Seren y Cŵn yn, 'galw'r wals olaf' a'r haul yn, 'ffawdheglu ei ffordd/rhwng cariadon y bore'. Cerdd swynol, llawn dychymyg, ond a yw ffurfiau'r ceriwbiaid, y gwylanod a'r cyfan i'w gweld ym 'male feunyddiol/y dyddio', sef y 'llumanau mwg'? Mwynheais ei darllen yn fawr – mae iddi naws dawel, freuddwydiol, cwbl arbennig.

Tiresias: Dawns y flwyddyn, a dawns bywyd, gan fardd sy'n medru sôn am yr:

ŵyn cynnar
Yn plycio ras a naid
O simffonïau ymyl-arian
Hyder ehedydd a hubris bronfraith.

Hyfryd, yntê? Mae dawns 'gwaed y dail' bron cystal. Cerdd dda, rymus ond braidd yn ymwybodol ei llif, efallai.

Arran: Disgrifiad o ddawns – perfformiad, felly – ar lwyfan, gan gynnwys hanes dyn o'r cyfnod pan oedd, 'y ddaear yn afluniaidd a gwag'. Cerdd sionc, gynnil, ond ni lwyddodd y bardd i gyfleu'r wefr a gafodd ef wrth wylio'r ddawns.

Alltud:

Fel ynys cyfaredd
a gwyd o'r môr
unwaith mewn pum can mlynedd
felly y cwyd hen ddawns i'r cof . . .

Dau annhebyg yn dawnsio ynghyd sydd yma, nes peri syndod i gynulleidfa, ac mae cryn dipyn ohoni yn amwys i bawb ond y D.B. y cyflwynwyd hi iddo/i. Cerdd ddiwastraff y mae'n werth ymdroi uwch ei phen.

Tango: Cerdd am ddawns sy'n troi yn garu gorffwyll ac:

> Ym munudau dwys y felan fwyn a ddilyn
> ymdeimlwn â'r Dirgelwch
> y Gwirionedd gwibiog
> y buom ond y dim â'i gyffwrdd . . .

Ydi, mae hi'n gerdd dda, gan feistr ar grefft y *vers libre.* Mewn cystadleuaeth wannach, byddai hon ar frig y rhestr.

Emral: Cerdd fer, wahanol, am ddawns glöyn byw cyn iddo gael ei ddal mewn gwe. Defnyddia fwrlwm o eiriau, gan eu cyfosod yn ddestlus. Credaf fod cymharu ei liwiau i droi caleidosgob yn gymhariaeth hynod effeithiol.

Tyddynnwr: Cerdd dafodieithol am gampau'r ysgyfarnog ym mis Mawrth. Ond eleni mae'r llawr dawns yn wag. Ceir rhai gwallau iaith – deuent (nid dônt) yn yr ail ganiad, treiglo 'Mai' yn y caniad olaf ond un, ac 'uwch llwythi' ar ddiwedd yr un rhan. Alla i ddim dweud yn onest fy mod yn hoffi'r diweddglo – mae'r 'sgrîn' yn tra-arglwyddiaethu ar farddoniaeth y dyddiau hyn. Ond rhyfeddod o gerdd yw hon.

Sudra: Un o gerddi gorau'r gystadleuaeth sy'n dangos gweledigaeth eang o fywyd a'r bydysawd ac yn gofyn cwestiynau allweddol tua'r diwedd. Dyma feistr ar y *vers libre* a anfonodd fwy nag un ymgais. Gall dynnu llun ingol mewn cwta ddwy linell:

> Dawns Angau'n sathru penglogau
> ym meysydd y meirwon mud.

Seiriol: Rhoddodd y cystadleuydd hwn eglurhad ar ei gerdd, sef iddo fod yn gweithio mewn ysgol lle roedd cychod gwenyn y tu allan i ffenestri coridor prysur. Mae yma gymariaethau cofiadwy, e.e. y gwenyn yn pellhau ac yn agosáu at ganol y cwch, 'fel dawnswyr polyn Mai yn dirwyn' ac yna yn, 'ailglymu rubanau eu cyswllt', gan ddilyn, 'patrymau cynhenid eu bod'. Cawn ddisgrifiad manwl o'r gwenyn – a chipolwg ar fywyd ysgol – ac yna, yn ddramatig, newidir y cywair, a gorffennir trwy ddiolch fod yr haen o wydr yn bodoli! Hon yw'r gerdd a apeliodd fwyaf ataf – a bob tro y darllenaf hi rwy'n rhyfeddu o'r newydd ati. Mae yma sylwadaeth graff ar y natur ddynol, heb ollwng gafael unwaith ar ddisgyblaeth mynegiant. Gwobrwyer *Seiriol.*

Y Gerdd mewn *vers libre*

DAWNS

(Wrth weld gwenyn mewn cychod gwenyn ger ffenestr cyntedd ysgol)

Rhyngom â'r tewion bach
yn eu lifrai oren a du,
mae mur o wydr.

Ochr draw i'r ffenestri hirion
dawnsia'r gwenyn eu dawns drwsgl.
Cylchant eu cwch yn ddibartner,
pellhau, agosáu at y canol,
fel dawnswyr polyn Mai yn dirwyn,
ac yna ailglymu rubanau eu cyswllt.
Ond trwy reddf dilyna'r mwmialwyr
rubanau patrymau cynhenid eu bod.

Tu yma, rhodiwn yn ddoeth
athrawon â'n llygaid
yn gwylio ymddygiad plant
sy'n dysgu defodau eu llwyth.
Ond taflwn gipolwg cenfigen
at ryddid cymdogion
sy'n casglu paill yn yr haul.

Yna, brynhawn o Orffennaf
gwelwn yr haid yn codi'n
storom ddu yn hisian ynni;
pelen o ffyrnigrwydd yn ffrwydro
i fyny, i ddilyn unben.

A diolchwn,
am darian o wydr,
rhyngom â phicellau
gwenyn y ddawns.

Seiriol

RHYDDIAITH

Y Fedal Ryddiaith: Cyfrol o ryddiaith â chefndir diwydiannol

BEIRNIADAETH HAFINA CLWYD

Yr oedd y pwnc yn gweddu'n berffaith i fro'r Eisteddfod eleni a difyr oedd ceisio dyfalu pa ddiwydiant fyddai wedi mynd â bryd y cystadleuwyr – yn arbennig o gofio bod yr hen ddiwydiannau traddodiadol, y pyllau glo a'r chwareli – wedi edwino erbyn hyn. Cafwyd y patrwm perffaith yng ngweithiau llenorion megis Caradog Prichard a T. Rowland Hughes, wrth gwrs. Er bod *Chwalfa*, *Y Cychwyn* a *William Jones* (sy'n cyfuno dau ddiwydiant) wedi dyddio i ryw raddau, y maent, fodd bynnag, yn parhau i fod yn glasuron hynod ddarllenadwy ac yn portreadu cyfnod ac oes sydd wedi hen ddiflannu. Felly, dim ond rhyw hanner ddisgwyl nofel neu gyfrol o straeon byrion wedi ei seilio ar y ddau hen ddiwydiant oeddwn i, ond hefyd yr oeddwn yn hanner gobeithio am gyfrolau oedd wedi mentro i fyd y diwydiannau cyfoes. Am ryw reswm y mae'r gair diwydiant yn cyfleu pwll glo neu waith dur neu chwarel, ond rhaid cofio bod ffermio hefyd yn ddiwydiant pwysig yn ein cefn gwlad a thybiais y byddai rhywun wedi cofio am *Lleifior* a chreu nofel ag iddi gefndir amaethyddol – yn arbennig o gofio'r anobaith sydd wedi medd-iannu nifer o'n ffermwyr yn ystod y misoedd diwethaf a hefyd o gofio am bryddest fuddugol Eisteddfod y Bala llynedd. Diwydiant arall hollbresennol yw twristiaeth ac y mae hwnnw, buaswn yn meddwl, yn aeddfed ei sgôp am nofel ddychanol. Ond nid felly y bu.

Daeth un ymgais ar ddeg i law ac y maent yn amrywio o ran pwnc a dawn. Y maent i gyd wedi cael eu cyflwyno'n daclus tu hwnt. O gofio am y sioc a dreiddiodd drwy ymysgaroedd y genedl pan ddywedodd William Jones wrth Leisa beth i'w wneud efo'i tships, y mae un yn gorfod cydnabod bod y byd wedi newid yn aruthrol. Hoffwn bunt am bob rheg sydd yn y cyfrolau a ddaeth i law; y mae'r gair 'uffar' yn pupro'r sgriptiau drwyddynt draw – heb sôn am eiriau dethol eraill a arferai fod yn anathema. Mae'n medru mynd yn fwrn ac y mae realaeth yn mynd yn afreal. Gair am bob un:

Mab y Mynydd: 'Yng Nghysgod y Graig'. Y chwarel a'i chaledi yw'r cefndir. Ofnaf fod hwn wedi gwneud argraff wael o'r cychwyn cyntaf oherwydd bod ganddo ddau gamgymeriad ar yr wyneb-ddalen a phum arall yn ei frawddeg gyntaf. Y mae'r iaith yn wallus drwyddi draw ac ni chefais fawr o flas ar y darllen.

Amser Gynt: 'Hanes a Straeon Cwmllynfell, Cwm-twrch, a Chwmtawe'. Atgofion, hanes bro, cryn dipyn o waith ymchwil, hen luniau – dyna grynswth y gyfrol hon. Digon difyr ond ni ellir ystyried y gwaith yn llenyddiaeth addas ar gyfer cystad-leuaeth mor bwysig â'r Fedal Ryddiaith. Rwyf yn siŵr y byddai papur bro neu gymdeithas hanes yn gwerthfawrogi'r gwaith gan ei fod yn cynnwys gwybodaeth helaeth. Y mae'n hynod bwysig bod atgofion o'r fath yn cael eu cofnodi a'u diogelu ond ofnaf nad yn y gystadleuaeth hon y mae gwneud hynny. Ond diolch iddo am ei ymroddiad.

Dyn y Cidna Bêns: 'Sôn am Gi Call'. Nofel am fachgen difreintiedig (gair yr oes am dlawd a didoreth) yn byw mewn tŷ cyngor heb fawr o drefn ar ei fywyd, heblaw am ei gariad at bêl-droed. Mae'r awdur wedi cynnwys nodiadau i'r beirniaid sydd yn cynnwys y geiriau canlynol, 'Mae'n anochel fod peth o'r sgwrsio yn Saesneg'. Ac fe suddodd fy nghalon. Nid yw'n anochel o gwbl. Nid oes angen Saesneg mewn nofel Gymraeg yn union fel nad oes angen Rwsieg mewn nofel Saesneg. Madog Williams yw'r prif gymeriad ac y mae'n dioddef prociadau creulon ei gyfoedion ysgol oherwydd ei enw ac yn cael ei alw yn 'Mad-Dog'. Dyna esbonio teitl y nofel. Yr oedd ei darllen yn dreth ar y llygaid a'r amynedd oherwydd nad yw'n ddim ond deialog pytiog o'r dechrau i'r diwedd. Collais bob diddordeb ym Madog a'i wewyr.

Ab Ifan: 'Ar Lechan Lân'. Newyddiadurwr yn Llundain yw Owen Vernon ac y mae'n cael ei anfon i edrych i mewn i fisdimanars yn y chwarel ym Mlaenau Ffestiniog. Nid yw ei olygydd yn gwybod mai brodor o'r fan honno yw ein gwron ac mai Gwilym Wyn yw ei enw iawn. Ond y mae wedi gwadu ei gefndir, yn ffieiddio'r Cymry ac wedi anghofio ei iaith. Syndrom y Mab Afradlon a Deio Bach sydd yma; ystrydeb ydyw – hen hac yn meddwi, ysmygu, rhegi fel cath ac yn rhaffu pob math o ragfarnau am ei genedl. Mae hwn yn adnabod A. A. Gill. Mae yma ddeunydd nofel dda ond collwyd cyfle oherwydd bod ynddi ddarnau diflas a gormod o sgwrsio dibwrpas. Rwyf hefyd yn cael trafferth credu yn y prif gymeriad. A fyddai dyn 62 oed oedd wedi cael y sac gan bapur newydd yn Llundain, yn debyg o gael swydd dda ar y *Daily Post*, a hynny heb hyd yn oed gyfweliad? Nid yw'r stori'n taro deuddeg. Gyda llaw, ni ellir teithio o Sloane Square i Marble Arch ar y Tiwb! Er hynny, digon darllenadwy.

Y Post Olaf: 'Yr Arth a'r Grib Goch'. Mae'r nofel hon ar ffurf dyddiadur. Rwyf yn ffan mawr o'r ffurf arbennig yma o lenydda ac y mae'n arddull sy'n gofyn am gynildeb a manylder. Y mae'r awdur hwn yn ysgrifennu'n fywiog a cheir cryn dipyn o eironi a dychan derbyniol iawn. Er fy mod yn teimlo ei fod yn pregethu gormod ac yn gweld bai ar bawb heblaw ef ei hun am y sefyllfa y mae ynddi, hynny yw, yn ddi-waith. Y mae hefyd ymhell o fod yn wleidyddol gywir ac yn dweud pethau digon bras am wahanol bobl, yn arbennig merched. Go denau yw'r cefndir diwydiannol. Efallai mai diffyg diwydiant sydd yma ym mherson gŵr ifanc di-waith. Mae ganddo iaith oludog a dawn greadigol ond y mae'n rhy afradlon a di-fflach. Ni lwyddodd arwr y nofel chwaith i'm hargyhoeddi.

Nidan: 'Canlyniadau Trip Ysgol'. Erthyglau ar wahanol bynciau a geir yn y gyfrol hon ac y mae'n agor â hanes trip ysgol i Port Sunlight. Fel y mae'r awdur ei hun yn cyfaddef, nid oes fawr o berthynas rhwng yr erthyglau ar wahân i'r ffaith eu bod i gyd yn ymwneud â'r diwydiannau y bu ef yn gweithio ynddynt neu'r ardaloedd y bu'n byw ynddynt. Mae'n ysgrifennu'n eithaf diddorol ac y mae yma doreth o wybodaeth ond ni ellir dweud ei fod wedi creu rhyddiaith ddisglair. Ac os yw rhai o'r bobl y mae'n sôn amdanynt yn gymeriadau gwir, yna gocheled rhag deddfau enllib.

Bryn Dinas: 'Dim ond pobol mewn gwaith'. Fel nifer o rai eraill yn y gystadleuaeth hon, nid yw *Bryn Dinas* wedi llwyddo i ddewis teitl da i'w waith, ond o leiaf y mae ganddo ddiwydiant gwahanol, sef gwaith brics. Straeon byrion sydd ganddo am y gwahanol gymeriadau sydd yn gysylltiedig â'r gwaith ac â'i gilydd – cysylltiad rhy agos ambell dro! Gwaith wedi'i gyflwyno'n gymen iawn yw hwn ac yn bleser i'r llygad. Cawn gyfle i adnabod Cemlyn, rheolwr y gwaith brics, Tracy ei ysgrifenyddes bowld a secsi, June, yr hen ferch sy'n hysbysebu am ddêt ac yn cael ei thwyllo, Gwyneth sy'n poeni am ei chwaer feichiog ac yn y blaen; pob cymeriad mewn gwewyr o ryw fath. Mae'r arddull yn esmwyth a'r iaith yn gymeradwy. Ond yn y diwedd nid oedd gen i fawr o ddiddordeb mewn gwybod beth oedd yn mynd i ddigwydd iddyn nhw i gyd. Y mae pedwar ar ôl ac yr wyf yn eu gosod yn y dosbarth cyntaf:

Rhiw Fesen: 'Paid ag Edrych Arna-i'. Y mae'r stori hon yn cychwyn yn ardal Dyffryn Clwyd ac yn terfynu yn America. Hen ŵr, braidd yn ffwndrus, sydd yn hel atgofion ac yn dweud hynt a helynt ei fywyd cythryblus wrth ei ŵyr. Mae ganddo lawer ar ei feddwl ac y mae euogrwydd yn ei lesgáu. Lleolir crynswth yr atgofion yng nghyfnod terfysgoedd Merthyr ac adeg crogi Dic Penderyn. Gwyddom fod Dic wedi cael ei grogi ar gam a cheir awgrym yn y nofel mai'r hen ŵr hwn oedd yn euog ac mai hynny oedd wedi difetha ei fywyd. Stori ddarllenadwy a chyffrous yw hon a stori am gyfnod ysig yn hanes Cymru oedd angen ei dweud. Cyfleir y cyffro yn dda a hynny, gan mwyaf, yn y Bowyseg, iaith fy rhan i o'r byd ac y mae ganddo eirfa gyfoethog ac ystwyth, er ei fod yn camddefnyddio'r acen grom drwyddi draw. Er hynny, nid yw'n ddigon gofalus gyda'r dafodiaith. Ceir un bennod wedi ei lleoli yn y Rhos ond nid yw wedi llwyddo i gipio naws iaith unigryw'r fro honno. Y mae hefyd, am ryw reswm, wedi peri i Dic Penderyn siarad y Bowyseg. Ceir darlun byw o frwydr y gweithwyr ac o'r anobaith a'r gynddaredd a esgorodd ar y terfysgoedd. Wedi peth tacluso y mae'r nofel hon yn haeddu ei chyhoeddi.

Tania'r Tacsi: 'Osian Tania Siân'. Mae Tania'n gyrru tacsi mewn dinas ac yn dilyn bywyd anghonfensiynol ar ruthr gwyllt. Y mae'r ddinas yn cynnwys prifysgol, amgueddfa a senedd. Nid nepell y mae chwarel wedi cau. Y mae'r chwarel wedi cael ei llusgo i mewn i'r stori er mwyn gofynion y gystadleuaeth, rwy'n amau.

Cefais gryn drafferth darllen y nofel hon gan ei bod mor ddigyswllt a swreal. Teimlwn ar brydiau ei bod wedi cael ei hysgrifennu gan Lewis Carroll a'i getyn yn llawn o farijuana. Y mae anturiaethau Tania a'i ffrindiau Osian (rhyw fardd tin-y-gwrych) a Siân (sy'n rhedeg stondin sosejys) yn llawn ffantasi. Mae yma ysgrifennu carlamus a chyfoes a chlyfar dros ben ond anodd yw cael hyd i ben llinyn y stori a hynny oherwydd mai portreadu gwallgofrwydd sydd yma. Y mae'r iaith yn oludog a cheir rhannau gwir loerig-ddoniol. Mae hwn yn awdur dawnus ac y mae'r gwaith yn haeddu cael ei gyhoeddi er na fydd at chwaeth pawb.

Morgan: 'Llwch y Llawr'. Casgliad o straeon byrion yn ymdrin gan mwyaf â'r diwydiant glofaol. Nid yw'r stori gyntaf 'Colli Tir' yn ffitio i weddill y gyfrol, yn fy marn i, er ei bod yn stori dda sydd yn ymdrin yn sensitif â sefyllfa'r ddau frawd Tomos a Jac sydd yn gorfod gadael eu fferm a symud i fyngalo. Mae'r cyfan mewn tafodiaith hyfryd. Dyma enghraifft o'r ail stori 'Pwyso'r Pai', 'Fe fuws Morlais druan yn anlwcus yn 'i wraig. Honna o'dd y farn gyffredin ta beth. A sdim llawer o ryfedd achos o'dd 'da hi Hannah ddim llawer o glem acha cadw tŷ. O'dd y lle fel tŷ Jeroboam os gwetson nhw. Fydde gormod o ofon ar Morlais ofyn iddi ble o'dd styden 'i goler e achos o'dd e'n gwpod bydde hynny'n hala Hannah i dwmbwrian pob cwpwrt a whilmentan o dan pob cater, yn gwmws ishta ci yn cwrso ar ôl 'i gwt'. Braidd yn henffasiwn yw rhai o'r cyffyrddiadau ac nid yw'r awdur yn llwyddiannus wrth bortreadu merched – rhai didoreth yw nifer ohonyn nhw. Ond y mae hwn yn llenor a chawsom ganddo gyfrol ddarllenadwy dros ben, cyfrol sy'n gwireddu geiriau Thoreau bod y crynswth o blant dynion yn byw bywyd o anobaith.

Wing Wong: 'Blodyn Tatws'. A dyma ni'n cael ein taflu i fyd diwydiannol cwbl gyfoes gan mai byd y sglodion silicon ac electroneg a chlônio yw cefndir y nofel ffantasïol hon sydd wedi'i gosod yn y flwyddyn 2049. Mae hon yn nofel drwchus a syrthiodd fy nghalon i'm slipars pan sylweddolais ein bod ym myd ffuglen wyddonol, ffantasïol, oherwydd dda gen i mo'r cyfrwng arbennig hwnnw a theimlwn mai syrffedu a wnawn ymhell cyn cyrraedd y diwedd. Ond, i'r gwrthwyneb, cefais fy nghyfareddu gan yr ysgrifennu celfydd a'm synnu gan ddychymyg rhemp yr awdur hwn. Mae'r awdur yn dipyn o gymeriad, buaswn feddwl, ac yn un clyfar, ei ddychymyg yn ddiwaelod a di-ben-draw. Ar ben hynny, y mae ei feistrolaeth ar iaith yn ddigon i'ch gwirioni.

Doniol. Dychanol. Deifiol – dyna fo. Byrdwn y nofel yw hanes Wang-Ho ac ar y dechrau ceir dau ddyfyniad sy'n cyfleu'r hyn sydd ymhlyg yn y tudalennau. Y cyntaf gan Dafydd Iwan:

> Credu'r rhith a gwadu'r sylwedd
> codi cestyll ar anwiredd
> :heini'n chwalu yn y diwedd.

A'r llall gan Napoleon XIV, 'They're coming to take me away, ha-ha!', ac am a wn i, dyma'r tro cyntaf inni gael ieuad anghymharus ond athrylithgar rhwng y ddau.

Gosodir y llwyfan fel hyn: Chwe mis i fewn i'r mileniwm newydd cyraeddasai taid Wang-Ho – gŵr o'r enw Wang-Ha, draeth Aberdesach wedi iddo fo a saith ar hugain Hong Kongiwr arall rwyfo cwch bychan o harbwr Hong Kong yn '99. Wedi deunaw mis o fwyta gwymon sych a myrdd o bysgod seimlyd, amrwd, golwg go druenus oedd arnynt yn cyrraedd tir Gwlad yr Awdlau Gwynion a'r Grwpiau Saesneg. Eir ymlaen o un olygfa anhygoel i'r llall. Yn y man y mae disgynnydd Wang-Ho yn berchen ffatri *Wing-Ha Weng-Hi Wang-Ho* ac o'r eiliad honno gwyddwn fod yr awdur yn dynnwr coes. Ond fe wnaeth imi chwerthin oherwydd ei fod yn ddychanwr mor fedrus. Ceir sôn am *cyber-pet* sydd yn medru cynganeddu ac y mae Wang-Ho wedi prynu hawliau holl weithiau Robbie Williams Parry a Gerald Lloyd Owen ac y mae dau *cyber-pet* yn cael eu cyflwyno i AC/DC (Awdurdod Cenedlaethol Darlledu Cymru) sydd yn cywiro pob camdreiglad cyn ei ddarlledu. Oherwydd y bwrlwm ysgrifennu dyfeisgar a chelfydd yr wyf yn gosod *Wing Wong* ar frig y gystadleuaeth. Ni fydd pawb yn mwynhau'r gwaith ond fel y dywedodd rhywun, 'Os ydych yn hoffi'r math yma o beth, dyma'r math o beth y byddwch yn ei hoffi'. Mae'n llawn haeddu'r Fedal Ryddiaith.

BEIRNIADAETH RAY EVANS

Yr oedd un ar ddeg o gystadleuwyr. Ar y cyfan yr oedd yn gystadleuaeth foddhaol a does dim un ymgais wirioneddol sâl. Er hynny, mae dau na ellir mo'u hystyried oherwydd nad gweithiau llenyddol yn ôl gofynion y gystadleuaeth ydyn nhw. Y ddau gystadleuydd yw *Nidan* a ysgrifennodd gyfres o erthyglau difyr dros ben ynglŷn â'i yrfa fel fferyllydd ac *Amser Gynt* a anfonodd gyfrol yn sôn am ardaloedd Cwmllynfell, Cwm-twrch a Chwmtawe. Dyma'r cystadleuwyr sy'n teilyngu lle yn yr ail ddosbarth, er na roddais hwy mewn unrhyw drefn arbennig.

Bryn Dinas: 'Dim ond pobol mewn gwaith'. Stori sy'n troi o amgylch grŵp o weithwyr mewn gwaith brics yw hon ac mae pob gweithiwr yn ei dro yn destun pennod. Mae Cemlyn, rheolwr y gwaith, wedi gorfod symud o swydd bwysig yn ddirprwy reolwr gwaith cerrig yng nghyffiniau Lerpwl i ddod i fyw gyda'i dad am fod meddwl hwnnw'n dirywio. Rhoddir darlun ohono fel gŵr braidd yn ansicr ohono'i hun, a dyw'r ffaith bod ganddo ysgrifenyddes haerllug ddim yn helpu pethau. Mae'r gyfrol wedi'i saernïo'n dda, a'r cymeriadau yn gredadwy er bod rhai'n fwy credadwy na'i gilydd. Nid yw stori Sam yn argyhoeddi a braidd yn anodd i'w llyncu yw hanes dial Tracy ar Cemlyn am iddo anwybyddu ei chynigion rhywiol. Mae arddull y gyfrol yn ddeniadol, er yn drwsgl ar brydiau, ac mae'n ddiddorol i'w darllen.

Dyn y Cidna Bêns: 'Sôn am Gi Call'. Stori am fachgen yn ardal y cymoedd o'r enw Madog. Mae athrawes fyr ei chyrraedd yn yr ysgol gynradd yn codi'r llysenw 'Ci angall' arno; hwnnw'n mynd yn 'Ci call' ar wefusau'r plant a'r llysenw'n glynu. Yn gynnar yn ei fywyd mae'n dangos medrusrwydd fel pêl-droediwr a thua diwedd y stori mae'n cael cynnig mynd i chwarae i glwb yn Lloegr. Yn y cyfamser mae wedi cael mwy nag un antur garwriaethol a chyn ei fod yn ddeunaw mae ei gariad cyntaf, Claire, yn dweud wrtho ei bod yn disgwyl plentyn. Cefais yr argraff mai darllen sgript drama ar gyfer y teledu'r own i. Mae rhan helaeth mewn deialog ac mae braidd yn feichus i'w darllen. Gallwn faddau i'r awdur pe bawn i'n credu nad oes ganddo'r ddawn i ysgrifennu mewn iaith lenyddol ond mae digon o dystiolaeth i'r gwrthwyneb a cheir mewn mannau ddisgrifio cignoeth mewn arddull gyfoes.

Mab y Mynydd: 'Yng Nghysgod y Graig'. Stori henffasiwn sy'n adrodd hanes yn fwy na dim, ac yn rhoi gwybodaeth am fywyd chwarelwr fel yr oedd ar droad y ganrif. Mae'r arddull braidd yn brennaidd a byddai'r stori yn fwy darllenadwy pe bai mwy o densiwn ynddi.

Y Post Olaf: 'Yr Arth a'r Grib Goch'. Ymgais, ar ffurf dyddiadur, i roi hanes rhai misoedd ym mywyd dyn di-waith yn ei ugeiniau diweddar. Mae yma gyflwyniad ddi-flewyn-ar-dafod sy'n rhoi cip ar feddylfryd yr awdur. Er bod arddull y dyddiadur yn gymen a glân, arwynebol yw'r cynnwys a nodir ffeithiau fel marwolaeth ac angladd Tywysoges Cymru heb roi unrhyw sylwadau gwerth sôn amdanyn nhw. Anaeddfed braidd yw'r synnwyr digrifwch hefyd; ond mae'n debyg y bydd hwn yn aeddfedu gyda dawn lenyddol yr awdur. Hwyrach bod y diffyg lliw sydd yma'n adlewyrchiad o fywyd y dyn ifanc a rhai tebyg iddo sy'n ddi-waith. Ond ar y diwedd pan mae'n sôn am glirio tŷ Nain mae'n dangos bod yma ddawn hefyd. Piti na fyddai wedi mynd ynghyd â gweddill y dyddiadur yn yr un ysbryd creadigol.

Ab Ifan: 'Ar Lechan Lân'. Nofel swmpus am newyddiadurwr a adnabyddir fel O.V. (Owen Vernon, *Art And Theatre Critic* y *Gazette*). Yn erbyn ei ewyllys mae'n cael ei anfon o Lundain i'w dref enedigol yng ngogledd Cymru lle mae rhyw sgandal ym myd busnes ar fin torri. Yr esgus a ddefnyddir dros ei bresenoldeb yno yw ei fod yn ysgrifennu cyfres o erthyglau ar y diwydiant llechi. Mae'r nofel wedi'i rhannu'n actau a golygfeydd ac mae'r arddull yn ddeniadol ac ymgomiol. Deuwn i wybod yn fuan sut ddyn yw O.V., yn gorfforol ac yn feddyliol. Mae'n hoff o'i whisgi a'i sigaréts, yn dew, yn dioddef asthma ac yn siabi a di-hid o ran ei wisg. Nid yw'n meddu ar bersonoliaeth ddeniadol chwaith ac mae ei ddirmyg o bobl eraill, fel y mae ei ddirmyg o'i wlad a'i hiaith, yn amlwg. Ond fel mae'r stori'n datblygu ac atgofion o'i blentyndod yn llifo'n ôl iddo, allwn ni ddim llai na chydymdeimlo ag ef. Yn fab ieuengaf i chwarelwr meddw, ei fam wedi gadael cartref, yntau'n dioddef bwlian yn yr ysgol, ei fodryb, yr unig un a roddodd ymgeledd iddo erioed, yn marw, does ryfedd iddo hel ei bac a gadael ei wlad yn bymtheg oed. Yn awr, ac yntau'n dychwelyd i'w fro enedigol ar ôl blynyddoedd, mae mor amhoblogaidd ag erioed, er nad oes neb yn ei adnabod yn ei hen ardal erbyn hyn; o leiaf ar y dechrau. Ond mae'n dod yn ôl at ei wreiddiau, yn prynu'r tŷ a fu'n gartref iddo unwaith ac yn setlo i lawr.

Mae'n amlwg bod yma awdur na ellir mo'i ddiystyru. Piti iddo wneud cymaint o'r cynllwynio ym myd busnes, sy'n rhy bell i ffwrdd ac yn rhy ddyrys i fod o ddiddordeb mawr i'r darllenydd, a hynny ar draul hanesion o ddiddordeb dynol. Pam, er enghraifft, yr aeth ei briodas ar chwâl? Byddai defnydd o ôl-fflachiadau wedi bod yn fuddiol, i ni gael gwell golwg ar blentyndod Gwilym Wyn Jones sy'n awr yn galw'i hun yn Owen Vernon, ac ar gymeriad ei dad sy'n amlwg yn angel pen ffordd a diawl pen pentan. Mae deunydd nofel gampus yma. Gobeithio yr â'r awdur ati i'w diwygio iddi gael gweld golau dydd.

Morgan: 'Llwch y Llawr'. Casgliad o storïau â'r diwydiant glo yn gefndir i'r rhan fwyaf ohonyn nhw. Mae yma lenor aeddfed, sicr o'i grefft, yn ddigon sicr yn wir i drafod damwain angheuol tan ddaear ag elfen o hiwmor sy'n dyfnhau'r dwyster. Mae yma wahanol agweddau ar yr un thema a cheir hanes wythnos ym mywyd bachgen sy'n dechrau yn y lofa am y tro cyntaf, hanes tyndra y tu mewn i deulu oherwydd streic y glowyr, a hanes dyn heb waith yn gorfod mynd ar ofyn rheolwr Japaneaidd ffatri gwneud setiau teledu; yntau'n cofio'r amser y bu'n garcharor rhyfel, a'i nerfau'n methu â dal. Stori hefyd am y tyndra rhwng pâr ifanc, a'r anghydfod sy'n codi pan nad oes swydd i gynnal plentyn arall. Cyfrol arbennig gan lenor sensitif.

Rhiw Fesen: 'Paid ag Edrych Arna-i'. Cyfres o ôl-fflachiadau, yn cael ei hadrodd gan hen ŵr sy'n byw yn Ohio. Er ei bod yn troi o amgylch terfysgoedd Merthyr Tudful mae'n dechrau yng ngogledd Cymru gyda'r arwr, Twm, yn cael ei gymryd o dloty yng ngogledd Cymru gan Lady Latham i fod yn was bach a hefyd yn gydymaith i'w mab yn y plas. Ond ar ôl rhyw ddeng mlynedd yno caiff ei hudo gan yr is-howscipar ac mae'n gorfod dianc am fod honno'n disgwyl plentyn. Dyna ddechrau gofidiau iddo. Caiff waith mewn pwll glo yn y Rhos ond oherwydd ei syniadau radical mae'n gorfod dianc i Ferthyr Tudful. Yno mae'n cyfarfod â Dic Penderyn a dod yn ffrindiau ag ef, o leiaf dros dro. Try'n rhan fwyaf o weddill y stori o amgylch y terfysgoedd.

Mae'r cystadleuydd hwn yn awdur dawnus. Mae ei arddull yn naturiol a di-rodres ac mae'n llwyddo i ddal sylw'r darllenydd drwy gydol y stori. Ond er mor ddiddorol yw ambell sôn am wersi bocsio ac er mor hyfryd yw enwau'r planhigion llesol y daeth Twm yn gampwr ar eu defnyddio, alla i ddim peidio â meddwl iddo gwympo rhwng dwy stôl ac nad yw'r gyfrol hon y naill beth na'r llall, hynny yw, ddim yn nofel nac ychwaith yn ddogfen ffeithiol. Ceisiodd yr awdur roi darlun o fywyd Dic Penderyn inni drwy lygaid Twm ac o'r herwydd Twm sy'n cael canol y llwyfan. Mae'n rhaid ei fod wedi defnyddio tipyn o'i ddychymyg wrth ymdrin â'i ffeithiau; pam felly na fyddai wedi defnyddio rhagor ohono i greu tyndra? Er enghraifft, pam oedd ei berthynas â Mari mor lastwraidd nes gwneud inni synnu dim iddi ei adael am Dic Penderyn? Ond mae'r disgrifiadau o'r terfysg-oedd yn mynnu sylw, fel hefyd hanes crogi Dic. Tybed a fyddai'r stori'n well o gywasgu tipyn arni, hepgor yr 'adroddwr', a thrwy hynny yr ôl-fflachiadau a'r 'dolenni' nad oes gwir bwrpas iddyn nhw, a gorffen y stori gyda marw Dic Pen-deryn? Mae'r gyfrol yn haeddu gweld golau dydd rywbryd.

Wing Wong: 'Blodyn Tatws'. Stori â'i gwreiddiau yn y dyfodol agos. Mae ffoadur o'r enw Wing-Ha, un o saith ar hugain a ddaeth drosodd i Gymru o Hong Kong mewn cwch rhwyfo, yn cael ymgeledd gan Gymraes, Cedora Hughes. Mae'r garwriaeth wyllt sy'n dilyn yn esgor ar fab, Weng-Hi. Uwch-brosesydd cyfrifiaduron *cyber-pets* yw Wing-Ha wrth ei alwedigaeth ac mae'n dechrau ei fusnes ei hun mewn cwt sinc gan hyfforddi ei fab yn y grefft o greu bodau bychain electronig, a Cedora Hughes B.A. yn trwytho'i mab yn llenyddiaeth Cymru. Mae hynny'n peri iddo ddisgleirio'n ddeublyg yn ei yrfa addysgol ac yn gyfrwng i ehangu busnes ei dad. Erbyn i Wang-Ho, plentyn ordderch Weng-Hi a phrif gymeriad y stori gael ei eni, mae'r fusnes, gyda help cyfrifiadur anferth o waith Wing-Ha, yn llewyrchus iawn. Mae'r cyfrifiadur yma, a adnabyddir fel N.E.S.T.A., yn chwarae rhan bwysig yn y stori. Lleddir Wing-Ha a Weng-Hi mewn damwain hofrennydd gan adael Wang-Ho i etifeddu *Wing-Ha Weng-Hi Wang-Ho Electronic Company*. Erbyn 2049, a Wang-Ho ar drothwy ei ben-blwydd yn ddeg ar hugain oed, mae'r cwmni'n llewyrchus ac yn fyd-enwog.

Mae'n dechrau'n addawol. Mae'n llawn dychymyg, yn uchelgeisiol ac yn ddyfeisgar; mae ynddi hiwmor (slei ar brydiau) a thipyn o ddychan, a'r arddull yn tanlinellu'r elfen gref o ddigrifwch a thynnu coes. Mae'r parodïau hefyd yn glyfar. Ond dyrys ac artiffisial yw'r stori mewn mannau ac mae digymhellrwydd y rhan gyntaf yn diflannu bron, fel pe bai'r awdur yn gweithio i fformwla. Ychydig o ddatblygu sydd ar gymeriadau Gwenllian a Preis ac ni wneir defnydd llawn o ambell sefyllfa, e.e. mae addewid am ryw ddadleniad diddorol yn y sôn am ymwneud Cedora Hughes â thaid Parri Witsh, dadleniad a fyddai efallai'n cydio yn yr elfen oruwchnaturiol sydd yn y stori, ac yn dyfnhau ystyr helynt y cwt sinc, ond does dim yn dod o hynny. Nid yw'r gymhariaeth rhwng magwraeth Wang-Ho ag un Romulus a Remus yn argyhoeddi ac mae hyn yn ein harwain at amau ai rhyw ddyfais yw i esbonio'r 'ffau' y mae Wang-Ho yn dianc iddi weithiau. Gellid dadlau bod yr efeilliaid yn cynrychioli dwy agwedd ar bersonoliaeth Wang-Ho a bod tyndra rhwng y ddwy agwedd; neu bod Wang-Ho ar fin sefydlu math ar ymerodraeth i'w gwmni, fel y sefydlodd yr efeilliaid Rufain, drwy greu Blodyn Tatws, y cyfrifiadur sy'n medru gwneud popeth y gall merch o gig a gwaed ei wneud. Ond nid nofel sy'n dilyn patrwm rhesymegol yw hon. Mae ei harbenigrwydd a'i newydd-deb yn sicr o roi pleser i lawer ac mae'r awdur yn haeddu clod am ei glyfrwch a'i ddyfeisgarwch.

Tania'r Tacsi: 'Osian Tania Siân'. Stori wedi'i lleoli yn y dyfodol agos ac mewn dinas ddychmygol yn agos at chwarel ddychmygol yn dwyn yr enw (annisgwyl!) Chwarel Gororwig. Tania yw'r prif gymeriad. Hi sy'n adrodd y stori, gan amlaf mewn arddull ymgomiol, dafodieithol braf ac mae gwir grefft yn y dweud. Deuwn i wybod pob ffaith sydd angen i ni ei gwybod drwy awgrym yn unig; mae'r gwead yn glòs a diwastraff ac mae'n ymdrin â'r cymeriadau lliwgar, bisâr sydd yn y stori â chydymdeimlad a thosturi. Merch ifanc sy'n ennill ei bywoliaeth drwy yrru tacsi yw Tania; dyw hi ddim yn perthyn i unrhyw ddosbarth breintiedig, ddim mwy na'i dau ffrind, Osian a Siân. Mae Osian, chwarelwr sydd wedi colli'i waith, dipyn yn hŷn na Tania ac mae'n byw mewn lloches i'r digartref. Siân yw aelod arall y triawd. Cadw stondin sosejys wrth ymyl y stesion y mae hi, a braidd yn annelwig yw'r portread a roir ohoni. Cesglir nad un o'r ddinas yw Tania. Yn y wlad gyda'i Hyncl Beci y treuliodd o leiaf ran o'i phlentyndod, ac ychwanegu at rin y stori y mae'r amharodrwydd hwn i ddatgelu ffeithiau'n uniongyrchol. Yn raddol, drwy ambell gwestiwn neu bwt o sgwrs, deuwn i wybod bod ganddi broblem ynglŷn â bwyta, ei bod weithiau yn defnyddio cyllell ar ei breichiau i dynnu gwaed, bod ei gŵr wedi ei gadael, ei bod yn ddigariad ac wedi colli baban.

Yr argraff gyntaf a gawn o Tania yw mai tipyn o gês yw hi. Dyw hi'n meddwl dim am dynnu cwsmer allan o'i thacsi gerfydd ei grys am smocio, a'i adael yn y man a'r lle, neu stopio mewn stryd gul ar y ffordd i'r Senedd a gwrthod gadael i'w theithiwr pwysig adael nes iddo addunedu i wrthwynebu yn y Senedd gynllun nad yw wrth ei bodd hi. Mae'r newid o fod dipyn yn egsentric i fod yn abnormal yn digwydd mor raddol fel braidd bod rhywun yn ymwybodol ohono a dim ond ar ddiwedd y stori yr ydym yn gweld arwyddocâd yr awgrymu cynnil. Gŵr nad yw'n ifanc bellach, a'i fywyd wedi mynd rhwng y cŵn a'r brain ac ôl colli'i waith yw Osian. Dyn oriog, hawdd ei glwyfo; bardd talcen slip a fu unwaith yn grefftwr medrus. Yn ei farddoniaeth sâl ceir adlais o'r un hiraeth am rywbeth a aeth ar goll, yr un gwacter ystyr ag sydd i'w weld yn cyniwair yn ymateb mwy tanllyd Tania i fywyd. Dim ond artist o awdur a allai wneud yn gredadwy y berthynas ryfedd sy'n bodoli rhwng y ddau, perthynas sy'n mynd yn ôl at yr hanfodion eithaf, fel y mae cariad mam at ei phlentyn. Mae yma fwy na stori syml am ferch sy'n colli ar ei hun; mae yma elfen alegorïaidd nad yw'n tynnu o gwbl oddi ar y creffter a'r tosturi a ddefnyddir wrth ymdrin â'r cymeriadau. Ar frig y gystadleuaeth felly y mae dwy nofel wahanol sydd, yn fy marn i, yn deilwng o'r fedal eleni. Byddwn i'n gwobrwyo *Tania'r Tacsi,* ond *Wing Wong* yw dewis fy nghydfeirniaid. Yn wyneb hyn, a'r ffaith fy mod i'n cydnabod fod teilyngdod llwyr yn yn ei waith, gwobrwyer *Wing Wong.*

BEIRNIADAETH HARRI PRITCHARD JONES

Daeth un ar ddeg cyfrol i'r gystadleuaeth, ac roedd rhywbeth o werth ym mhob un. Mae'r goreuon yn haeddu medal. Roedd gofyn am gefndir diwydiannol a chafwyd hynny, o fyd y chwareli llechi i'r pyllau glo, ac o ddinas i faestref. Wrth gwrs, mae rhyddiaith Gymraeg ddiweddar wedi prifio yng nghysgod diwydiant, boed yn sir Fflint Daniel Owen, ardaloedd y chwareli yng ngwaith Kate Roberts a Charadog Prichard, neu fyd y glo yng ngwaith Islwyn Williams a T. Wilson Evans. Yn y gystadleuaeth hon dim ond un a fentrodd i fyd y diwydiannau mwyaf diweddar, sef y rhai electronig.

Mae'r canlynol ymhell o fod yn deilwng o'r fedal, ond mae rhyw werth ynddyn nhw: *Amser Gynt,* sy'n gasgliad o straeon ac erthyglau am Gwmllynfell, Cwm-twrch a Chwmtawe, yn debyg i bytiau sy'n ymddangos mewn papurau bro, ond heb ddigon o arwyddocâd cyffredinol o ran eu cynnwys na'u hiaith i gael eu galw'n llenyddiaeth o ddifrif; *Mab y Mynydd,* lle ceir hanes bywyd caled y chwarelwyr, ond heb unrhyw stori na disgrifio i roi unoliaeth a diddordeb i hen hanes, ac mae'r iaith yn dra gwallus; *Nidan,* sydd yn sôn am ganlyniadau trip ysgol i Port Sunlight, ond does ganddo ddim o'r ddawn i weld y manylion arwyddocaol sy'n gosod stamp llenor ar y gwaith; *Bryn Dinas,* sydd wedi llunio cyfres o ysgrifau storïol am bobl mewn gwaith brics, mewn arddull braidd yn llafurus, heb fawr o wrthdaro na chyffro, a chyda gormod o ddeialog or-eiriol. Mae ynddo elfennau melodramatig hefyd.

Mae tipyn mwy o addewid yng ngwaith y pedwar nesaf: *Y Post Olaf*, sy'n agor yn dda ac yn llwyddo i gyfleu diflastod ar adegau heb fynd yn ddiflas, ond mae braidd yn ddi-fflach – rhyw efelychiad o *Cyw Haul* ond heb ddawn arbennig awdur y nofel honno; *Dyn y Cidna Bêns*, sydd wedi llunio rhyw fath o nofelig am grwt o'r tai cyngor efo esgus o lystad sy'n byw er mwyn pêl-droed; yn anochel bron mae'n mynd i drwbl, yn torri'r gyfraith a chael merch i drwbl ac ati, ond mewn rhyw ffordd ddi-ddilyniant; *Ab Ifan* sydd wedi cael syniad da am newyddiadurwr hŷn sydd wedi cefnu ar ei gefndir ym Mlaenau Ffestiniog gan ymdrybaeddu ym myd y theatr yn Llundain, ond mae wedi mynd ar i lawr yn ofnadwy, yn yfed a smygu'n ddiddiwedd. Mae'n cael dihangfa rhag y fwyell sydd am roi diwedd ar ei yrfa drwy gael ei yrru'n ôl i'r Blaenau i chwilota hanes rhyw fisdimanars ynghylch rheolaeth un o'r chwareli, ond yn gorfod wynebu streic chwarelwyr yn ogystal â'i hanes a'i gefndir ef ei hun. Gwaetha'r modd, mae yma beth wmbredd o fanylion diangen ac ail-ddweud pethau, ac is-gymeriadau ac is-blotiau sydd heb eu cysylltu'n effeithiol â'i gilydd. Byddai'n rhaid tocio'n sylweddol ac ailysgrifennu'r gwaith hwn i'w wneud yn ddarllenadwy a diddorol.

Mae *Tania'r Tacsi* yn ferch lenyddol i awdur *Wil Cwch Angau* ers talwm, a chanddi ddawn disgrifio a chreu eironi; mae ei byd hi'n lled swrealaidd, ac ynddo lawer o ddiod a chyffuriau a ffantasïau sydd ar ymylon gwallgofrwydd. Mae hi – neu fo – yn ysgrifennu'n ddiddorol, ac mae'r elfen alegorïol a ffantasïol yn ddeniadol, ond mae yma hefyd ddarnau dryslyd, a'r rheini'n tarddu o flerwch neu frys, ac nid o fwriad i fod yn awgrymog amwys. Mae angen caboli'r gwaith yn helaeth, a gobeithio y gwneir hynny. Hi sydd agosaf at y dosbarth cyntaf. Yn hwnnw, i mi, mae tri: *Rhiw Fesen*, *Morgan* a *Wing Wong*; tri sydd wedi llunio gweithiau gwahanol iawn, ond maent i gyd yn ddiddorol ac wedi'u llunio mewn iaith goeth, gofiadwy gyda stori neu storïau da a phendant. Dyma lenorion sydd â llygaid at y manylion arwyddocaol sy'n goleuo cilfachau'r llwyfan. Dylai'r tri gwaith gael eu cyhoeddi. Dyma air byr am y tri:

Rhiw Fesen: 'Paid ag Edrych Arna-i'. Nofel hanesyddol am hogyn o dloty'n cael ei 'fabwysiadu' megis gan wraig y plas fel cydymaith i'w hunig fab. Mae'n cael cartref ac addysg, ond yn mynd i drafferthion, ac yn ffoi. Wedyn ceir ei hanes yn dioddef cyfresi o'r anffodion sy'n dod i bobl dlawd, amddifad, diamddiffyn, yn enwedig yn y cyfnod hwnnw, sef hanner cyntaf y ganrif ddiwethaf. Mae'r hogyn yn tyfu'n ddyn praff a dewr, yn ymladdwr efo'i ddyrnau, ond yn gorfod ffoi sawl tro, gan ddiweddu ym Merthyr Tudful ac mae yno yn ystod terfysgoedd Dic Penderyn a Lewsyn yr Heliwr.

Mae yma dipyn o dafodiaith ardal ddiwydiannol Daniel Owen, ond mae'r iaith yn wallus ar brydiau. Er hynny, mae hwn yn waith diddorol sy'n dramateiddio a phersonoli cyfnod pwysig yn ein hanes ar draws y gogledd ac i'r de-ddwyrain.

Morgan: 'Llwch y Llawr'. Casgliad cyfoethog o amryw o storïau byrion sy'n dangos adnabyddiaeth o gyflyrau dynion a merched ym myd y maes glo, ond gyda chortyn bogail yn mynd yn ôl i Nantgwrtheyrn. Defnyddia'r awdur dafodiaith Cwm Tawe – os dw i'n gywir, ond hefyd iaith fwy safonol i drafod hanes glowyr wrth eu gwaith ac mewn streic ac ati. Ond mae'n ymwneud hefyd â phobl ifanc heddiw, ac yn gwneud y cyfan ag arddull goeth llenor sy'n clywed a gweld a dirnad ei ddeunydd, a chanddo'r dychymyg a'r dawn dweud i asio'r cyfan yn waith cofiadwy.

Wing-Wong: 'Blodyn Tatws'. Hwyrach y dylai rhywun fod wedi rhybuddio *Wing-Wong* fod y beirniad hwn, o leiaf, bron yn alergaidd i ffuglen wyddonol. Rhyw fath o wrth-ffuglen wyddonol sydd ganddo, gydag elfennau o fyd y Mabinogi'n cael eu gwau i fyd cyfrifiadurol chwarter cynta'r ganrif nesaf, pan fo gan Gymru senedd go iawn ym Machynlleth, a diwydiant electronig enfawr yng Ngwynedd. Cafodd hwnnw ei gychwyn gan ffoadur a ddaethai o Hong Kong, bron fel y daeth meddygaeth esgyrn i sir Fôn. Mae yma adleisiau o chwedl Blodeuwedd wrth i olynydd y mewnfudwr yma, ei ŵyr, geisio creu cyfrifiadur o ferch fedr gyflawni pob gweithgarwch corfforol dynol, a'i henw hi yw Blodyn Tatws.

Mi welwch fod yma hiwmor a dyfeisgarwch, ond mae yma hefyd ymwybyddiaeth ddofn o'n llenyddiaeth a'n chwedlau, y gallu i drin cymeriadau go wahanol a rhai sydd yn fwriadol bron yn beiriannol, i drin byd ysbrydegaeth a chwedloniaeth, serch a rhyw, gwacter ystyr a gobeithion afresymol; i ddisgrifio'r byd mewnol ac allanol yn gofiadwy ac anflodeuog, mewn iaith lenyddol goeth a thafodiaith. Mae hwn yn llenor dawnus iawn. Mae ei blot yn gymhleth ond yn gweithio ac yn fewnol gyson. Mae'n dal ein diddordeb a'i gadw drwy amrywio'i arddull a thymer y digwyddiadau. Yn fy marn i, mae *Wing-Wong* yn llawn haeddu'r Fedal Ryddiaith, ac yn addurn i hanes y gystadleuaeth; mae *Morgan* yn ail da, a *Rhiw Fesen* yn drydydd agos.

O ystyried barn fy nghyd-feirniaid, gwelir bod anghytuno, ond nid un mawr iawn. Mae'r tri ohonom yn cytuno ar ddau o'r goreuon, sef *Rhiw Fesen* a *Wing-Wong*, a dau ohonon yn rhoi un arall ymhlith y rheini, sef *Morgan*. Mae dau – neu dwy yn hytrach – yn gosod un arall, *Tania'r Tacsi*, ymhlith y goreuon a mi'n gosod honno ar ffin y dosbarth cyntaf. Y prif wahaniaeth ydy fod Hafina Clwyd a mi'n cytuno ar yr un buddugol, a Ray Evans am wobrwyo *Tania'r Tacsi*. Ond mae hithau'n cytuno'n llwyr fod dewis Hafina a mi, sef *Wing-Wong*, yn llawn haeddu'r Fedal Ryddiaith.

Stori Fer: Stori wedi ei seilio ar ddigwyddiad hanesyddol

BEIRNIADAETH BERYL STAFFORD WILLIAMS

Derbyniwyd chwe ymgais ar hugain a rhyfeddais at amrywiaeth y dewis o ddigwyddiadau hanesyddol, heb un enghraifft o ddyblygu. Y testun, y mae'n amlwg, wedi bod yn ysbrydoliaeth ac wedi dwyn cyfoeth o ffrwyth. Dim ond dau ymgeisydd a anwybyddodd y cyfarwyddyd testunol, sef *Mali* a *Pererin*, ac nid oedd eu storïau'n ddigon safonol i'w hystyried ymhellach. Yna, nid oedd pob ymgais yn stori fer. Er eu bod yn ysgrifennu'n ddifyr ddigon, ysgrif am brofiadau'n gysylltiedig â Gogledd Iwerddon a gafwyd gan *Hynafgwr* ac adrodd hanes a wna dau arall, *Cofio Nôl* am drychineb gwaith glo ac *Arfonwr* am fordaith arbennig yn 1912.

DOSBARTH III

Nid oedd digon o gelfyddyd y *genre* yng nghynigion y dosbarth hwn. Y mae'r stori fer yn ffurf lenyddol anodd, ac y mae gofyn i'r prentis ei drwytho'i hun yng ngwaith y meistri. Er bod yr ysgrifennu'n effeithiol iawn, prin y gellid galw gwaith *Methodyn* yn stori fer. Hanes bywyd Cadi Rondol o Fôn sydd ganddo, mewn cyfres o olygfeydd dramatig, ac eithrio'r un fwyaf allweddol, sef y dröedigaeth dan law John Elias. Llythyr at ei wraig gan filwr Rhufeinig sy'n ddilynwr dirgel i Grist sydd gan *Columba*. Bydda'i well, o bosib, petai wedi canolbwyntio ar ysgrifennu am un profiad ac nid yw'r diweddglo yn yr ôl-nodyn yn argyhoeddi. Trafod teulu Bethania y mae *Gwern* yn 'Unwaith yn Ddigon'. Er bod yr ysgrifennu'n rhwydd ac yn lân, mae diffyg yn y cynllun. Braidd yn ddigyswllt yw'r diweddglo sydyn. Gallwn dybio oddi wrth y teitl a'r ffugenw mai gwir thema'r stori yw marwolaeth ac atgyfodiad ond nid y trywydd hwnnw a ddilynir. Stori gwmpasog sy'n dychmygu sut y daeth arwydd y pysgodyn yn symbol o Grist sydd gan *Ioan*. Er ei bod wedi ei lleoli mewn cyfnod hanesyddol, nid yw'n seiliedig ar ddigwyddiad hanesyddol. Y mae'r mynegiant yn raenus ond ceir gormod o fanylu dianghenraid. Gellid gwneud yr un sylw am waith *Rhyd-las*. Y mae meddwl craff y tu ôl i'r stori ddyfeisgar, uchelgeisiol hon am hynt dau Americanwr Almaengar yn ystod rhyfel 1914-18 ond byddai'n elwa o gynllunio tynnach a thraethu mwy cryno. Roedd stori *Brynawel* yn codi gobeithion gyda'i saernïo trefnus a'r sôn dechreuol am arwyddion gwae a phosibiliadau o groestynnu mewn priodas rhwng Brythones a Rhufeiniwr yn ystod ymgyrch Buddug ar gaer Camulodunum ond, ysywaeth, siomedig a difflach oedd y diweddglo. Ymweliad â Thryweryn ar haf sych a geir gan *Bryn-y-môr*. Y mae'n ysgrifennu ag asbri ac yn trin geiriau'n ddeheuig ond mae llawer gormod o ragymadroddi amherthnasol sy'n gwanhau didwylledd y teimladau cryfion a fynegir wedi cyrraedd Capel Celyn yn y diwedd. I nofel y perthyn yr arddull gwmpasog. Stori ar ffurf dyddiadur yw eiddo *Parc-y-Felfed* ac mae ôl ymchwilio gofalus ynddi i'r gormesu ar denantiaid yn ardal Undodaidd Llwynrhydowen yn dilyn etholiad 1868. Yn wir, mae defnydd sawl stori fer yma. A dyna'r drwg, sef nad oes yma ddigon o ddisgyblaeth i grynhoi'r hanes cefndirol i'r hyn oedd yn angenrheidiol i gynnal y portread diddorol o'r ferch radicalaidd (dan yr wyneb) a chanlyniad ei stori. Teimlaf nad oes digon o dyndra yn stori *Tachwedd.* Er ceisio'i greu, y mae'n llithro drwy'i ddwylo oherwydd iddo ei wneud yn eglur o'r dechrau fod Mollie, lleian yn Sempringham, yn benderfynol o gadw cyfrinach Gwenllian rhagddi. Ond mae yma bortread byw o fywyd y lleiandy a hoffais eironi'r llinell olaf.

DOSBARTH II

Kapellmeister: Hanes athrylith Beethoven yn goresgyn anfanteision dychrynllyd a gawn gan *Kapellmeister.* Crëir awyrgylch agoriadol trawiadol wrth i'r meddyg gerdded drwy oerfel a digalondid diwedd blwyddyn tua'r geni mewn amgylchiadau enbydus. Y mae'r delweddau i gyd yn atgyfnerthu'r thema o oroesi er gwaethaf popeth, megis y dyn hyrdi-gyrdi yn gwenu er na wrandawai neb ar ei dôn. Ymhellach ymlaen hefyd y mae'r disgrifiad o ymweliad yr ail ddoctor â'r cerddor byddar yn gwneud argraff ddofn. Ond teimlaf fod yr awdur yn disgyn i lefel slicrwydd anecdot yn y sgwrs rhwng y ddau ddoctor sy'n cloi'r stori.

Rhiannon: Awn i gyfnod y Chwyldro Ffrengig yn stori *Rhiannon* a hanes y dramodydd Marie Olympe Gouges a ddaeth i fri ar ddechrau'r chwyldro gan ennyn cefnogaeth i'r ymgyrch dros iawnderau merched, ond erbyn 1793 daeth tro ar fyd ac fe'i dienyddiwyd. Y mae'r olygfa yn y carchar yn argyhoeddi a'r enghreifftiau eraill o frad a siom yn dwysáu'r dadrithiad. Trueni na fyddai mwy nag un paragraff ar y dechrau i ddarlunio'i llwyddiant ysgubol ar un adeg.

Sans Seriff: Hoffais ffresni'r syniad y tu ôl i stori *Sans Serif,* sef hanes cipio Nest, ferch Rhys ap Tewdwr, gan ei chyfrder Owain ap Cadwgan, wedi ei gyflwyno, nid o safbwynt hanesydd ond o safbwynt y ferch ei hun. Y mae rhannau agoriadol hyfryd i'w hymson am ei bywyd digyffro yng Nghenarth Bychan a'i hagwedd at ei gŵr, Gerald o Windsor, a'i chariad cyntaf, Harri, brenin Lloegr. Wedi hyn â'r myfyrdod ymlaen yn rhy hir a gwastad ac efallai y dylid ei fritho gan fân arwyddion o'r tu allan fod rhywbeth ar droed. Tua'r diwedd mae cyflymder y digwydd yn ddramatig ond trueni fod arafu chwithig cyn y llithio. Y mae'r diweddglo yn effeithiol pan ddisgrifir y caru gan Nest, nid fel llithiad ond fel profiad cathartig sy'n adfer ei hunan-barch a'i hymdeimlad o'i Chymreictod.

Er Ei Waethaf: Stori soffistigedig sy'n chwarae ag amser a geir gan *Bwgan Er Ei Waethaf.* Dadlennir ar ei diwedd mai hanesydd yw'r ddrychiolaeth a ymddengys o bryd i'w gilydd i geisio newid cwrs hanes Doctor William Parry, cynllwynwr dyrys yn oes Elisabeth 1. Drwy ei waith ymchwil y mae'n ceisio dod o hyd i'r gwir amdano ac, o ganlyniad, yn ei achub rhag ei ddienyddio. Ni wneir unrhyw gonsesiwn i'r darllenydd cyffredin wrth drafod gwleidyddiaeth y cyfnod ac efallai bod y cynnwys yn mynd yn rhy gymhleth oherwydd dyfeisgarwch y plot. Ond y mae'r syniad i'w edmygu a hoffais y diwedd yn fawr.

Wedi Dali: Hanes milwr ar ei ffordd adref ar ddiwedd y chwyldro yn Rwsia sydd gan *Wedi Dali.* Y mae'r frawddeg agoriadol yn rhagorol, gyda'r orau yn y gystadleuaeth, 'Gafaelodd Azimov Mikhailovich Petrovich yn y tocyn a orweddai ym mhoced ei grys am y trydydd tro y prynhawn hwnnw'. Gwneir llawer o'r tocyn hwn yma ac acw i gynnal y diddordeb ingol yn ei ffawd. Y mae yma ysgrifennu pwerus a synhwyrus. Teimlwn, fodd bynnag, ei fod yn gor-wneud yr oedi cyn cyrraedd y dafarn nes mynd i'w ailadrodd ei hun a bod y gor-fanylder yn y dafarn weithiau'n troi'n amherthnasedd ac yn torri ar y symud ymlaen tua rhyw ddiwedd anorfod. Ond y mae'r diwedd, pan ddaw, yn swta ac yn newid cywair nes ymdebygu i sgript comedi-sefyllfa.

Ronna: Y mae saernïaeth dda i stori *Ronna* am ddigwyddiad yn Rhyfel Annibyniaeth America. Ar y dechrau y mae'r corporal yn gwylltio wrth faglu dros laslanc ofnus o gyd-Gymro sy'n cuddio rhag y drin ac y mae'n ei anfon yn ei ôl yn chwyrn i ganol y brwydro, rhag iddo deimlo cywilydd yn ei henaint. Yna, ar y diwedd, wedi colli'r dydd yn erbyn y gwrthryfelwyr, y mae'n hanner cwympo dros gorff marw'r bachgen ac yn cael ei lethu gan euogrwydd a dagrau pethau. Weithiau y mae'r mynegiant yn lletchwith a cheir peth ymadroddi Seisnig, ond ceir disgrifiadau byw o erchyllter y brwydro a chodir i dir uchel, cofiadwy, yn yr atgof am gychwyn gobeithiol y gatrawd o Washington.

St. Helena: Y mae cryn ddyfais a dychymyg yn stori *St. Helena.* Wrth gael ei dynnu i ymweld â Phlasnewydd ym Môn ar ddiwrnod trymaidd o haf, caiff Van Dilke, 'Eco-Wariar' sydd ar fin bod yn dad, brofiad ysgytwol. Yn sgîl fflach y fellten gyntaf daw'r olygfa yn y darlun olew mawr o frwydr Waterloo yn fyw iddo a chaiff ei wahodd gan filwr i ddod ato i wylio'r frwydr. Daw i wybod mai recriwt o'r Iseldiroedd yw'r milwr a bod ei wraig yn disgwyl babi ac wrth neidio ar ei farch newydd tua'i dranc dywaid wrtho mai Van Dilke yw ei enw. Â'r Eco-Wariar allan i'r maes parcio, 'fel pe bai ellyll y fall yn ei erlid' a'r funud nesaf caiff ddamwain car angeuol. Y mae'n stori ddarllenadwy iawn a chyflwynir y brwydro mewn dull graffig. Go brin fod y ddalen o sgwrs agoriadol yn llwyddiannus: gellid bod wedi ei hymgorffori mewn ôl-fflach wrth grwydro o gwmpas y plas.

Bob Bach: Y mae *Bob Bach* yn ysgrifennu'n rhywiog, yn gallu creu cymdeithas o gymeriadau ac ymgom sy'n argyhoeddi ac nid yw amlinelliad o'i stori'n gwneud cyfiawnder â'i ddawn ysgrifennu a'r darlun a ddaw'n fyw ar y ddalen ganddo o ddyddiau Brwydr Prydain yn Llundain adeg y rhyfel. Flynyddoedd wedi'r rhyfel daw Sais trwynsur, sinicaidd braidd, i aros i dafarn y pentref i chwilio am Gymraes o'r enw Gwyneth Lewis a dreisiwyd ganddo mewn seler yn Llundain yn ystod cyrch awyr. Clyw gan Tom, un o selogion y dafarn, fod Miss Lewis wedi marw ers talwm ac â adref cyn i Tom gyrraedd y bar a dadlennu iddo glywed fod y Miss Green ffroenuchel a fynychai'r dafarn o bryd i'w gilydd yn ferch i Miss Lewis. Cefais flas mawr ar y traethu ond roedd ôl brys ar y saernïaeth, yn enwedig yn y ffordd anghelfydd y cyflwynir y newydd am Miss Green ar y diwedd.

Emmeline: Y mae stori *Emmeline* yn agor yn drawiadol gyda'r Arolygydd Meddygol James Barrie yn cerdded ar draws sgwâr anghynnes Scutari ar ei ffordd i ddod wyneb yn wyneb â Florence Nightingale am y tro cyntaf i'w siarsio na fyddai'n goddef ychwaneg o dorri rheolau ganddi yn yr ysbyty. Yn ystod y ddadl rhyngddynt, trechir Barrie a chaiff wasgfa. Wrth ddod ato'i hun daw'n ymwybodol ei fod yn gorwedd ar wely a bod Nightingale yn gweini arno. Fel yr â'r gaeaf yn ei flaen daw Nyrs Wardroper â'r newydd am farwolaeth sydyn Barrie a, mwy na hynny, mai merch ydoedd. Y mae peth ailadrodd yn y sgwrs rhwng Wardroper a Nightingale ac, i mi, nid yw geiriau olaf Florence yn gydnaws â'r portread gwirioneddol hyfryd o'r ferch ddeallus, dreiddgar sydd yng ngweddill y stori, 'O wel,' meddai, 'mae yna fwy nag un ffordd y gall merch ennill ei phlwy, yn'd oes?'

DOSBARTH I

Lech Bach: Yn ei heiliadau olaf cyn marw yn y gadair drydan yn Texas gwêl Sophie Elmore rannau o'i bywyd yn fflachio heibio. Cyfeiriad yw'r teitl at 'un cam bach' enwog Neil Armstrong ar y lleuad yn 1969 a gwylio'r digwyddiad hwnnw yw'r catalydd a barodd i Sophie gymryd ei cham tyngedfennol hi i ladd ei gŵr meddw am iddo'i threisio hi a'i merch, Lucy. Yn wir, y mae'r gair 'cam' fel motiff drwy'r holl stori ac yn troi'n air mwys yn y llinell olaf gyda'r cyfeiriad at y, 'camau bychain hynny yr oedd [ei gŵr] wedi ei wneud â Lucy a hi dros yr holl flynyddoedd'. Ac eto, ai camau *bychain* oedd y rheini? Y mae'r ysgrifennu'n ddawnus, ac â'r tameidiau o hanes Sophie heibio'n swrealaidd a chyflym mewn amrywiaeth o ddyfeisiadau naratif: ymson, llythyr, sylwebaeth deledu, adrodd stori Dylwyth Teg a thraethu yn y trydydd person. Pytiau bratiog ydynt yn aml ond drwy awgrym a chipolwg adeiledir darlun byw o amgylchiadau'r teulu, bywyd gwraig tŷ Americanaidd a'r drefn yn stryd angau. Wrth arafu'r tempo i'r naratif trydydd person pwyllog ar y diwedd hoelir sylw'r darllenydd ar symudiadau Sophie o'r gegin i'r ystafell deledu lle gorwedd ei gŵr yn swp ar y soffa ac y mae'r cyferbyniad rhwng harddwch y Ddaear o'r gofod a wêl ar y sgrîn a bywyd fel y mae ar y ddaear iddi hi wedi ei fynegi mewn rhyddiaith gadarn, rhythmig.

Pam Fi Duw?: Ymson neu lif ymwybod yw stori *Pam Fi Duw?* ar ei hyd; un o'r ddau fachgen deg oed yn cyflwyno sut y bu hi ar y diwrnod ofnadwy hwnnw yn Lerpwl pan laddwyd y plentyn dwyflwydd. O'r frawddeg gyntaf, o'i ddull o siarad a'i ddisgrifiad o'i frecwast, deallwn ei fod yn fachgen difreintiedig, ei fam yn ddidoreth a'i dad yn byw gyda'i 'lefren newydd'. Does neb yn cymryd diddordeb ynddo a dwyn o siopau gyda'i ffrind Jo yw un o'r ychydig bethau sy'n rhoi *buzz* iddo. Y mae'n fachgen strydgall ond dan yr wyneb y mae'n crefu am sylw a chariad. Er ein bod yn gwybod o'r dechrau beth fydd y diwedd, y mae saernïaeth y stori'n creu tyndra. Eir o ris i ris yn hanes y dwyn a'i rwystredigaeth gynyddol, ac arswydwn, pan welir y bachgen bach wrth y siop gig gyda'i fam. Unwaith eto crëir tyndra cynyddol. Rhyw hudo digon diniwed yw i ddechrau, rhyw gydymdeimlo â'r plentyn am nad yw ei fam yn rhoi sylw iddo ond yna y mae'r swnian yn dechrau ac yna'r sgrechian nad oes modd ei atal nes bod yr adroddwr yn colli arno'i hun. Cyfleir holl anferthedd y weithred derfynol mewn cyffelybiaeth drawiadol, 'Ac fel rhyw fonstar swnllyd efo tri phen a chwe choes rydan ni'n baglu ac yn llithro ein ffordd i lawr at y lein yn y llwyd dywyll'. Efallai ei fod yn ei ddadansoddi'i hun yn rhy dda, cystal ag unrhyw seicolegydd, megis pan ddywed wrtho'i hun wrth weld y plentyn bach, 'Dw i'n gwybod sut wyt ti'n teimlo, was . . .'. Boed hynny fel y bo, y mae hon yn stori rymus.

Lisa: Y mae rhywbeth o'r chwedl am foddi Llanwddyn yn stori *Lisa.* Ar yr wyneb y mae'r rhan fwyaf ohoni'n stori seml am ddau ffrind yn casglu penbyliaid yn eu hannwyl gynefin ond dan yr wyneb, yn yr is-destun, y mae'n stori am chwalu cymdeithas uniaith. Clywais rywun yn dweud ar y radio ryw dro fod stori fer fel saeth yn gwibio heibio i'r llygaid; dim ond un rhan o'i thaith a welwn ond rydym ar yr un pryd yn ymwybodol ei bod yn dod o rywle ac yn mynd i rywle. Ac felly yma; un haf a dechrau hydref a ddarlunnir ac eto drwy'r chwarae ar Faes y Cynnull gwelwn hen orffennol y gymdeithas ac ychydig o'i dyfodol pan â teulu Now i gyfandir arall a theulu *Lisa* dros y ffin, lle mae'r Cymro'n troi'n *Welshman.* Ni fanylaf ragor arni gan y byddwch yn ei darllen yn y gyfrol hon. Y cyfan a ddywedaf yw mai *Lisa* yw'r enillydd er bod tair stori'r dosbarth cyntaf yn deilwng o'r wobr.

Stori Fer

BODDI LLANWDDYN

Deffrôdd Lisa i sŵn bysedd yn crafangu gwydr y ffenestr. Sŵn bach prysur. Roedd haul y bore yn gwau patrymau ffair dros gwrlid y gwely. Amser i stwyrian mewn nyth gysurus yw bore Sadwrn, ac fe ddylai Now wybod hynny. Drato. Cododd ei phen oddi ar ei chlustog a sbecian drwy'r ffenestr isel ger gwaelod y gwely. Yno roedd Now, yn wên o glust i glust, yn dal pot jam a chortyn am ei wddf ac yn pwyntio'i fys o'r pot draw i gyfeiriad yr afon ac yn ôl, a'i lygaid eiddgar yn mynnu ei bod yn amser codi. I orffen y sioe, gwasgodd ei drwyn yn fflat ar gwarel y ffenestr a chroesi'i lygaid yr un pryd. Diwrnod casglu penbyliaid!

'Mam, dw i isie pot jam i gael mynd efo Now i 'sgota penbylied, a thamed o gortyn os gweli di'n dda.'

Peidiodd sgwrs ei mam a'i thad chwap wrth iddi groesi trothwy'r gegin. Golwg sur oedd ar ei thad ac ateb sur a gafodd ganddo,

'Rheitiach i'r còg yna ddysgu 'sgota am rywbeth efo dipyn mwy o gig arno na phenbwl.'

Ond estynnodd ei mam i waelod y cwpwrdd cornel, ac allan â Lisa i'r bore braf gyda'i jar yn siglo gerfydd ei ffrwyn. Am gors Llanwddyn yr anelodd y ddau y bore hwnnw. Wrth fynd heibio i'r ysgol, dyma stopio i sbïo dros y wal. Yr oedd Dei Paent yno, ar ben ei ysgol yn gwyngalchu. Ond yr oedd wedi oedi am ennyd, a syllodd y ddau blentyn i'r cyfeiriad yr oedd Dei yn rhythu â'i law yn cysgodi'i dalcen. Yno ar y ffridd olau yr oedd gŵr mewn siwt o frethyn, yn trin teclyn ar deir-coes bren, hir. Ysgrifennai nodiadau ac amneidiai nawr ac yn y man ar ei bartner ar y bryn a oedd o'r golwg y tu ôl i'r ysgol. Deuai Saesneg main y gŵr ar yr awel fel cnul cloch yr eglwys o ben y ffridd, yn rhywbeth pell a dieithr i'r plant.

'Maen nhw wedi cychwyn 'te,' meddai Dei.

'Pwy 'di'r crëyr glas 'na ar ben ffridd, Dei Paent?' gofynnodd Now.

'Diawled Lerpwr, Now bach. Diawled Lerpwr,' ebe Dei dan ei wynt.

Mingamodd Now ar Lisa, a neidio o dop y wal. Doedd hi ddim yn bosib cael ateb dechau gan Dei bob tro – roedd rhai'n credu mai oherwydd iddo dreulio cymaint o amser yng nghlyw arogl y paent yr oedd Dei fel pe bai weithiau mewn rhyw fyd ei hun. Roedd yn amlwg mai draw yn Lerpwl yr oedd y bore hwnnw. Yr oedd gan Now a Lisa waith eu hunain yn hela penbyliaid, ac i ffwrdd â nhw ar drot.

Erbyn diwedd mis Mai, yr oedd rhes hir o botiau jam ar ystyllen yng nghysgod y wal ym muarth tafarn y Cross Guns ym mhen Fishing Street, cartref Now. Bob dydd deuai ef a Lisa â llond dwrn o chwyn dŵr i'r darpar lyffaint. Bob dydd, roedd yn rhaid claddu gweddillion yr anffodusion na fyddent yn gweld byd mawr cyffrous Cors-y-llan y tu hwnt i fuarth y dafarn. Angladd parchus a gweddus a gafodd pob un o'r penbyliaid, mewn twll yn y wal y tu hwnt i gyrraedd gwddf sarff Gwenno'r ŵydd.

Daeth diwedd ar y ffermio llyffaint pan aeth Marged, mam Now, i estyn cwrw bach o'r selar, a phan neidiodd pump o'r creaduriaid bach o'r tu cefn i'r gasgen. Wedi iddyn nhw fynd ati i hela'r ffoaduriaid fe'u siarsiwyd i gymryd pob un 'copa walltog' (chwarddodd Now ar y disgrifiad anffodus) yn y bwced sborion yn ôl i Gors-y-llan.

'Neu mi â'i moyn Gwenno'r ŵydd o'r cae top ac mi gaiff eu llowcio i'w the, y plant drygiog 'dech chi!'

Gwaith blinedig yw cario llond bwced o ddŵr a llyffaint yng ngwres y prynhawn. Roedd y bwced yn rhwbio coesau'r plant, ac yn aml buont yn stopio i ymestyn eu breichiau oedd wedi cyffio; stopio ar ymyl y ffridd i syllu'n ôl tua'r Llan a Chwm Conwy; eistedd yno i gnoi taffi, a thawelwch anorfod y cnoi yn dod a sŵn dyrnu'r peiriannau'n agosach.

Yr oedd y ddau wedi dotio pan ddaeth y craeniau mawr, fel angenfilod gwrachod Mawddwy i waelod y cwm. A bu plant y Llan mewn heidiau'n gwylio'r dyrnu a'r ffrwydro, a'r gosod talpiau mawr o graig ar graig. Cyfareddwyd nhw gan ddewiniaid y gorfforaeth ddŵr a ddaeth i godi'r argae i foddi eu cwm.

Cafodd Lisa a Now eu siarsio i beidio â mynd ar gyfyl y gwaith. Doedd plant a nafis meddw a pheiriannau trwm ddim yn cymysgu. Ond roedd y demtasiwn yn ormod fwy nag unwaith. Un pnawn Sadwrn poeth, a'r ddau yn cicio'u sodlau, dyma benderfynu sleifio tua'r gwaith. Roedd twr o ddynion wedi casglu o amgylch craig fawr, Craig-yr-ysbryd. Roedd yn rhaid i'r graig fynd, yn ôl gorchymyn y gorfforaeth, ond doedd y dynion ddim am ei ffrwydro, a hithau'n gartref i ysbryd. Bwriodd y prynhawn yn ei flaen, a'r plant yn sbecian ar y drafodaeth o'u cuddfan y tu cefn i graen mawr gwyrdd. Yn y diwedd, galwyd am gwrw da i dorri syched y dynion. Ac aeth un cwrw'n ddau, a magwyd hyder rhyfeddol yn y nafis ofergoelus.

Ymestynnodd rhywrai am y tanwydd, ac un arall am y fatsien, a rhedodd pawb i'w lloches. Gwasgodd Lisa a Now yn dynn i'r ddaear, a thynnodd Lisa ei chap haul dros ei chlustiau. Pan gliriodd y llwch rhedodd un o'r dynion i'r man lle gorweddai'r graig yn dipiau. Pwyntiodd ei fys a thaflu ei gap i'r ddaear mewn direidi mawr.

'Nowt there bwt a bloody big frog!'

Pwniodd Now asennau Lisa, estynnodd am ei het, a chyn i neb ddweud bw na be roedd yn rhedeg yn ei ôl â'r llyffant melyn yn swatio yng ngwaelod yr het haul.

'Y dafarn!' hisiodd wrth redeg heibio iddi. A rasiodd y ddau fach llychlyd am y Llan.

Roedd lleuad lawn Mehefin y noson honno, ac yn ôl yr arfer, trodd y criwiau tua Maesycynnull. Yr oedd yn noson braf, a byddai chwarae da ar y pêl-droed hyd oriau mân y bore. Roedd rhaid i'r chwarae fod yn dda, oherwydd hwn fyddai un o'r troeon olaf. Roedd mwyafrif y pentrefwyr yno, y rhai ifanc a heini ar y maes yn chwarae, tua thrigain ohonynt, a'r rhai hŷn yn sgwrsio ar eu cwrcwd, ac yn cael mygyn ar y cloddiau o amgylch. Sgwrs ddigalon oedd yno, fel ag a fu ar y bont bob fin nos yn ddiweddar; sgwrs ansicr am ddyfodol ansicr. Swatiodd Lisa yng nghôl ei mam, yn cocsio cysgu tra tynnai ei mam ei bysedd yn ysgafn drwy gudynnau melyn gwallt ei phlentyn. Amneidiai Menna'n dawel ar ei chyfeillion bob hyn a hyn, â gwên fach, gan gyfeirio at Lisa. Roedd yn gwybod bod clustiau'r un fach yn ei chôl yn hollol effro, a doedd hi ddim am iddi glywed am y symud. Ddim eto.

Yn gynnar fore trannoeth yr oedd Now a Lisa ar sgowt gyda'r llyffant ysbryd i ffeindio cartref newydd iddo. Swatiai'n llonydd yng ngwaelod y bwced. Yr oedd Now wedi dwyn lliain i'w osod dros y geg rhag i'r ysbryd geisio neidio ohono.

'Rwyt ti'n gwbod am Christopher Columbus yn mynd i 'Merica on'd wyt? Den ni'n mynd i neud yr un peth wsnos nesa, medde Dad wrth Mam neithiwr,' meddai Now wrth stryffaglu i dipio'r ysbryd o waelod y bwced. Roedd yr hen lyffant yn ceisio'i orau i neidio'n ôl i gysgod tywyll y bwced tun.

'Ty'd o ne'r ffliwt gwirion, mae'n amser iti ddŵad o 'na nawr. Mae 'na lot mwy i ti weld rownd y gors. A heidie o wybed iti. Ty'd, y twpsyn twpa.' Cododd y creadur a'i osod yn ofalus ar dalp o fwsogl gwyrdd dan geunant ddiogel a naddai'r nant fach. Safasant yn ôl i wylio'r llyffant yn ffoi i ganol y brwyn o'u golwg.

'Oedd Mam yn crio w'est.'

A dyna ddechrau cynllunio trwyadl am antur fawr, gyda'i gilydd i ben draw'r byd.

Carlamodd Lisa i'r gegin.

'Mam, mae Now yn mynd i 'Merica wsnos nesa a mi rydw i'n mynd efo fo. Mae o'n deud bod siŵr o fod digon o le i un arall ar y llong. 'Llith Now ddim mynd i 'Merica heb y fi, ti'n gweld. Den ni'n mynd i weld y môr efo'n gilydd.'

Sythodd Menna o'i gwaith uwch y stof a throi at y llygaid ymbilgar.

'Tyrd i iste ar 'y nglin i, Lisa. Tyrd am swat bach efo dy fam.'

Troellodd llygedyn o heulwen uwch y bwrdd tylino, gan oleuo mil o blanedau'n hwylio trwy'r gwagle. Syllodd Lisa arnynt gan geisio canlyn hynt un defnyn bach o lwch euraid, cyn iddo ddiflannu i'r cysgod . . .

Bwndel bach o lwch a dagrau a swatiai ar stepan Nain Gwaelod pan agorodd hi'r drws. Yr oedd Nain yn dipyn o ddraenen yn ystlys y Liverpool Corporation. Cawsai ei geni yn y Gwaelod, a gallai nodi perthynas ym mron bob fferm o dop Rhiwargor i ben draw Cwm Conwy. Doedd 'r un dyn a'i 'Sasneg' yn mynd i'w symud hi o'i chynefin. Pan ddeallwyd nad oedd Elen am symud o'r Gwaelod dechreuodd ffrwd o bobl chwilfrydig guro ar ddrws y tyddyn bach. Dynion o lawr gwlad yn camu'n drwsgl dan eu camerâu coesiog hyd yr wtra. Roedd y byd am weld y wraig a fynnai aros hyd at foddi yn ei bwthyn to gwellt.

Bu ffraeo rhyngddi a'i mab Huw sawl tro'n ddiweddar. Roedd Huw a Menna am godi pac cyn y Nadolig a throi tua'r Amwythig. Yr oedd tyddyn ar osod tua Welshman's Ford, ac yr oedd Huw am gymryd ei gyfle ar y tir coch gyda'r pres a gâi yn iawn am ei dyddyn ar Ffridd Cedig.

'Buase'n llawer gwell gen i fynd i New York ar long efo Now. Sut le ydi Welshman's Ford, Nain? Ga'i ddŵad adre os ydi o ddim yn neis?'

Tynnodd Nain ar ei chetyn a rhwbio'i gên flewog. Pwysodd ei phen ymlaen a sibrwd yng nghlust Lisa, 'Fe awn gyda'n gilydd Lisa fech, i gael gweld. Fydd fawr ddim croeso yma i dy nain pan fydd y brithyll yn nofio i fyny'r simne 'na fydd? Tyrd i fwydo'r clagwydd, ac yna mi awn am dro i'r siop i 'nôl taffi i Now New York a chdithe.'

Bore'r ymadael yr oedd trwst ceffylau yn pystylad a'r dynion yn codi pecynnau i'r cerbyd o flaen y Cross Guns.

'Fe gei di'r potie jam i gyd Lisa. Alla i ddim eu cymyd yr holl ffordd. Ond dw i am roi tro ar hwn.' Estynnodd Now focs baco pres o'i boced. Roedd tyllau yng nghaead y blwch, a phan dynnodd y caead gwelwyd madfall bach a'i gynffon wedi troi o gylch ei gorff nes bod ei blaen yn cyffwrdd â'i drwyn.

'Wyt ti'n meddwl y bydd o'n hoffi mynd ar long? Mi ddwedodd Jones y Sgŵl ddoe bod bobol sy'n marw ar longau'n cael eu taflu i'r môr i fwydo'r morfilod. Wel, tydi hwnna ddim yn mynd i ddigwydd i Now. Drapia, mae Mam yn dal i grïo. Tydi hi ddim eisie gadael Nain a Taid.' Estynnodd y bocs tybaco cynnes i Lisa.

'Well iti edrych ar ôl hwn imi, Lisa, 'di o ddim yn mynd i hoffi'r môr nag 'di? Mi ga i o pan ddown ni'n ôl.' Ac am eiliad cyffyrddodd y dwylo bach a fu mor brysur yn ''sgota pembwls', cyn i'w dad godi Now'n uchel i ben y llwyth, a chychwynnwyd ar y daith.

Y sôn mawr fis Hydref oedd nad oedd modd gweld gwaelod Cwm Conwy o'r ddôl rhagor. Roedd y gwenithfaen tywyll yn cau fel roedd y dyddiau'n byrhau.

Roedd lluniau ar wal ysgol y Llan. Lluniau o Lerpwl. Llun o Faer Lerpwl gyda'i tsiaen o aur, trwm. Map o Brydain Fawr ac America. Yr oedd sedd Now yn wag, ac o'r holl enwau dieithr a ddysgodd Lisa ar ei chof, New York oedd ar ben y rhestr. Tybed sut hwyl yr oedd Now yn ei gael, yn hela penbwls ar gors New York?

Lisa

Portread o unrhyw berfformiwr o dras Cymreig

BEIRNIADAETH VAUGHAN HUGHES

Derbyniwyd pump o ysgrifau, tair ohonyn nhw gan yr un awdur. Ystyriwn i gychwyn, felly, ymdrechion y cystadleuydd diwyd hwnnw.

Mr Nash: 'Richard Burton, 1925-1984'. Ysgrif ganmoliaethus ac edmygus am actor sy'n haeddu canmoliaeth ac edmygedd. Ond gan fod gwendidau Richard Burton mor danbaid â'i dalentau, cam gwag ar ran *Mr Nash* oedd anwybyddu'r diafoliaid a felltithiodd Burton yn ogystal â'r angylion a'i bendithiodd. Dyw'r ysgrif yn ychwanegu yn un iot – nag *yacht* – at y toreth o ddeunydd a gyhoeddwyd eisoes am Burton.

Bachan o'r Cwm: 'David John Thomas (Afan Thomas), 1881-1928'. Cefais fwy o flas ar yr ysgrif hon, yn bennaf am ei bod yn ychwanegu at ein gwybodaeth – neu'n sicr at fy ngwybodaeth i – am awdur emyn-donau, a disgybl i Dr Joseph Parry. Mae *Bachan o'r Cwm* yn cofnodi hefyd y bwrlwm diwylliannol Cymreig oedd i'w gael mewn llefydd fel Cwmafan a Merthyr ar dro'r ganrif. Yn hanesyddol mae'r ysgrif hon yn un werthfawr. Yn llenyddol, fodd bynnag, ni ellir dweud yr un peth amdani.

Min y Llwchwr: 'Ivor Jones'. (Dim dyddiadau'r tro hwn.) Hon, ysgrif am flaen-asgellwr rygbi, yw'r orau o ddigon o dair ymdrech yr ymgeisydd hwn. Dros gyfnod o ddwy flynedd ar bymtheg chwaraeodd Ivor 522 o weithiau dros Lanelli gan sgorio 1349 o bwyntiau. Ar ôl cael ei adael allan o dîm Cymru yn 1930, dewiswyd ef i fynd ar daith efo'r Llewod i Seland Newydd ac Awstralia. Disgleiriodd. Mae'r modd y mae'r ysgrif hon yn cychwyn gyda darlun o Ivor Jones, ei ddyddiau rygbi drosodd, yn gyrru hen fenywod i'r cwrdd yn y Bynea yn ei Wolseley gwyrdd yn arddangos crebwyll llenyddol sy'n absennol o'r ddwy ysgrif arall. Diolch o galon iddo am gystadlu.

Jennifer: 'Alan J. Freed'. Pwy? Credais i gychwyn fod *Jennifer* yn tynnu coes y beirniad efo'i phortread o droellwr disgiau yn Efrog Newydd yn ystod y pumdegau a'r chwedegau cynnar. Swniai Alan J. Freed i mi fel rhyw gyfuniad-gwneud o Alan Freeman ac Alun Ffred. Ond, yn wir, yn wir canfûm fod neb llai na Chuck Berry yn *The Autobiography* (Faber and Faber, 1987) yn cadarnhau bron bopeth mae *Jennifer* yn ei ddweud am Alan J. Freed – a rhagor! Hefyd mae llun yn y gyfrol o Chuck ac Alan J. – lle mae arwr ein hysgrif yn edrych yn od o debyg i Alun Creunant Davies o'r Cyngor Llyfrau gynt.

Gwendid sylfaenol *Jennifer* ydy ei methiant i f'argyhoeddi bod Alan J. Freed o dras Cymreig. Mae hi'n cyfeirio ato fel, 'Y gŵr a ddisgrifir gan amlaf fel "mab i Iddew o Lithuania a Chymraes o blith y Bedyddwyr o Dde Cymru"'. Rydw i'n amheus o'r 'gan amlaf'. Yn sicr fe fyddwn i'n dawelach fy meddwl pe bai hi wedi nodi o leiaf un o'i ffynonellau. Ac nid yw brawddeg fel hon yn ennyn ffydd yng ngalluoedd ymchwiliadol *Jennifer*, 'Erys y J yn enw Alan J. Freed yn gymaint o ddirgelwch â'r L yn enw'r Athro Jac L. Williams'. Brawddeg drawiadol. Ond brawddeg wag. Prin ugain eiliad gymerodd hi imi edrych yn *Y Cydymaith* a chanfod mai Jac Lewis Williams oedd Jac L.

Enola: 'Vodka a Siocled'. Yn yr ysgrif bortread hon o Richard James Edwards – Richie o fand roc y Manic Street Preachers o'r Coed-duon, rydym ni'n cyrraedd tir uchel iawn. Diflannodd Richie yn Chwefror 1995. Daeth yr heddlu o hyd i'w gar yn y maes parcio ger Pont Hafren ond does neb yn gwybod hyd heddiw beth ddigwyddodd i Richie.

Mae'r modd mae *Enola*'n gwau'r ffeithiol a'r ffansïol, y dogfennol a'r dychmygol, y gwrthrychol a'r goddrychol yn wirioneddol feistrolgar. Byddai cylchgronau lliw y papurau trymion yn falch iawn o gyhoeddi gwaith o'r safon hwn. Dyma glamp o lenor-newyddiadurwr. A does dim llawer o'r rheini i'w cael yn Gymraeg bellach. Mae *Enola*'n enillydd gwir deilwng. Gan daer argymell bod yr ysgrif hon yn cael ei chyhoeddi yn y *Cyfansoddiadau a Beirniadaethau* ymataliaf rhag ymhelaethu.

Portread o unrhyw berfformiwr o dras Cymreig

VODKA A SIOCLED

Goa, India; ac mae'r llwch yn bla – rhyw dywod meddal, mân sy'n cael ei chwythu i'ch llygaid, ei sugno i'ch ffroenau a'i daenu drwy eich gwallt gan awel gynnes, drom. Does dim dianc, ddydd na nos; felly rhaid dioddef yn dawel.

Mae'r caffi yn llawn. Ymwelwyr gan fwyaf, yn flonegog binc a chwyslyd, yn sipian 'Coca-Cola Light' neu 'Kingfisher Beer' dan ymbaréls tila a gannwyd gan yr haul.

'Ah doont know! At least ya know what you're going ta get when ya goo to Tenerife, man! An' all this doost . . .!', ar dop ei llais mewn acen Geordie gref. Ar y bwrdd nesaf mae teulu o Indiaid yn daclus, drwsiadus fwyta eu cinio. Dydy'r plant lleol ddim yn eu plagio nhw.

'Give me money', fel tiwn gron. Llygaid mawr a dwylo bychain yn ymestyn yn ymbilgar, cyn dianc dan sgrechian fel haid o wylanod pan ddaw perchennog y caffi i'r golwg. Caffi cyffredin yn Goa, India. Plant a phobol, cardotwyr a chŵn – pob un yn cael ei fygu dan gawod arall o lwch pan fyddai'r bws lleol yn taranu heibio. Ac yn sydyn, mae e yma – yn sefyll o 'mlaen i. Rhaid ei fod e wedi cyrraedd ar y bws gyda'r giwed yna o hipis swnllyd sydd yr ochor arall i'r stryd. Mae'r dref yma'n llawn ohonyn nhw. Y gwersyll olaf ar ben draw eithaf 'Hippy Trail' y 60au. Cartref i fyddin hirwallt, flodeuog. Cododd rhai eu pebyll yma yn yr Oes Aur ac ymunodd eraill yn y rhengoedd i ddianc rhag y 'drafft', y 'dôl' neu'r 'Drefn'. A hwn, yn esgyrnog fregus a syfrdan yr olwg, wedi dianc yma rhag *anorexia, insomnia* a'r ofn o fod yn seren, yn arwr, yn llefarydd dros ei genhedlaeth.

Mae'n dod draw i rannu'r bwrdd â hanner-gwên swil ar ei wyneb. Mae ei wallt yn hir a'i groen yn llwyd ond does dim amheuaeth nad fe yw e. 'Methodone-glossy hair, that hungry jawline, the sparkle of destiny in the eyes . . .'; mae disgrifiad y *Melody Maker* ohono yn wir o hyd, er bod cyfandir o filltiroedd, a chanrif o amser, rhwng y pryd hwnnw a'r foment hon. Ac er bod y Richard James Edwards, sy'n eistedd yn ofalus ar ymyl y gadair gyferbyn â fi, yn edrych mor wahanol i'r Richey Manic fu'n llamu mewn lledr a *sequins* o flaen miloedd o addolwyr gwallgo does dim rhaid ifi roi fy mysedd ar y creithiau dwfn yn ei fraich, nac astudio'r *tattoo* 'Useless Generation' ar ei ysgwydd, i wybod mai hwn yw'r dyn a ddiflannodd o westy yn Llundain ar Chwefror y cyntaf 1995. Ac mae e am siarad:

'Roedd popeth yn gachu . . . roedd pethe wedi mynd i'r pen . . .', meddai mewn llais tawel a'r acen gynnes Gymreig i'w chlywed o hyd, '. . . ac ro'n i'n sâl. Do'n i ddim yn gallu bwyta, ddim yn gallu cysgu. Ro'n i'n byw ar vodka a siocled. Ces i fy ngeni mor bur, mor hapus – ond bryd hynny ro'n i'n greithiau i gyd. Roedd yn rhaid i fi dorri fy nghroen, a gwaedu, i dawelu'r sgrechian yn fy mhen'.

Stop! Stop nawr! Pwy ddiawl ydw i, i ddechrau rhoi geiriau yn ei geg?

Celwydd yw'r uchod i gyd. Nonsens! Breuddwyd! Ffilm ffantasi ramantus y bydd fy nychymyg yn ei rhedeg ar sgrîn fy ymennydd, dro ar ôl tro, rhwng cwsg ac effro. Ac nid fi yw'r unig un sy'n dychmygu ffeindio'r dyn. Ers iddo ddiflannu, dair blynedd yn ôl, bu'r sibrydion amdano yn lleng. 'Mae e yn Efrog Newydd.' 'Mae e'n cuddio mewn bwthyn yn sir Benfro.' 'Mae e mewn cysylltiad â'r band ac yn byw'n gyfforddus ar ei gyfran o'r enillion.' Mae pobol yn dal i adael cartref, diflannu, a mudo i'r Coed-duon, ac i Gasnewydd, yn y gobaith o ddod o hyd iddo. Wn i ddim yn iawn pam, ond mi wn i 'mod i'n cydymdeimlo â nhw.

Ond, cyn ymgolli yn y ffantasi, dyma'r ffeithiau:

Am ddeg diwrnod cyn diflannu bu Richey yn tynnu £200 y dydd o'i gyfrif banc. Ar Chwefror y cyntaf 1995, fe adawodd ei ystafell yn yr Embassy Hotel, Bayswater, Llundain am saith y bore. Yn ei ystafell, rhif 516, fe adawodd un ces wedi'i bacio, llyfr neu ddau, potelaid o'r cyffur gwrth-iselder Prozac a cherdyn, yn dweud, 'I Love You', i ferch bedair ar bymtheg oed o'r enw Jo. Yn fflat Richey yn y Coed-duon daeth ei dad o hyd i'w drwydded teithio, i bapurau oedd yn profi iddo fod yno ers gadael Llundain, a mwy o Prozac.

Wythnos ar ôl i'r teulu, a'r cwmni recordio, gyhoeddi'r newyddion am ddiflaniad Richey aeth Tony Hatherall, gyrrwr tacsi o Gasnewydd, at yr heddlu. Dywedodd iddo godi dyn ifanc o westy yn y dref ar Chwefror y seithfed. Tra'r oedd y dyn ifanc yn gorwedd ar y sêt gefn fe yrrodd i'r Coed-duon a Phontypŵl. Yna cafodd ei gyfarwyddo i droi'n ôl a gyrru at Bont Hafren, gan gadw at y lonydd cefn, ac osgoi pob priffordd. Roedd y gŵr ifanc yn ceisio celu ei acen Gymreig, ac roedd yn hirwallt. Rai diwrnodau cyn diflannu roedd Richey wedi siafio ei ben yn llwyr.

Ar Chwefror yr ail ar bymtheg daeth yr heddlu o hyd i gar Vauxhall Cavalier lliw arian Richey ym maes parcio Gwasanaethau Aust, ger Pont Hafren. Roedd y batri yn hollol fflat.

Mae'r ymchwiliad swyddogol i ddiflaniad Richey, dan ofal Ditectif Sargeant Stephen Morey o Heddlu Llundain, yn parhau. Mae'r ffeil, rhif 584C, ar agor o hyd.

A dyna ni. Dyna'r ffeithiau drosodd, a'r dyfalu yn dechrau.

Mae ei fam a'i dad a'i chwaer, Rachel, yn credu ei fod yn fyw. Mor ddiweddar â Chwefror 1998 fe ymddangosodd hysbyseb yn *Big Issue* yn gofyn i Richey gysylltu â nhw. Mae'r band hefyd yn credu ei fod yn dal ar dir y byw. Heb gorff mae yna obaith. ('Deep down, my gut feeling is that he's alive. But that's not based on any logical evidence. I just try to tell myself that he's done what he wanted to. Whatever that is.' Nicky Wire, *The Times*, Mai 1996.)

Ac mae miloedd o ddilynwyr sy'n credu ei fod yn fyw. Mae teimlad eu bod nhw angen iddo fe fod yn fyw – wedi goroesi. Am wythnosau wedi iddo ddiflannu roedd colofnau'r papurau cerddoriaeth yn llawn llythyrau gan gyd-ddioddefwyr iselder, *anorexia*, neu'r rhai oedd yn gyson dorri eu crwyn, yn erfyn arno roi gwybod iddynt ei fod yn saff. Roedd e'n arwr iddynt gan iddo fod mor gyhoeddus, mor onest yn y ffordd y deliodd gyda'i anhwylder. Yn ei ddatganiadau i'r wasg roedd e'n siarad dros genhedlaeth o gyd-ddioddefwyr, ac roedd geiriau ei ganeuon yn adrodd am deimladau na allen nhw mo'u mynegi. Afiechydon cudd yw *anorexia* ac iselder yn aml ond gwisgai Richey ei wendidau fel arfwisg o greithiau, a daeth yn arwr i'r rhai fu gynt yn cuddio yng nghysgodion eu poen.

Derbyniodd Richey ei addysg yn un o ysgolion cyfun cymoedd y de-ddwyrain – fel y gwnes i, rai blynyddoedd ynghynt. Yn fachgen yn ei arddegau fe ffurfiodd grŵp roc, fel fi, gyda rhai o'i ffrindiau agosaf. Aeth yn ei flaen i dderbyn gradd anrhydedd gan Brifysgol Cymru, Abertawe. Fe dderbyniais i fy ngradd o Goleg Aberystwyth. A dyna lle mae llwybrau ein bywydau yn gwahanu. Grŵp roc ffrindiau Richey oedd y Manic Street Preachers, grŵp a ffrwydrodd ar sîn roc Prydain, ar ddiwedd yr wythdegau, mewn corwynt o golur, gitârs a gwallgofrwydd.

Chwythodd gonestrwydd y Manic Street Preachers cynnar fel chwa o awyr iach trwy fyd ffuantus a hunan-bwysig *rock 'n roll.* Wnaethon nhw ddim ymdrech i guddio eu magwraeth Gymreig, a hynny mewn dyddiau pan nad oedd acen Gymreig hanner mor dderbyniol ag yw hi heddiw. Roedden nhw'n ymfalchïo yn eu haddysg, (Nicky Wire yn ogystal â Richey yn derbyn gradd anrhydedd o Brifysgol Abertawe), mewn cyfnod pan oedd 'iobyddiaeth' yr Happy Mondays yn llawer mwy poblogaidd. Fe gyhoeddon nhw agenda wleidyddol, ddosbarth gweithiol, yn glir ac yn groyw o'r dechrau mewn sloganau bras ar eu dillad a geiriau cignoeth yn eu caneuon. Roedd y wasg wrth ei bodd – pob cyfweliad gyda Richey a Nicky yn faniffesto. 'We are the scum that remind people of misery. We are the decaying flowers in the playgrounds of the rich. We are young, beautiful scum, pissed off with the world. Wipe out aristocracy now kill kill kill.' Roedd rhai newyddiadurwyr yn cyhoeddi yn fuan iawn mai dyma grŵp roc pwysicaf y degawd; eraill yn gwawdio, yn gwrthod credu eu bod o ddifri – tan noson Mai y pymthegfed, 1991. Dyma ddigwyddiad oedd yn drobwynt yn hanes y band – a hanes Richey Edwards yn arbennig.

Roedd y newyddiadurwr Steve Lamacq yn un o'r amheuwyr, ac yn defnyddio ei golofn yn yr *NME* i gwestiynu diffuantrwydd y band. Yn dilyn perfformiad digon di-nod yn Norwich, a chyfweliad digon tymhestlog gyda Lamacq, fe ofynnodd Richey iddo ei ddilyn i gefn y llwyfan. Yno, ar ôl treulio dros hanner awr yn ceisio perswadio'r newyddiadurwr fod rhethreg y band wedi ei seilio ar syniadau gwleidyddol cadarn, a'u bod yn fwy nag ymhonwyr i goron pync y Clash, fe dynnodd Richey lafn eillio o'i boced, a cherfio'r geiriau '4 REAL' yn ddwfn yn ei fraich. Safodd yno'n gwaedu'n dawel. Roedd Lamacq yn gegrwth. Tynnwyd llun o Richey'n gwaedu gan ffotograffydd yr *NME* – delwedd gofiadwy sydd wedi ei phlastro bellach ar bosteri a chrysau T.

Mae'r hyn a ddigwyddodd wedyn yn dweud llawer am Richey hefyd. Gwrthododd neidio'r ciw i dderbyn triniaeth frys yn yr ysbyty lleol a'r bore wedyn fe ffoniodd Steve Lamacq o'i westy i ymddiheuro am unrhyw anesmwythyd a achosodd. Roedd Richey yn cyfiawnhau ei weithred fel hyn, 'I didn't abuse him or insult him. I just cut myself. To show that we are no gimmick, that we are pissed off, that we're for real.' (*NME*).

Fe groesodd ein llwybrau unwaith, ac rydw i'n cofio'r achlysur yn dda. Adeg y Nadolig, 1992, oedd hi, ac ro'n i'n busnesu mewn stiwdio recordio yng Nghaerdydd. Trwy'r drws gwydr trwm fe welais i res o gitârs gwerthfawr: Rickenbacker, y Les Paul wen a'r Fender Telecaster Deluxe *blonde* ddaeth mor adnabyddus i fi wedyn, yn sefyll fel milwyr yn barod at eu gwaith. Daeth gŵr ifanc i mewn ac fe ddechreuodd sgwrsio'n gyfeillgar am yr offer. Wnes i mo'i nabod yn syth, ond o dipyn i beth, fe ddes i sylweddoli mai Sean Moore, drymiwr y Manics, oedd e. Ces i wahoddiad i ymweld â'r stiwdio eto pan fydden nhw'n recordio nesaf, neu fe allwn i aros am sbel nes bod gweddill y band yn cyrraedd. Wnes i ddim – ro'n i'n rhy ofnus. A nawr dw i'n difaru.

Datblygodd gyrfa y Manics o gam i gam, a hynny yn dilyn y digwyddiad yn Norwich, dan lifoleuadau sylw y wasg. Ond, yn y cysgodion y tu ôl i'r llenni, fe drawyd y grŵp gan drasiedïau a fyddai wedi arwain at ddiddymiad sawl band llai penderfynol. Y tristaf o'r rhain oedd brwydr hir ac aflwyddiannus Phillip Hall, eu rheolwr, yn erbyn canser. Teimlai pawb ei golli i'r byw, a Richey, yr un mwyaf sensitif a thawel o'r pedwar, yn fwy na neb. Ei ffordd e o ymdopi gyda phob poen meddwl oedd trwy'i greithio'i hun; mwyaf y poen dyfnaf y graith. Eglurodd, 'When I cut myself, I feel so much better. I'm not a person who can scream and shout, so this is my only outlet. It's all done very logically.'

Y trasiedïau personol, a'r poen oedd ynghlwm â nhw, oedd y tanwydd a yrrai ganeuon y Manics yn eu blaen. Byddai pawb yn ymuno yn y cyfansoddi, gyda James a Sean yn saernïo *riffs* pwerus i gyd-fynd â barddoniaeth astrus, gyhyrog Richey a Nicky, ond Richey oedd y meddyliwr – a'r prif gyfansoddwr. Dôi ei ysbrydoliaeth o'r hyn a welai'n digwydd o'i gwmpas, o'i hoffter o lenyddiaeth ac o'i broblemau dyrys ef ei hun. 'Generation Terrorists', 'Gold Against the Soul', 'The Holy Bible' – roedd y recordiau hir hyn yn llawn anthemau teimladwy; emynau poenus a rwygwyd o ddyfnderoedd dioddefaint Richard James Edwards. Roedd yna ganeuon am *anorexia* ('4st 7lbs'), am hunangreithio ('Die in the Summertime'), ac roedd hunanladdiad yn thema a gâi ei gwyntyllu trwy gydol gyrfa'r band. Y sengl gyntaf i'w rhyddhau oedd 'Suicide Alley'; 'Suicide is Painless' oedd y llwyddiant mawr cyntaf ac fe gyfansoddwyd sawl teyrnged i artistiaid a'u lladdodd eu hunain, fel Vincent Van Gough neu'r ffotograffydd rhyfel, Kevin Carter. Roedd yna ganeuon hollol orfoleddus hefyd, caneuon oedd yn codi'r galon ac yn gwneud i ysbryd dyn hedfan. Uchelfannau ac iselfannau – mae gwrando ar recordiau y Manics yn eu trefn fel dilyn hynt bywyd ei hun.

Yn eironig, y gred yw nad oedd Richey'n *manic depressive,* sy'n dilyn patrwm ymddygiad cyfnewidiol cyflym, yn profi uchelfannau emosiwn un funud ac iselder-ysbryd dwfn yn fuan iawn wedyn; ond yn hytrach roedd ei newidiadau ymddygiad yn fwy hir-dymor. Am rai misoedd byddai'n ymddangos yn hapus, yn ymarfer gyda'i gitâr, yn bwyta'n iach ac yn cadw'n heini. Yna byddai rhywbeth yn ei fwrw oddi ar ei echel, a Richey'n ymateb trwy fethu cysgu, yfed yn drwm a thorri ei groen. Pan fyddai'r cyfan yn mynd yn drech fe fyddai'n treulio cyfnodau byrion mewn ysbytai seiciatryddol. Ond gwyddai pawb nad cyffuriau na thawelyddion oedd yn mynd i'w achub. Cafodd ei gynnal gan Nicky, James a Sean, ei ffrindiau mynwesol ers eu dyddiau yn yr ysgol, ac yntau yn ad-dalu'r ddyled trwy gyflenwi'r toreth o farddoniaeth a'r geiriau caneuon digymar.

Er gwaethaf cefnogaeth y band, a sawl cwrs gwahanol o therapi meddygol, gwaethygu wnaeth cyflwr meddwl Richey. Yn ogystal â bwyta ac yfed a chysgu yn afreolaidd, dechreuodd ymddwyn mewn ffordd oedd yn peri pryder i'w ffrindiau a'i deulu. Datblygodd ei ddiddordeb mewn llenyddiaeth yn obsesiwn ac arferai ysgrifennu dyfyniadau o lyfrau ar ei ddillad a'i offer. Un o'i ffefrynnau oedd geiriau Shelley, 'When will you return to the glory of your prime? No more. Oh, never more!'

Arferai ysgrifennu'r gair 'LOVE' ar ei ddwylo, ac weithiau byddai'n diflannu am gyfnodau cyn ymddangos eto, yn welw a gwan ac yn greithiau i gyd. Ar y llwyfan, byddai llygaid pawb ar Richey. O bryd i'w gilydd byddai'n rhaid i'r band chwarae hebddo. Yn 1995 bu farw'r ci y bu'n gofalu amdano ers pedair blynedd ar ddeg. Eilliodd ei ben a dechreuodd wisgo dillad carcharor rhyfel. Prynodd anrheg yr un i Nicky, James a Sean. Ar Chwefror y cyntaf yr un flwyddyn gadawodd ei ystafell yn y Bayswater Hotel – a diflannodd.

Adeg y Nadolig ddwy flynedd yn ôl, chwe blynedd ar ôl cyfarfod â Sean Moore, es i weld y Manic Street Preachers yn chwarae'n fyw, fel grŵp o dri. Wrth i'r band ymddangos ces fy hudo tuag at ochor chwith y llwyfan, yr ochor lle'r arferai Richey sefyll; yr ochor oedd bellach yn wag. Efallai mai pŵer y perfformiad, neu'r profiad o glywed yr hen ganeuon, oedd yn gyfrifol ond ro'n i'n ymwybodol fod rhyw bresenoldeb yn dal i symud yn y gwagle dan y goleuadau lliw; rhyw ffigur bychan, tenau, yn hedfan i'r awyr gyda'i gitâr euraidd a'i golur du.

Dw i'n gobeithio y bydd ein llwybrau yn croesi rywbryd yn y dyfodol; dw i'n gobeithio y caf i'r cyfle i ddweud 'helo', ac ysgwyd ei law. Dw i'n gobeithio ei fod yn fyw, ac yn hapus, a'i fod wedi profi bod yr athronydd Jean-Paul Sartre yn dweud y gwir pan ddywedodd fod, 'bywyd yn dechrau y tu draw i anobaith'. A heno, wrth roi cusan 'nos da' i'r plant, fe fydda i'n dweud gymaint o weddi ag y galla i fod Richey Edwards ei hun yn cysgu'n gynnes a thawel – yn Goa, India, yn Efrog Newydd, yn y Coed-duon – ym mha le bynnag y llwyddodd i ddianc rhag ei boen.

Enola

Pedair sgwrs fer ar batrwm 'Munud i Feddwl'.

BEIRNIADAETH JOHN ROBERTS

Nid pregeth dau funud yw 'Munud i'w Feddwl', na'i olynydd ar Radio Cymru, 'Dweud ei Ddweud', ond cyfle i'r awdur/darlledydd herio, pryfocio, neu ysgogi'r gwrandawr i feddwl mewn ffordd wahanol. Mae'n dasg anodd a bagl yn rhwystro bob cam o'r ffordd. Mae'n rhwydd troi at ystrydebu arwynebol sydd yn gwneud dim ond diflasu'r gynulleidfa. Ar y llaw arall, mae modd doethinebu'n rhwysgfawr a thrin y gynulleidfa fel haid o bennau rwdins fydd yn dewis anwybyddu'r darlledydd am fod mor nawddoglyd. Ychwanegwch wedyn y perygl o ddweud gormod, clwy nid anghyffredin ym mhulpudau Cymru. Gellir hefyd dybio fod rhaid cyflwyno neges, tanlinellu'r neges ac yna gyrru'r maen i'r wal ag un ergyd ysgytwol arall, digon i beri i unrhyw wrandawr diniwed dagu ar ei uwd am bum munud ar hugain wedi saith. Cam gwag arall yw cymryd yn ganiataol fod gan y gynulleidfa ddiddordeb mewn crefydd, ac o ystyried mai un o bob deg o'r boblogaeth sy'n mynychu oedfa o unrhyw fath, ofer yw casgliad o'r fath. Rhaid i'r sgript ennill ei chynulleidfa a'i chadw hyd y diwedd. Mae'r deg eiliad cyntaf yn ddigon i beri i rywun wrando neu beidio â gwrando. Amcan y cynnwys yw dangos meddwl sydd yn effro i'r hyn sy'n digwydd yn y byd mawr o'n cwmpas ni, a meddwl sy'n dadansoddi'r hyn sy'n digwydd mewn dull sy'n ysgwyd mymryn ar feddwl ac enaid y sawl sy'n gwrando a hynny yn arwain at bwyso a mesur ei agwedd sylfaenol.

Mae arddull y sgript yn bwysig. Nid amser i hollti blew athronyddol na diwinyddol yw hanner awr wedi saith yn y bore. A chan mai pwt dau funud o fewn y 'Post Cyntaf', sef rhaglen newyddion yw 'Dweud ei Ddweud' (ac oedd 'Munud i Feddwl') rhaid i'r arddull fod yn uniongyrchol ac yn ddiwastraff, a'r eirfa yn ddifyr a bywiog. Nid dyma'r lle na'r amser i adfer lle iaith ysgrythurol ar donfeddi radio . . . diau mai ofer yng ngolwg llaweroedd fyddai ymdrechion parthed hyn! Yn aml mae cyfuno'r dwys a'r doniol yn llwyddo i gydio yn nychymyg y gwrandawyr, yn enwedig gan fod cymaint o bobl yn cysylltu crefydd gyda'r dwys ddifrifol, neu'r dwrdio parhaus. Anghenraid arall yw ysgrifennu sgript fydd yn cymryd dau funud i'w chyflwyno a dim mwy. Mae amseru gofalus yn hanfodol i lif rhaglen fel 'Post Cyntaf'. Dyna pam mai gwaith anodd yw beirniadu sgriptiau fel hyn oherwydd, heb eu cyflwyno ar lafar, cyfansoddiadau anghyflawn ydyn nhw. Mae arddull y cyflwyno, tôn llais y cyflwynydd a llif naturiol y llefaru yn cyfrannu llawer iawn at y sgript yn ei chyflawnder.

Daeth pedwar ar ddeg o gystadleuwyr i'r talwrn, hanner cant a chwech o sgriptiau felly; ond yn anffodus roedd nifer helaeth yn dangos mai prin iawn oedd y gwrando ar y rhaglen fel y mae hi heddiw. Roedd amryw wedi cyflwyno sgriptiau ar gyfer pedwar diwrnod olynol, (wythnos bedwar diwrnod felly!) pan fyddai gwrandawr cyson yn gwybod mai un sgript yr wythnos am fis yw'r gofyn. Diffyg sylfaenol arall oedd bod hyd y pedair sgript ym amrywio yn arw iawn. Dylid cofio bod amseru unrhyw gyfraniad yn hanfodol, ac na ellir cynnig sgript sydd yn ddau funud heddiw ac yn bedwar munud yfory fel y gwna naw o'r cystadleuwyr.

Siân, John Bunyan, Tic Toc, Minorca a *Geraint* yw'r unig rai sy'n dangos cysondeb o ran hyd y sgriptiau.

Ond i roi sylw i'r cynnwys, tuedd y mwyafrif llethol yw cyfarch cynulleidfa o grefyddwyr. Ceir cyfres o bregethau bach neu eglurebau'r pulpud gan: *Y Teithiwr, Mr Fordham, Little Horsted, Hamddenwr, Mor Gan, John Bunyan, Siân, Merch y Berwyn, Minorca* a *Trebor.* Mae *Hamddenwr* yn enghraifft glir o'r eglurebau pregethu. Mae'n dechrau trwy sôn am Marconi yn trosglwyddo neges delegraff cyn troi'r cyfan yn eglureb:

> Os digwyddodd hynny ganrif yn ôl, fe gofiwn am neges a anfonwyd allan o'r orsaf nefol ganrifoedd ynghynt i'r byd cyntefig, a llwyddodd rhai i diwnio i mewn ac ymateb i neges Duw.

Tuedd arall y math yma o sgript yw tybio mai'r bwriad yw annog gwrandawyr i ailafael mewn ffydd sydd ychydig yn wantan. Meddai *Little Horsted*:

> Bydd barod gyfaill, i aros tan godiad yr haul a'r Iesu yn weladwy yn Ei harddwch. Gweddïwn felly am brofiad y disgyblion . . .

Prin y dylid cymryd ffydd y gynulleidfa yn ganiataol ychwaith:

> Ymfalchïwn heddiw ein bod ninnau . . . yn syrjeri unigryw y Meddyg Mawr . . .

Mae'r cwestiwn rhethregol yn bla yn y sgriptiau, mae hi'n 'Onid hyn . . .' ac yn 'Onid y llall . . .' yn barhaus. Modd rhwydd o gymhwyso neges a cheisio herio cynulleidfa yw'r cwestiynau wrth gwrs, ond mae amryw yn creu argraff hynod nawddoglyd ac oherwydd hynny yn galw am ymateb coeglyd gan y gwrandawr. Nid dyna'r ffordd orau o herio gwrandawr, dybiwn i.

Mae ambell sgript yn rhagori o ychydig, eiddo *Trebor, Geraint, Ynys y Brawd, Gwyrfai* a *Tic Toc* a rhyw ddwy o sgriptiau *Siân.* Mae'r rhain yn rhagori yn bennaf am fod yma ymgais i greu darluniau sy'n diddanu'r gynulleidfa gyfan, nid carfan fechan yn unig. Mae gan y chwech well crebwyll ar anghenion radio yn ystod cyfnod prysur o'r bore pan ddarlledir 'Dweud ei Ddweud', ac y maent ar y cyfan yn osgoi pregethu at eu cynulleidfa. Ond y mae i hynny ei beryglon hefyd, a bod yn amwys yw'r perygl mwyaf amlwg, yn enwedig yn y geiriau clo; mae hynny yn sicr yn wir am ddwy sgript gan *Tic Toc,* 'Cyfarch' a 'Pen-blwydd'. Ar y llaw arall, erys y perygl hefyd o droi straeon a darluniau yn ddamhegion ac yn alegorïau, *Trebor* er enghraifft yn defnyddio'r geiriau, 'Yn yr un modd . . .' mewn dwy o'i sgriptiau er mwyn camu o'r llun i'r neges. Y grefft yw plethu'r naill a'r llall. Gwendid penna *Ynys y Brawd* wedyn yw ei or-hoffter o farddoniaeth, a'r duedd i ddisgwyl i farddoniaeth (Saesneg) grynhoi ei neges a danfon yr ergyd hanfodol. Ond roedd ei sgript am Torcello ymhlith y cryfaf yn y gystadleuaeth. Mae'n disgrifio'i hun yn dianc o ganol godidowgrwydd Fenis i weld symlder dirodres cwch, pysgotwr ac eglwys yn Torcello. Heb ddweud dim yn uniongyrchol y mae'n pwysleisio'r angen am ddianc i le tawel, cael hoe i fyfyrio cyn dychwelyd i brysurdeb byw. Nid oes amheuaeth nad oes gan *Gwyrfai* lygad dda am ddarlun ar gyfer radio. Mae ei ddisgrifiad o gynfas wen ar lein ddillad yn cael ei ddefnyddio i alw rhywun i ginio yn hamddenol a difyr. Ond nid yw'r cymhwysiad yn taro deuddeg; prin fod pwysleisio cymdogaeth dda ac yna ychwanegu:

> Mewn byd o ruthr byrbwyll, dyma, heb os funud i'w sawru ac awr i'w chofleidio

yn ddigonol. Mae'r safon yn amrywiol iawn. *Yr hen gragen* ac *Y Gynfas Wen* yn ymdrechion digon taclus, tra bod *Wagenni Penmaen-mawr* yn ddiddatblygiad ac *I dot* yn hynod o anneglur. Y mae *Geraint* yn cyson chwilio am lun newydd i'w bortreadu, ond canlyniad hynny yw bod y sgript yn tueddu i sboncian o un peth i'r llall. Er enghraifft, y mae'r sgript gyntaf yn sôn am brofiad yn chwarae hoci yn yr ysgol, carcharor beichiog yn cael ei gadwyno i'r gwely, llawdriniaeth y Fam Frenhines a pheiriant Twm Tati Bei ar raglen Geraint Lloyd ar Radio Cymru. Mae dywediad am ormod o bwdin a rhyw gi os cofia i yn iawn. Ond y mae *Geraint* yn tueddu hefyd i gyfarch cynulleidfa gapelyddol, e.e.:

> Wnaiff y capel ddim disgyn os na fyddwn ni yno bob Sul . . . Beth am i ni weithiau fynd yn dorf gyda'n gilydd . . .

Pwy yn union yw'r 'ni' bodigrybwyll yma, felly?

Siomedig oedd y gystadleuaeth felly, er bod cymaint yn cystadlu. Prin yw'r crebwyll a ddangosir am anghenion radio, yn enwedig yng nghanol oriau brig, a phrin iawn fod yr un o'r sgriptiau yn cyflawni'r dasg sylfaenol o ddiddanu a herio meddwl y gwrandawyr, o gadw diddordeb a rhoi proc i'r enaid. Y mae rhai o'r goreuon yn dangos peth addewid, ond gyda thristwch rhaid cydnabod nad oes neb yn deilwng o'r wobr gyfan; felly rhaid yw atal y wobr.

Erthygl ar emynau'r Parchedig W. Rhys Nicholas

BEIRNIADAETH W. I. CYNWIL WILLIAMS

O ystyried ein bod yn gweld cyhoeddi llyfrau emynau newydd yn aml, ac addewid yn y gwynt bod casgliad o emynau i'r holl enwadau i ymddangos reit yn nechrau'r ganrif nesaf, ac o gofio hefyd bod cymaint yn ymddiddori mewn emynau a chymanfaoedd canu yng Nghymru o hyd, siom oedd gorfod bodloni ar dderbyn un erthygl yn unig. Roedd y Parchedig W. Rhys Nicholas, Cymrawd yr Eisteddfod a chymwynaswr mawr diwylliant, crefydd a llên ym Mro Ogwr, yn un o'r rhai a fu'n braenaru'r tir i dderbyn yr Ŵyl eleni, ond fel rhai o'i gyfeillion, ni chafodd fyw i'w gweld yn y cylch a wasanaethodd mor ffyddlon. Gwelodd Adran Llenyddiaeth ei chyfle i'w goffáu trwy gynnwys y gystadleuaeth hon. Bu'r ymateb i'w bwriad anrhydeddus yn siomedig. Dim on *Ben* sydd wedi cystadlu.

Mae traddodiad hir yn yr Eglwys o gyfansoddi ac o ganu emynau. Digon yma yw dyfynnu o *Hanes yr Eglwys,* llyfr Eusebius o'r bedwaredd ganrif, a'i gyfeiriad at yr, 'holl Salmau a'r Emynau a ysgrifennwyd o'r cychwyn cyntaf gan frodyr ffyddlon sy'n canu am Grist fel Gair Duw, gan ei gyfarch fel Duw'. Dyma awgrymu'n gynnar beth yw pwrpas emyn a beth ddylai ei gynnwys fod. Ei nod yw rhoi cyfle i bawb mewn cynulleidfa o addolwyr gymryd rhan yn yr addoliad. Ac mae emyn da yn hoelio'r athrawiaethau mawr ar y galon, yn selio argyhoedd-iadau'r genadwri a draddodwyd ac yn deffro'r gydwybod i ddirnad gobaith a gwae pobl y byd i gyd.

Cyflwynodd y Parchedig W. Rhys Nicholas lawer o'i syniadau, rhai go bendant, am swyddogaeth yr emynydd, ac adroddodd ar lafar ac ar bapur hanes esgor ei emynau poblogaidd. Roedd yn effro i'r newid mawr a ddaeth i lesteirio'n bywyd ysbrydol, ac fel gweinidog, gwyddai am y datblygiadau a welwyd yn y byd diwinyddol yn ail hanner y ganrif hon. A chadwodd mewn cof gyngor John Wesley i'w frawd Charles, perganiedydd Lloegr, ar iddo gadw un llygad ar yr Eglwys a'r llall ar Dduw. Ysbrydoledd ymarferol i gredinwyr yn nyddiau'r gwacter ystyr sydd yn ei emynau, ac adlewyrchu dwys ar gynnwys y ffydd er mwyn grymuso'r athraw-iaethau a chynnal defosiwn y gweddill.

Mae gan *Ben* ddirnadaeth dda o bwrpas emyn ac mae'n amlwg yn byw'n agos iawn at y pethe ac yn pori'n rhwydd yn y meysydd llenyddol, diwinyddol ac athronyddol. Rwyf o'r farn mai gweinidog ydyw, ac fel llawer ohonom sy'n fugeiliaid, dan orfod i ddarllen yma a thraw, heb fynd i ddyfnder mawr. A dyma, efallai gymhwyster i erthyglu! Ond cymhwyster sy'n mynd â rhai i amwysedd arwynebol.

Ond mae *Ben* yn gyfarwydd iawn â'r emynau a gyfansoddwyd gan W. Rhys Nicholas, ac wedi cyflwyno gwaith glân gyda phedwar dwsin o gyfeiriadau, nifer ohonynt at ddyfyniadau, rhai'n bwrpasol, eraill yn ddianghenraid. Go brin bod angen iddo ddyfynnu adnodau er mwyn profi bod yr emynydd o Borthcawl yn ddibynnol ar ei Feibl!

Daw'n fuan iawn at emyn poblogaidd gwrthrych ei erthygl, sef 'Tydi a wnaeth y wyrth . . .', a dal ato'n rhy hir, yn fy marn i. Ond, mae 'erthygl' yn hawlio lle i'r 'poblogaidd'. Adroddai awdur yr emyn hwn hanes ei greu yn aml, a gwna *Ben* hynny'n gynnil. Nid yw'r un cynildeb ar gael pan ddaw at gynnwys yr emyn, ac mae rhai o'r paragraffau'n darllen fel pytiau o bregethau. Ond rhwng y pytiau hyn, daw ei ddiwylliant a'i wybodaeth gyffredinol i'w arbed rhag llithro i ddiflastod. Daw ambell frawddeg i godi gobeithion y darllenydd fel, 'Ni lwyddodd neb yn well na Rhys Nicholas i gyfansoddi emynau ar gyfer ein hoes ni'. Mae ganddo'r ddawn i ailennyn diddordeb ei ddarllenydd. Dyma'i gryfder. Mae wedi deall cyfrinach yr erthygl lwyddiannus, ac mae'n gwybod beth yw emyn, a gall ysgrifennu'n hamddenol.

Trafod emynau'r Parchedig W. Rhys Nicholas yn ôl trefn eu poblogrwydd a wna *Ben,* ac mae'n sicr bod 'Y Cyfoeth gorau' yn ail i 'Tydi a wnaeth y wyrth . . .', ond mae'r cynllun hwn sy'n atgoffa rhywun o'r rhaglen 'Top of the Pops' yn anfoddhaol, ac mae'n gorfod ei ollwng ar ôl rhai tudalennau, a dilyn trywydd rhai o allweddeiriau ac allweddsyniadau'r emynydd. Erbyn diwedd yr erthygl, mae'n delio ag emynau *Cerddi Mawl* a *Cerdd a Charol*, trwy'u cysylltu â gwyliau mawr yr Eglwys. Trueni na fyddai wedi mabwysiadu'r cynllun hwn trwy'i erthygl, neu wedi ystyried emynau'r Parchedig W. Rhys Nicholas yng ngoleuni'r athrawiaethau sy'n eu cynnal. Petai wedi cynllunio'i erthygl yn fwy gofalus, byddai wedi osgoi'r demtasiwn o ddilyn sawl ysgyfarnog.

Yn sicr, mae i'r erthygl hon ei gwendidau a'i chryfderau. Mae llawer o waith ymchwil tu ôl iddi, ac ymgais i dafoli'n ddiddorol gyfraniad cyfoethog cynrychiolydd emynwyr Bro Morgannwg yn ein dyddiau ni. Os yw *Ben* am ei chyhoeddi yn un o'n cylchgronau, bydd yn rhaid iddo'i chynllunio'n well, chwynnu tipyn arni, a dileu rhai o'r brychau iaith, fel y gallai'r diweddar W. Rhys Nicholas ei wneud â'i bensil miniog. Yn y cyfamser, rhodder iddo'i wobr am ei lafur, ac am gychwyn trafodaeth ar gyfraniad un a gyfoethogodd addoliad Cymru yn ail hanner yr ugeinfed ganrif.

Tywys-daith yn ymweld â thafarndai diddorol unrhyw fro yng Nghymru

BEIRNIADAETH ALED SAMUEL

Pub-crawl oedd hyn i bob pwrpas a chan fy mod i wedi profi sawl un o'r rheiny, roeddwn i'n cynhesu at y syniad o feirniadu'r gystadleuaeth hon. Roeddwn i eisoes wedi penderfynu peidio â thynnu marciau oddi ar gystadleuydd am ei fod yn esgeulus ynghylch ffeithiau nawr ac yn y man o gofio y byddai'r gallu i gofnodi'r hyn sy'n berthnasol yn sicr o bylu wrth i'r daith fynd yn ei blaen o dafarn i dafarn. Siomedig felly oedd sylweddoli nad oedd neb wedi gweld yr un potensial ag a welais i yn y gystadleuaeth hon a chael gwybod mai dim ond un cynnig a ddaeth i law, er bod un yn ddigon i ennill gwobr. Dyma air byr amdano.

Yr helciwr bychan: Mae'n rhaid canmol yr ymgeisydd am ei ddycnwch. Mae ei daith yn ein tywys i holl dafarndai'r ffordd o Fetws Garmon, drwy Ryd-ddu a Beddgelert, i Benygwryd. Anghyson yw'r gwaith o achos, er ei fod yn cynnwys nifer o ffeithiau diddorol am rai o'r tafarndai, nid yw'n cynnwys fawr ddim am rai eraill – dim ond cyfeirio at y tâl a godir am wely a brecwast a rhoi rhestr o'r cyn-berchnogion. Mae ambell sefydliad yn cael ei gynnwys er gwaetha'r ffaith nad tafarn yw'r lle mwyach ond tŷ preifat. Gan mai tywys-daith o gwmpas tafarndai y gofynnwyd amdano, os nad ydynt yn cwympo i'r naill gategori na'r llall, hynny yw, yn hanesyddol neu yn dafarn, hwyrach na ddylid bod wedi eu cynnwys. Yn aml cawn restrau o ffeithiau moel am staff y gwestyau yma dros y canrifoedd; sy'n f'atgoffa am y llyfr ffôn ag iddo dudalennau melyn. Does dim llawer o bobl sy'n cael hwnnw'n ddiddorol. Byddai'n well pe bai *Yr helciwr bychan* wedi gwau'r holl wybodaeth i'w gilydd i lunio rhyw fath o hanes cyflawn ac anghofio am y prisiau presennol a'r math arbennig o gwrw a werthir ym mhob tafarn.

Mae yn y gwaith nifer o luniau; rhai a dynnwyd gan yr ymgeisydd ei hun, a rhai a gasglwyd o amryw ffynonellau eraill, sy'n peri i'r cyfan edrych fel llyfr lloffion, ond parodd dyfnder y gwaith ymchwil a brwdfrydedd amlwg y casglwr syndod i mi ar adegau. Mae'n rhaid ei fod wedi treulio oriau'n rhoi'r gwaith wrth ei gilydd a chael blas ar fyseddu trwy'r hen ddogfennau. Mae arddull yr ysgrifennu'n gynnes, os braidd yn henffasiwn ar adegau, a chefais lawer o bleser wrth ddarllen. Yn anffodus, nid yw'r ymgais yn taro deuddeg fel cyfanwaith. Nid yw'n dywys-daith hanesyddol nac yn gofnod personol pur, eithr yn gymysgiad o'r ddau, ac oherwydd hyn hwyrach y dylwn atal y wobr. Ond rhaid ystyried yr ymdrech sydd yma, a'r amser a aeth i roi'r cant a hanner o dudalennau wrth ei gilydd. Felly, am iddo fy nghyflwyno i gymeriadau lliwgar megis Collwyn ap Tango ac Osbwrn Wyddel, dyfarnaf y wobr iddo gan ddweud wrtho bod ganddo le i wella.

Dyddiadur dychymygol dros wythnos yr Eisteddfod

BEIRNIADAETH ELERI LLEWELLYN MORRIS

Saith cynnig a ddaeth i law. Trafodaf hwy yn y drefn y'u derbyniwyd.

Llugwy: Cafodd *Llugwy* syniad da ar gyfer ei ddyddiadur. Fel arfer mae wrth ei fodd yn treulio wythnos yn yr Eisteddfod – ond eleni mae pethau'n wahanol. Dyma'r Eisteddfod gyntaf iddo fynd iddi wedi i'w wraig ac ef wahanu. Felly mae rhai o'i ffrindiau a'i gydnabod yn ansicr sut i ymateb iddo – yn enwedig ar ôl i'w gariad ymuno ag ef ar ddiwedd yr wythnos – ac mae yntau'n teimlo'n chwithig gyda hwythau. Gwêl berthynas yng nghyfraith iddo'n ennill cystadleuaeth yn y pafiliwn, 'ond es i ddim draw i longyfarch – dydan ni ddim mor agos â hynny, a rydan ni'n bellach rŵan'. Llwyddodd *Llugwy* i blethu ei sefyllfa bersonol â digwyddiadau'r Eisteddfod yn ddeheuig iawn gan fachu'r cyfle i wneud amryw o sylwadau treiddgar, crafog arnom fel cenedl. Mae'r iaith yn lân ac yn idiomatig a'r arddull bytiog yn berffaith ar gyfer dyddiadur. Yn sicr, dyma un o oreuon y gystadleuaeth.

Gwenda: Gweithio i'r Bos yn Swyddfa'r Eisteddfod y mae *Gwenda.* O'r frawddeg gyntaf cefais flas ar ddarllen ei gwaith, a'i hiwmor. Dyddiadur sgwrslyd, hwyliog, difyr ydy hwn ac, er bod angen twtio mymryn arno yma ac acw, fedrwn i mo'i roi i lawr nes i mi ei orffen. Mae *Gwenda*'n ysgrifenwraig ac yn ddiddanwraig reddfol. Ganddi cawn gip ffraeth ar yr Eisteddfod a rhai o'r cymeriadau sy'n ei mynychu: weithiau mae hi'n ei deud hi; weithiau mae hi'n rhoi pwnc i ni gnoi cil arno – ond bob amser mae'n gofalu ei bod yn ein difyrru. Hoffais hefyd y ffordd y mae'r garwriaeth rhyngddi hi a'i chyd-weithiwr, Deiniol, yn egino'n gynnil. I roi blas i chi o waith *Gwenda,* dyma ddwy o'i chyffelybiaethau, '. . . pan agorodd y drws a'r Cyril [y Maer piwis] yn tywallt allan fel Rhaeadr y Mochnant'; '. . . a gweddillion yr hen leuad yn hongian fel pliciad croen oren yn yr awyr'. Pleser oedd darllen hwn.

Min y môr: Un o Gymry Llundain sy'n dod i dreulio wythnos yn Eisteddfod Bro Ogwr ydy *Min y môr.* Gall sgrifennu'n dda mewn iaith sy'n gywir ar y cyfan, gan wneud ambell sylw bachog. Wrth sôn am gynulleidfa oedfa'r Eisteddfod, meddai, 'O ble y daethant i gyd? Od o beth yw gallu'r teledu i droi dynion yn grefyddwyr selog'. Ar adegau, mae *Min y môr* fel pe bai'n anghofio mai dyddiadur y mae'n ei sgrifennu ac yn cyfarch ei ddarllenydd, 'Peidiwch â dweud wrth Harri cofiwch'; ond ei fai pennaf yw nad yw'n ddigon ymwybodol o'i ddarllenydd. Byddai'r dyddiadur hwn – sy'n cofnodi'r hyn a wnaeth a'r sawl a welodd yn yr Eisteddfod – yn ddifyr iddo ef ei ddarllen yn ddiweddarach, ond mae angen mwy na hynny i'w wneud yn ddiddorol i rywun arall. Gallai cael stori bersonol i gydredeg â digwyddiadau'r Eisteddfod, fel y gwnaeth *Llugwy*, er enghraifft, roi mwy o ysgogiad i rywun ddarllen ymlaen.

Charles: Mae ôl llawer o waith caled ar ddyddiadur swmpus, deg ar hugain tudalen *Charles.* Gall yntau sgrifennu'n dda, gan ddefnyddio trosiadau effeithiol; gall fod yn ddoniol, ac mae ganddo farn bendant ar sawl pwnc. Yn anffodus, mae un bai yn amharu ar ei waith – a hynny ydy diffyg cynildeb. Pe bai'n llai hirwyntog ac amleiriog, yn ymatal rhag ailadrodd ac yn hepgor manylion dianghenraid, byddai ei ddyddiadur yn anadlu yn llawer gwell. Cofiwch, *Charles,* nad ydy rhes o ansoddeiriau o angenrheidrwydd mor rymus ag un ansoddair dethol, a'i bod yn bosib dweud mwy trwy ddweud llai. Ar ben hyn, dydy'r arddull dra ffurfiol ('Codasom, a myned i ginio') ddim yn addas ar gyfer dyddiadur. Gymaint cryfach ydy'r mynegiant pan fentra *Charles* ymlacio dipyn a bod yn fwy cryno, 'Croesawyd ni gan ŵr bonheddig . . . yn gwisgo siwt ddu ac acen fenthyg Gymreig – y naill yn ei ffitio a'r llall ddim'.

Steddfodwr: Yn y dyfodol y mae *Steddfodwr* wedi gosod ei ddyddiadur ef: 2008 ydy'r flwyddyn, â'r Eisteddfod yng Nghaerdydd. Mae'r dyddiadur yn dechrau ac yn gorffen ar un o Drenau y Ddraig (eiddo Richard Branson) wedi i'r trên hwnnw dorri yng nghanol y wlad. Rhwng y ddwy daith mae'r awdur, sef Daniel Wyn, dwy ar bymtheg oed, yn cael sawl antur yn y brifddinas ac yn eu cofnodi mewn dyddiadur sy'n darllen yn llithrig ac yn llawn hiwmor a hwyl. Dau beth yn unig sy'n fy mlino i ynglŷn â hwn; mae'n ymddangos mai un o draed Daniel yn unig sydd yn y flwyddyn 2008, tra bo'r llall yn dal yn 1998. Un funud, gallwn ddychmygu ein bod yn y dyfodol, 'Ydi, mae'n swyddogol. Mae'r tywydd 'ma wedi mynd yn hollol dw-lal. Y thermomedr o fewn trwch diferyn o chwys i gyrraedd 36°C', ond personoliaethau heddiw sy'n britho'r tudalennau, e.e. mae William Hague yn dal i fod yn arweinydd yr wrthblaid! Yn ail, mae tuedd i'r iaith fynd yn sathredig a Seisnigaidd ei hidiomau. Fel arall, canmoladwy iawn.

Aled: Mae Daniel Wyn, dwy ar bymtheg oed, yn hen o'i gymharu â'r dyddiadurwr nesaf, sef Peredur Rhys, 18¾ mis oed. Mae cryn botensial yn y syniad o edrych ar yr Eisteddfod trwy lygaid babi, wrth gwrs, ac i raddau llwyddodd *Aled* i wireddu hynny. Yn sicr, ysgrifennodd ddyddiadur darllenadwy a doniol iawn. Ond babi go ryfedd ydy Peredur Rhys. Er iddo nodi fwy nag unwaith na all siarad, mae ganddo eirfa oedolyn dysgedig. A sôn am fabi gwybodus! Gŵyr hwn am Telford a Freud, a gall ddyfynnu Waldo! Gŵyr am bolisi Cyfleoedd Cyfartal a grantiau'r WDA. Byddai'n well pe bai *Aled* wedi cadw Peredur Rhys yn gyson anwybodus, gan ddangos pa mor wallgof yr ymddengys yr oedolion a'r Eisteddfod iddo yn y cyflwr hwnnw. Eto, mae'n llenor addawol. Dyma bwt o'i waith, 'Ymhyfrydai [Dad] yn y ffaith bod modd ffonio Amlwch [gyda'r ffôn symudol] pe safai ar un goes ar ben to'r garafán. Mae'n biti nad ydym yn nabod neb yn Amlwch'.

Gwern: Gŵr canol oed sy'n treulio wythnos yn Eisteddfod y Bala ydy awdur dyddiadur *Gwern*. Bu'n pendroni'n arw ynglŷn â mynd neu beidio ond yna mae'n, '. . . cofio ambell i noson dda a fu, yn anghofio'r degau o nosweithiau gwael, ac yn pacio llond wythnos o obeithion i fag lledar neu ddau'. Difaru y mae o erbyn diwedd yr wythnos, fodd bynnag! Mae *Gwern* yn llenor medrus; gall ysgrifennu'n gynnil, awgrymog, gan gyfleu llawer mewn ychydig eiriau; gall chwarae'n glyfar ar eiriau ac mae'r iaith yn gymen iawn. Nid yw heb hiwmor chwaith, ond mae rhywfaint o dristwch – a thinc o chwerwder, hyd yn oed – ar dudalennau'r dyddiadur hwn. Gwêl ei hun yn mynd yn hŷn a siom sy'n ei ddisgwyl yn y Babell Lên pan ddyfernir mai i'r ail ddosbarth y perthyn ei ddau gynnig. 'A phan ddarllenwyd y gerdd rydd fuddugol roeddwn i'n gwybod mai aelod o'r ail ddosbarth oedd y beirniad eleni, hefyd', meddai!

Nid ceisio chwilio am eiriau caredig i gloi rydw i wrth ddweud nad oedd yna'r un cynnig sâl yn y gystadleuaeth. Fe welwch o'r sylwadau uchod bod ynddi rai da, rhai gwell, a rhai gwell wedyn – ond yr orau, i mi, oedd *Gwenda*. Mae'n wir nad ydy hi mor gynnil nac mor loyw ei hiaith â *Llugwy* a *Gwern* a bod cryn ôl brys ar ei chopi, ond teimlaf mai ei dyddiadur hi sydd ar y brig oherwydd y bywiogrwydd a'r sbarc sydd ynddo. *Gwenda* biau'r wobr ond sylweddolaf fod ei dyddiadur yn faith iawn. Eto i gyd hyderaf y gwêl y golygydd yn dda ei gynnwys yn y *Cyfansoddiadau a Beirniadaethau.*

Dyddiadur wythnos yr eisteddfod

HWYR NOS SADWRN

Rydw i'n sgwennu hwn yn fy mhyjamas. Ydi, mae hi'n amser gwely, a blino neu beidio, rhaid llenwi'r dudalen wag yma. Pam? Wn i ddim – i gael chwythu stêm, debyg.

Roedd y Bos mewn hwyliau diawledig bore 'ma. Wedi siarsio'r staff ddoe i fod yn brydlon, bod yn y Swyddfa erbyn hanner awr wedi wyth fan bella. 'Os na fedrwn *ni* fod yn brydlon ar ddiwrnod cynta'r Eisteddfod, sut mae disgwyl i bobol ein cymryd ni o ddifri.' Ac yn y blaen ac yn y blaen.

Dim ond newydd droi chwarter i naw oedd hi pan gyrhaeddis i'r bore 'ma, ond roedd O yno, mwyn tad, a dyma bryd o dafod a f'atgoffa o bethau fel 'dyletswydd' a 'chyfrifoldeb' a wn i ddim be arall. Tydi o ddim yn cofio'n bod ni wedi bod wrthi tan hwyr y nos ers dyddiau? A mae hyd yn oed rhywun fel fi yn blino. O wel, dw i'n gweld wythnos hir, hir o 'mlaen. Hir a diflas.

'Paid a chymryd atat,' meddai Elsi. 'Tria gofio cymaint o straen ydi hi iddo fo, hefyd, a mae'n siŵr fod ei nerfa fo'n janglio fel tsiaen ci wedi torri'n rhydd.' Hy! Hawdd iddi hi siarad; mae hi'n gweithio yma ers cyn co Gwyn Alff.

A ches i fawr o frecwast, chwaith. Mae Mrs Thomas, lle'r ydw i'n aros yr wythnos yma, yn glên ofnadwy. 'Mi gewch ŵy wedi'i ferwi,' meddai hi, 'mi fydd yn sgafnach na chig moch a sosej, a chitha â chymint i neud.' 'Dim ond tost a choffi, Mrs Thomas bach,' meddwn innau. 'Galwch fi'n Janet,' meddai. Ond sut y medr neb alw hen wraig dros ei chwe deg wrth ei henw, felly?

Wel, prun bynnag, wedi iddo FO fynd i'w stafell ei hun, dyma fi'n mynd i neud paned i mi fy hun, a mi welis frechdanau roedd y Merched Croeso wedi'u rhoi dan cling-ffilm ar gyfer y Pwysigion, a fasa nhw ddim yn colli un neu ddwy, siawns. Dim ond un ŵy ac un ham gymais i. Roeddwn i'n teimlo'n well wedyn.

Toc, dyma nhw'n dechrau cyrraedd. Disgwyl i bawb redeg iddyn nhw fel gwartheg o flaen robyn gyrrwr. 'Gan fy mod i ar y Cyngor, yntê . . .' 'Rhaid imi, fel aelod o'r Orsedd . . .'. O rhaid, mae'n siŵr. A dyna'r dyn bach coch yna o Gwm Cynon neu rywle, yn pwyso yn eich erbyn chi bob cyfle gaiff o. Ych a fi.

Diolch i'r drefn, daeth rhywun i'w galw nhw i fynd 'trwodd' er mwyn bod yn barod i fynd i'r Seremoni Agor. Gobeithio eu bod nhw i gyd wedi llnau eu dannedd yn iawn, rhag ofn i'r camera teledu roi clos-yp arnyn nhw'n gwenu.

Fy anlwc i oedd digwydd bod yn y Swyddfa Allan pan ddaeth y ddynes fawr a'r dyn bach i mewn. Wyddai Deiniol ddim yn iawn sut i'w trin nhw – wel, chwarae teg, dim ond dŵad i helpu mae o. Mae o'n dŵad bod blwyddyn ers tro, o rhywle ym Mhen Llŷn, dw i'n credu, a fo a Mrs Morgan yn cydweithio'n iawn, yn dallt ei gilydd erbyn hyn. Beth bynnag, mi drodd ata i am help.

'Mrs Jenkin Jenkins odw i,' meddai hi, 'a dyma Mr Jenkin Jenkins. Mae golwg eitha effisient arnoch chi, a wy'n siŵr y gallwch helpu.' (Piti na fuasai'r Bos wedi clywed y canmol!)

A dyma fi'n gofyn yn fy null tu-ôl-i'r-cownter gorau, 'Be di'r broblem, Mrs Jenkins?'

'Wel, meddai hi, a mi welwn fy mod am gael stori hir. 'Mae Mr Jenkins 'ma yn aelod o'r Orsedd – Siencyn o'r Foel, wyddoch – a smono fe 'di cael ticed bwyd ar gyfer dy' Llun. Yn naddo?' (wrtho fo). 'A mae e, fel pawb arall, i fod gael be mae e i fod gael.'

'Mi fedrwn ni setlo hynna yn sydyn iawn, Mrs James,' meddwn. 'Jenkins,' meddai hithau. 'Be di'ch cyfeiriad chi gartre?' 'Beth yw beth?' 'Eich *address* chi.' 'O! *Address*? Mon Abri, Myrtle Avenue, Sketty.' 'Diolch. Esgusodwch fi am funud,' a ffwrdd â fi i'r Swyddfa Gyffredinol i chwilio am y llyfr Tocynnau Braint.

Lwc i rywun gael y weledigaeth, flynyddoedd yn ôl, i gadw llyfr o'r fath. Mae'n arbed llawer o broblemau dros yr Wythnos Fawr. A dyma droi i'r 'J'. Pwy feddyliai fod cymaint o Joneses yn y byd! O'r diwedd, Jenkins, Mon Abri: un tocyn bwyd, un tocyn mynediad, Llun. Felly Mercher a Gwener.

Yn ôl â fi, efo'r llyfr. Roedd hi'n dal i bregethu, ond fawr neb yn gwrando. Doeddwn i ddim wedi sylwi'n iawn o'r blaen ar y top pinc. BHS, meddwn wrthyf fy hun. Na'r trywsus gwyn. Wel, mi fydda inna'n gwisgo trywsus gwyn weithiau, ond dydw i ddim yn 60+ nac yn 12 stôn. A'r gwallt! Melyn fel aur coeth. (Cofio dysgu adnod fel 'na unwaith.) Y cwbwl yn donnau chwaethus o bobtu'i phen a disgyn yn daclus ar ei brest. Deniadol iawn i hogan bach, mae'n siŵr.

'Dyma ni, Mrs Jenkins,' meddwn. 'O diolch, 'nghariad i. Mi wyddwn eich bod chi'n effisient.'

'Yn ôl y llyfr yma, mae Mr Jenkins wedi cael y tocynnau sy'n ddyledus iddo. Dyna ni, drychwch, yn fan hyn,' a dangos y llinell iddi. 'Mi postiwyd nhw Mehefin 14, fel y gwelwch.'

A dyma hi'n bytheirio a deud nad oedden nhw wedi cyrraedd ac yn y blaen, a throi ato fo. 'Dewch, Jenkin,' meddai. 'Mi awn ni i weld rhywun o bwys.'

Doedd Deiniol ddim yn fodlon. 'Be tasa nhw heb gyrraedd, ac yntau i fod i gael rhai?' Yr unig beth ddeudis i oedd, 'A mi fasa'n biti mawr iddi hi orfod talu am ei the ei hun.'

Wel, dyna ddigon am rŵan. Gwely – a Huwcyn yn barod amdanaf.

NOS SUL

Mi 'llaswn i fod wedi mynd i'r Gwasanaeth bore heddiw am wn i; doedd fawr ddim yn galw i rwystro hynny. Es i ddim. Wel, nid yn aml y bydda i'n mynd i'r capel, gartre; felly pam rhuthro heddiw?

Roedd rhai Eisteddfodau ers blwyddyn neu ddwy neu dair wedi dechrau gwneud y gwasanaethau yma yn fwy diddorol – cael grwpiau ac emynau modern a phobol ifanc yn dweud beth oedd ar eu meddyliau. Wel, mae isio sôn am bobol allan o waith, a chyffuriau a chyflogau isel – a rhyw hefyd, mae'n siŵr. Wedi'r cwbwl, maen nhw'n rhan o fywyd. Wn i ddim oedd Iesu Grist yn gwybod am bethau o'r fath ers talwm (ond roedd o'n nabod Mair Magdalen, onid oedd?), ond mae'n siŵr ei fod o'n gweld sut mae pethau erbyn hyn.

Wel, wel, yr Hen Drefn oedd piau hi yma heddiw. Parti o'r ysgol leol yn cydadrodd (sori, llefaru) salm, 'Gwyn fyd y rhai perffaith eu ffordd'. Siwtio rhai o'r bobol bwysig i'r dim! a chôr cerdd dant yr Aelwyd yn canu geiriau Waldo, 'Y Tangnefeddwyr'. Mi clywais nhw yn y rihyrsal dydd Iau, a chanu da oedd o. Dim rhyfedd, ag Esyllt Gwynedd wedi'u dysgu nhw. Pregeth henffasiwn sydd i fod heddiw, gan y Parch. Iorwerth Thomas, fo ydi Cadeirydd y Pwyllgor Llên, a hen foi iawn, chwarae teg, er ei fod o dros ei hanner cant.

Wel, es i ddim. Roedd y Bos yn dweud bod tua 3000 yno, ac roedd o'n ddigon ples ar bethau. Pawb at ei uwd ei hun. Mae'n well gen i jeli.

Wedi'r Gwasanaeth daeth y Maer, y Cynghorydd Cyril Evans, i weld y Bos. Roedd rhywun efo fo ar y pryd a rhoddais gwpaned o goffi i'r gŵr bonheddig. Hawdd gweld fod rhywbeth wedi'i bigo, a mae coffi'n dda i ddofi pigiad. Ymhen sbel, i mewn â fo, a bu yno am tua deng munud, ond doedd o fawr siriolach yn dod allan. Nid yn aml y bydd y Bos yn agor ceg y sach i'r gath ddingyd, ond meddai, 'Wir, mae eisiau gras, hyd yn oed ar fore Sul. Cwyno roedd o na fasan ni wedi gwneud casgliad – fel sy'n arferol mewn oedfa, meddai o.' Mae'n debyg i'r Bos egluro iddo fo nad ydi hynny'n arferol yn y Steddfod, ond dydi esboniad ddim yn siwtio pobol sydd wedi gwneud eu meddyliau i fyny ymlaen llaw, a phwyso ddaru o mor wych fuasai rhannu'r derbyniadau rhwng yr Urdd a'r Cadets. 'A fi ydi Cadeirydd y Cadets ers dros ddeng mlynedd,' meddai.

A bu Dafydd Elis Thomas efo'r Bos am allan o hydoedd y pnawn yma (siawns na cha i faddeuant am anghofio yr 'Arglwydd'). Mae'n amlwg fod rhywbeth pwysig ar droed. Beth tybed? Pan soniais wrth Deiniol am y peth, ei sylw o oedd, 'Tybed ydyn nhw am neud y Steddfod yn bai-ling, yr un fath â Radio Cymru a S4C?'

Wn i ddim beth am hynny, ond mi wn i un peth. Daeth dau o'r negeswyr bach i'r Swyddfa i stelcio am dipyn – cymryd arnynt holi am y peth yma a'r peth arall; dau fachgen tua 14 oed. Mae'r ardal yma yn cael ei chyfri yn 'gadarnle'r iaith' fel y mae'r taflenni hysbysu'n ddweud. Ond mae gwrando ar rai o'r rhain yn siarad yn peri i rywun ofyn am ba hyd? 'So' y peth yma a 'so' y peth arall; 'so dyma fi'n deud bod Tracey'n lyfli singer . . .' a'r llall yn dweud wedyn, 'so dw i'n meddwl bod hi gin what it takes,' (beth bynnag ydi hynny!). A druan o'u ffrind nhw, Melvin, wedi cael damwain gan fod, 'beic wedi mynd dros ben ei droed o.'

Dydw i ddim yn cyfri fy hun yn sgolor Cymraeg, ond mae gweithio yn y Swyddfa yma wedi rhoi rhywbeth i mi, mae'n siŵr, er nad ydw i'n saff iawn efo rhai pethau. Pa bryd i ddweud 'os' a pha bryd i ddweud 'pe' ymysg pethau eraill, ond mi wn i nad ydi buwch Gymreig yn fuwch Gymraeg. Dyna pam, hwyrach, y methais â dal a gofyn i'r ddau, 'Fyddwch chi'n siarad *Cymraeg* efo'ch gilydd weithiau, hogia?' Y ddau'n sbio arna i fel tasa dau gorn yn tyfu o 'mhen i, a diflannu.

Yn y Swyddfa y bu Mair a fi heno; rhaid i rywun fod wrth y ffôn hyd yn oed ar nos Sul. Ond mi glywson beth o'r cyngerdd ar y monitor.

NOS LUN

Pethau wedi dechrau setlo i lawr erbyn hyn. Y tywydd yn wantan a'r rhagolwg yn ansicr. Mynd â'r Orsedd i'r Cylch ddaru nhw bore, er bod yr Arwyddfardd yn petruso braidd, rhag ofn iddi ddod yn law.

Rhaid sôn am hyn – y Coroni, pnawn. Bydd y Bos yn sgwennu at y beirdd buddugol ryw bythefnos go dda cyn yr Efent, er mwyn iddyn nhw gael gwybod a fynta i gael peth o'u hanes nhw. Mae o'n gofyn i Fardd y Goron am seis ei ben, er mwyn paratoi'r Goron a rhag iddi syrthio am ei glustia fo ar y llwyfan. A mae o'n gofyn iddyn nhw ddod i'w weld o wedi iddyn nhw gyrraedd y maes, 'er mwyn imi gael cyfle i'ch llongyfarch yn bersonol.' Dyna'r stori; ond mewn gwirionedd, er mwyn gwneud yn siŵr eu bod nhw ar gael. Tro chwithig fasa i'r Archdderwydd alw'r enw a neb yn codi. Hwyrach y buasai papurau Llundain hyd yn oed yn cymryd sylw o beth felly!

Fi sgwennodd at y boi yma eleni; *Saddam* oedd y ffugenw. Deud y gwir, roeddwn i'n ddigon *thrilled* o gael gwneud. Tipyn o gamp, cadw'n ddistaw, ond mi wnes. Chawson ni ddim ateb gan *Saddam* – dim o gwbwl. Wedyn sgwennu eilwaith a ffonio, ond dim nes i'r lan. A'r bore yma, roedd y Bos ar fin cael cathod bach ac erbyn amser y Seremoni roedd ei nerfau o'n rhacs. Dyma fo'n anfon y Prif Stiward i weld tybed oedd rhywun yn eistedd yn y seti oedd wedi eu cadw ar gyfer y bardd. Neb yno.

Tua hanner awr cyn yr amser, pwy gerddodd i mewn ond *Saddam* ei hun. 'Cretu bod y Trefnydd yn mo'yn 'y ngweld i,' meddai. Mi es â fo'n syth i mewn at y Bos, ond ches i ddim aros yno i wrando, er mod jest torri 'mol isio clywed beth oedd ganddo fo i ddeud. Do, mi aeth y Seremoni'n iawn, a neb ddim callach o'r ddrama *Much Ado about Something* yn y Swyddfa.

Un peth fedra i mo'i ddeall. Os ydi'r Bryddest a'r Awdl yn gyfartal o ran pwysigrwydd, pam y mae mwy o sylw'n cael ei roi i Seremoni'r Gadair nag i un y Goron. Mae gen i flys mynd i'r Cyfarfod Blynyddol a chynnig rhywbeth fel hyn: am dair blynedd, Coron i'r Bryddest a Chadair i'r Awdl; yna am dair arall, Coron i'r Awdl a Chadair i'r Bryddest. Ond mae'n siŵr bod yna resymau pam mae pethau fel y maen nhw. *Mae* rhesymau am bob dim.

Mewn dŵr poeth heddiw eto. Wedi picio allan i nôl brechdan gig, a sefyll i siarad efo Deiniol wrth fynd trwodd. Pwy ddaeth heibio ond y Bos. 'Lle 'dach chi'n mynd, Gwenda?' gofynnodd, 'os ydach chi'n mynd yn agos i'r Theatr Fach, dywedwch wrth Sali Humphreys y baswn i'n licio cael gair efo hi cyn perfformiad Bara Caws.' 'Iawn,' meddwn i a diflannu.

Do, mi gefais fy mrechdan gig a gweld Sali. Wrth imi fynd yn ôl i'r Swyddfa dyma Deiniol yn fy herio. 'Brechdan *vegi* gest ti?' 'Na, gesia.' Dyna lle buon ni'n chwarae rhyw fath o gêm gesio felly, pan ddaeth y Bos heibio unwaith eto. 'Wel wir,' meddai reit siort, 'does gynnoch chi ddim byd i neud ynghanol yr holl brysurdeb yma? Ydach chi am adael y cwbwl i Elsi a Mair?' a ffwrdd â fo fel draig wedi myllio, a finnau'n sgrialu'r ffordd arall yn ddigon tinfain.

Adre'n weddol gynnar heno a Mrs Thomas wedi gwneud ŵy ar dost i swper. Dweud y gwir, rydw i'n ddigon parod amdano fo, a mi ga-i gyfle i weld beth fydd gan S4C ar ein cyfer ar y rhaglen hwyr, cyn mynd i'r cando.

NOS FAWRTH

P'nawn rhydd heddiw, a chyfle i grwydro'r Maes a gweld cannoedd o hen wynebau. Nabod rhai ohonyn nhw heb gofio'r enw. 'Ydach chi ddim yn fy nghofio i ar Bwyllgor Apêl Llanfair?' 'Wel, ia, wrth gwrs.' Ond mae yna gymaint i weld, a mae'n gwestiwn gen i fedrai rhywun weld y cwbwl mewn wythnos gyfa.

Mynd i Babell y Cyngor Llyfrau. Newydd gael hufen iâ, a rhyw swyddog pwysig yn dweud, 'Chewch chi ddim dŵad â hwnna i mewn yma.' Syndod cymaint o lyfrau sydd ar gael, yn enwedig i blant. Meddwl prynu un o lyfrau Sam Tân i Edryd, hogyn bach Elin fy chwaer. Ond ailfeddwl wrth weld llyfrau Rwdlan a sbio ar un o'r rheiny pan glywais lais y tu cefn imi, 'Rwyt ti'n rhy hen i ddarllen hwnna.' Pwy oedd o ond Deiniol. 'Dwyt ti'm ar ddyletswydd?' gofynnais. Na, doedd o ddim, mwy na finnau, yn 'gaeth' tan chwech.

Dyma ni'n penderfynu mynd i'r Babell Lên i glywed y Beirdd. Gweld ciw hir ac ofni na fyddai yno le. Ond pwy oedd stiward y drws ond Greg Bach. 'Isio'r feirniadaeth ar yr ysgrif ydach chi?' gofynnodd efo winc slei, a'n gadael i mewn. Nid bod gen i ddiddordeb o gwbwl yn yr ysgrif, ond roedd ein penola ni ar seti!

Sôn am boeth!! Roedd hi fel ffwrnes British Steel cyn amser dechrau, ond Gerallt yn gwamalu fel petai o yn y lle mwyaf cysurus mewn bod. Testun un englyn oedd 'Amser Cau', a rhywun o dîm Ceredigion yn cynnig llinell olaf, 'Pasio Moi yn peswch mawr'. 'Gwallus!' meddai'r meuryn, ac awgrymu beth ddylai o fod wedi'i ddweud gan ei fod wedi defnyddio'r gair 'pasio'.

Pam ydw i'n cael y fath flas ar bethau fel hyn, a heb wybod y gwahaniaeth rhwng cynghanedd lusg a thraed fflat? Ond mae rhyw ias yn mynd trwydda i wrth glywed, 'Tyner yw'r lleuad heno' a 'Chwilio heb ei chael hi'. Mi faswn yn crio ar ddim. Pam?

Wn i ddim beth sy'n corddi Cyril Evans. Dyma fo eto, mewn stêm eisiau gweld y Bos. Yno y buo fo am dipyn, a beth glywais i wrth iddo ddod o'r ystafell oedd '. . . a rhyfedd fod y Steddfod yn mynd cystal. Dydach *chi* fawr o help i neb.' Jiw, jiw, chwedl Trefnydd y De, mae'n rhaid fod y Bos wedi pechu rhywsut.

Roedd Mair yn agor y llythyrau bore heddiw. 'Wel, ar f'engoes i,' meddai, 'llythyr o Concarneau. Meddyliwch, genod.' 'Pam felly?' gofynnodd Elsi, 'a lle mae'r Konkarno yma?' 'Concarnô. Wel, yn Llydaw, siŵr. Mae Wil a'r plant a fi wedi bod yn Llydaw deirgwaith neu bedair, ond heb fod yn Concarneau o gwbwl, a mi faswn wrth fy modd yn gweld y lle.' 'Fûm i erioed yn Llydaw,' meddai Mair, 'dim ond yn Paris.' 'Ia, hold on, chi'ch dwy,' meddwn i, 'dydw i ddim wedi bod dros y môr o gwbwl, dim ond i'r Eil o Man o Landudno pan oeddwn i'n hogan bach. A wyddoch chi lle ydw i'n mynd am wylia 'leni?' 'Na, deud lle.' 'Mae yno fynyddoedd a llynnoedd . . .' 'Swistir?' 'Na.' 'Awstria?' 'Na. A mae yno lawer iawn o Saeson . . .'. 'O – ardal y llynnoedd, Coniston a ballu.' 'Na eto,' a saib er mwyn gwneud y peth yn ddramatig. 'Llanberis!' 'Ond dydi bod adre ddim yn wyliau,' meddai Mair. 'O ydi,' meddwn i. 'A mi ga-i fynd i Iwerddon am ddiwrnod efo'r HSS, a mynd i Gaer i siopio . . . a mi fydd yn braf cael bod adre, genod bach, a chael tendans ar ôl misoedd o grwydro fel hyn.' Wn i ddim beth wnaeth imi ddweud, chwaith, 'A mi fydda i'n blino ar y blydi Steddfod weithia.' A disgynnodd distawrwydd ar y gwersyll fel y dywedodd rhyw fardd yn rhywle, siŵr o fod.

Ysgwn i fydd hi'n braf erbyn hynny, yn haul cynnes ac awyr las? Hidiwn i ffeuen â mynd i fyny'r Wyddfa efo'r trên. Dim ond unwaith erioed y bûm i ar ben yr Wyddfa, ac anghofia i byth yr olygfa! Niwl i bob cyfeiriad.

NOS FERCHER

Gobeithio nad ydw i'n mynd yn rhy feirniadol o'r hen Cyril Evans, rhaid imi gofio ei fod o'n Faer y Dre. (Nid fod hynny at ddant pawb.) Dyma fo i mewn i'r Swyddfa'r bore yma a gofyn cyn dŵad drwy'r drws yn iawn, 'Lle mae *o*?' gan blygu'i ben i gyfeiriad drws y Bos.

'Yn y cyfarfod blynyddol,' meddwn i'n ddigon swta, mae arna'i ofn. 'O! Y cyfarfod blynyddol. Pwysig iawn! Wyddoch chi be, bobol, mae'r Eisteddfod Genedlaethol yn mynd i roi mwy o urddas iddi'i hun y naill flwyddyn ar ôl y llall, a does neb y tu allan i Gymru'n gwybod dim amdani. Faint o ohebwyr y *Times* sydd ar y Maes? neu'r *Mirror* neu'r *Guardian*? Oes yna un – dim ond un – o *Le Figaro* neu'r *New York Times*? Rhyw ŵyl fach blwyfol ydi hi wedi'r cwbwl.'

'Rhowch gora iddi hi wir, Mr Evans,' meddai Deiniol, oedd newydd ddŵad i mewn. 'Mae hi'n bwysig i ni – ac wedi bod ers hydoedd. Ma' pobol Llundain yn meddwl ei bod hi'n bwysig bod Jac yr Undeb yn chwifio uwchben Buck House. Ydi hynny o dam ots i bobol Paris neu'r Bronx?'

Ond doedd dim tewi ar Mr Maer. 'Mae'r byd i gyd yn gwybod am Eisteddfod Llangollen,' meddai, 'rhoi Cymru ar y map. Dŵad â phobol y byd at ei gilydd mewn heddwch. Dyna sy'n cyfri. Cael pobol y byd i fyw'n gytûn.'

'Ie,' meddai Deiniol wedyn. 'Heddwch a byw'n gytûn, fel yn Rwanda a Gogledd Iwerddon a Sri Lanka ac Irac. Nid ar Langollen mae'r bai, dydw i ddim yn deud hynny; maen nhw'n gwneud gwaith da, ond faint nes at heddwch ydi'r byd ers hanner canrif? Nid y bobol sy'n dŵad i Langollen sy'n cadw nac yn torri'r heddwch.'

Doeddwn i ddim wedi breuddwydio y medrai Deiniol fod mor huawdl. Ond doedd yr araith ddim wedi plesio Mr Maer. 'Mi fasa'n iechyd i'r Genedlaethol agor ei drysau i'r byd,' meddai, 'yn lle llygadrythu ar ei bogail ei hun. A mi ddeuda i beth arall. Wela i ddim pam y mae'r Genedlaethol yn cael y fath grantiau mawr a Llangollen ddim ond yn cael cildwrn bach pitw. A mi ddo i'n ôl pnawn i'w weld *o*,' gan roi clep ar y drws.

Ac Elsi sidêt ddwedodd, 'Tybed oes potel o *Famous Grouse* yn y cwpwrdd. Mi fedrwn i dagu 'nghydwybod a llyncu diferyn.'

Wel, os nad oedd hynny'n ddigon i deneuo gras rhywun fel fi. Un o bobol y Swyddfa Ymholiadau yn dod i mewn efo amlen, un o amlenni casglu swyddogol y Steddfod. Dweud wrtho fo am fynd â hi drwodd at y Trysorydd – mi gaiff o ddelio efo'r arian rŵan. Toc, dyma fo'i hun, Ifor Williams, yn dod i chwilio amdanaf. 'Pwy roddodd hon i chi, Gwenda?' gofynnodd. Minnau'n egluro. 'Darllenwch y llythyr,' meddai. Y tu mewn roedd toriad o'r *Western Mail*, llun o Ron Davies drannoeth canlyniad y Cynulliad, a nodyn ar bapur glas, mewn llythrennau mawr, 'If you can guarantee that there are no Plaid members in the Eisteddfod, perhaps I will consider making a donation.' Wel am ben bach!! Dyna'r tro cyntaf imi wybod fod Ron Davies yn aelod o'r Blaid.

Cyngerdd y plant heno, a'r pafiliwn, fel y gellir disgwyl, dan ei sang. Pob Dad a Mam ac Anti Bess drwy'r fro wedi dod i weld Joni bach a Jini bach yn perfformio. Chwarae teg iddyn nhw. Efallai y bydda inna'r un fath rhyw ddiwrnod. Pwy a ŵyr?

Prun bynnag, rhyw ddeng munud cyn amser dechrau, pan oedd hi ar ei phrysuraf efo pobol yn dŵad i mewn, dyma ddyn ifanc ffrwcslyd at Ddrws D efo potel fach yn ei law, a honno'n hanner llawn o dabledi o ryw fath. Allan o wynt ac wedi cynhyrfu'n lân. 'Mam wedi anghofio'r rhain,' meddai, 'a rhaid iddi eu cymryd bob dwy awr – at ei chalon . . . Meddwl y cawn i fynd â nhw iddi hi yn Bloc C.' 'Bedi rhif y sêt?' gofynnodd y stiward, ond doedd o ddim yn cofio'n iawn. 'Mi fydda i'n siŵr o'i ffeindio hi,' meddai. Roedd John Parry, un o'r Arolygwyr, yn sefyll yn ymyl a chlywodd y sgwrs. John wedi bod yn dditectif cyn ymddeol, a gweld ymhellach na'r stiward. 'Mi ddo i efo chi,' meddai wrth y dyn ifanc. 'Mi chwiliwn ni amdani ein dau, a mi gewch chithau fynd allan cyn cau'r drysau.' A dyna'r diwetha a welwyd o'r botel a'r dyn ifanc.

Cael cyfle i fynd i'r disgo heno, ond mi ddois oddi yno ymhell cyn gorffen. Iawn i'r bobol ifanc (clywch fi, Nain) ond mae'n rhaid i *mi* weithio fory. Ond sôn am fwynhau. Roedd Janice yno efo'r diweddaraf, rhywun o'r enw Arwel, ac un gwerth sbio arno oedd o. A mi roedd Morfudd yno efo Awenna a Nerys, a rhyw foi yn trio cael ei big i mewn efo Nerys, ond dim yn tycio. 'Pwy ydi hwnna?' gofynnais iddi hi. 'O, y gath gafodd hyd iddo fo yn rhywle, a doedd hi ddim o'i isio fo.' Mi welais Deiniol hefyd, ond dim ond gair neu ddau ges i efo fo. Roedd o efo rhyw hogan o Ben Llŷn, fel y cefais wybod wedyn. 'Hei,' meddai Awenna, 'hwnna ydi'r hync sy'n gweithio yn y Swyddfa? Oes gin ti le i mi am awr?' Actio'n ddifater wnes i.

Ond mi ddaeth ataf yn ddiweddarach. 'Ga i brynu rhywbeth i ti?' 'O diolch, hanner o siandi, ta.' 'Wyt ti am aros tan y diwedd?' gofynnodd ymhen sbel, 'Nag dw. Rydw i'n cael pàs adra efo Morfudd a'r genod. A mae arna i ofn (roeddwn yn ei feddwl o hefyd) fod yn rhaid imi fynd rŵan. Maen nhw'n disgwyl.' A wel! Fel 'na mae pethau weithiau.

Syndod. Hanner yr wythnos wedi mynd yn barod.

NOS IAU

Diwrnod y Dagrau Hiraeth, hynny ydi, Cymru a'r Byd. Pobol o bob man dan haul, yn enwedig o 'God's Own Country', ond mi fyddan yn canu, gorau medran nhw, '. . . rwyf am dro ar dir fy ngwlad.'

Mae'n bosib fod rhyw nifer ohonyn nhw wedi mudo o Gymru i chwilio am well bywyd, ond yn teimlo'n falch o gael bod yma unwaith eto . . . 'Unwaith eto . . .' Ond mae llawer o'r rhai y bûm i'n gwneud efo nhw yn estron hollol, a heb ddeall Cymru o gwbwl. Sgwrsio efo gŵr o Alberta, Canada. Ei fam wedi mudo o sir Feirionnydd yn 1912 (arswyd! cyn y Rhyfel Mawr!), a'i broblem o oedd tybed a fyddem yn canu 'God Save . . .' yn Saesneg, gan na fedrai ganu os mai yn Gymraeg yr oedd hi i fod. Minnau'n egluro nad oedd dim isio iddo fo boeni – doedd y gân honno ddim ar y rhaglen o gwbwl. Syndod mawr. 'My Mother thought very highly of the Royal Family,' meddai. Ond mae llawer o ddŵr wedi llifo i lawr afon Tryweryn oddi ar y dyddiau hynny, 'ngwas i.

Ond efo Albert y cefais i'r hwyl. Mae o'n 79 oed, meddai, ac yn dŵad o Melbourne, a'i Gymraeg o'n syndod o dda a meddwl na fu erioed yma o'r blaen. Wedi dotio at y wlad a'r croeso. Wedi bod yng Nghaernarfon am wythnos cyn dŵad i'r Steddfod. 'Aros efo Mrs Hughes a'r teulu. Pobol neis iawn. Ydach chi'n eu nabod nhw?' Mae'n wir bod Cymru'n llai nag Awstralia, ond. . . . Roedd o wedi bod yn poeni, meddai, rhag ofn na fedrai ddod i Gymru am fod, 'fy cys'n i wedi bod yn wael iawn. Fel brawd a chwaer, fy cys'n Alice a fi. Ond mi farwodd mis June. Ofn garw iddi farw yn August.' Hen wryn bach hoffus trwy'r cwbwl.

Roedd Deiniol yn dadlau bod ochr bositif i'r Seremoni (mae 'positif' yn air mawr ganddo fo.) 'A be ydi hynny?' gofynnais. 'Fel hyn y mae hi, yntê?' meddai, 'rydan ni'n cwyno nad ydi pobol eraill, Saeson a thramorwyr, yn gwybod dim amdanom, a dyma gyfle i chwythu'r utgorn. Tasen ni'n gwneud y gorau o'r cyfle, yntê? A phwy a ŵyr na fasa rhywun yn ddigon dwl i gynnig B & B i chdi neu fi yn Vancouver neu Auckland neu Drelew?'

'Chdi neu fi,' ddeudodd o, nid 'Chdi *a* fi,' yntê?

Doeddwn i ddim wedi sylweddoli o'r blaen bod Elsi mor barod i danio. Gwen Davies ddaeth i mewn 'am baned' meddai hi, gan fod ei thraed hi'n brifo. Tipyn o gês ydi Gwen, ond hen ben hefyd. Wel, fasa hi ddim yn bennaeth daearyddiaeth yn Ysgol Bryn Difyr fel arall, on'd na fasa?

Roedd hi wedi bod yn stiwardio rhagbraw tenoriaid dan 25 ddoe, ac wedi cael modd i fyw. 'Lleisiau bendigedig, genod bach. Does run ohonoch chi'n ddigon hen i gofio David Lloyd. Wel, mae yna un arall ar y ffordd. Siŵr i chi. Ac os na chaiff Esmor y wobr gyntaf, mi fyta i'r tipyn beirniad 'na efo ŵy a chips.'

Toc, gofynnod Mair iddi a oedd ganddi ragbraw arall. 'Oes, yn dyl. A siawns na chawn ni ddigon o hwyl. Dawnsio disgo dan bymtheg.'

'Disgo, wir!' meddai Elsi. 'Wn i ar wyneb y ddaear pam y mae'n rhaid rhoi peth o'r fath mewn Steddfod o bob dim. Fasa waeth rhoi cystadleuaeth swigio cwrw mewn cyfarfod misol, ddim.'

'Sut gwyddost ti nad oes yna?' meddai Gwen.

A dyma finnau'n ddiniwed yn gofyn, 'Be sy'n bod ar ddisgo?'

'Be sy'n bod?' meddai Elsi wedyn, 'Be ydi o ond neidio ac ysgwyd i ryw rythmau cyntefig fel blacs yn y jyngl.' 'Hei, hold on. Hilyddiaeth ac ati.'

Ond ymlaen â hi. 'Ia, dyna ydi o, rhyw ymateb cyntefig i guriadau drwm, ac islais rhywiol dan y cwbwl. Does dim diwylliant Cymraeg na Chymreig yn perthyn i'r peth o gwbwl, dydi o ddim yn rhan o dir Cymru.'

'Rhoswch chi, Miss Elsi Huws,' meddai Gwen. 'Finnau newydd fod yn canmol y tenoriaid. Be oedden nhw'n ganu? Mi ddeuda i. Darn o waith dyn o'r enw Verdi, *Celesta Aida.* Un o'r Eidal oedd o, medden nhw. Mi wn i eu bod nhw'n canu trosiad Cymraeg, ond er hynny . . .'

'Mae canu fel 'na'n wahanol,' meddai Elsi, 'a mae dysgu gwaith fel yna yn rhoi diwylliant i rywun. Dydw i ddim yn deud bod yn rhaid cyfyngu popeth i draddodiad beirdd yr uchelwyr. Mae'n gamp dysgu unawd fel honna, a mwy o gamp ei chanu hi. A phrun bynnag, rydan ni wedi arfer canu pethau o'r cyfandir – meddyliwch am y Meseia, Elijah a phetha. Ond be mae neb yn ddysgu wrth brancio i ddawnsio disgo! Tasan nhw'n gwisgo crwyn yn lle *glitter* mi fasan yn ffitio'n iawn mewn coedwig.'

Doedd neb wedi sylwi ar y Bos yn pwyso yn erbyn cabinet, ac yn cael andros o hwyl, siŵr gen i. 'Mi fedra i weld pwynt Elsi,' meddai, 'a mae tipyn o sens yn be mae hi'n ddeud. Ond dyma'r cwestiwn yntê: Ydi beth bynnag rydan ni'n fenthyca o lefydd eraill yn helpu'n diwylliant ni'n hunain? Os ydi o, pam ei wrthod? Gwenda?' Dew, fedrwn i ddim ateb cwestiwn fel 'na, os oedd o'n disgwyl imi wneud. Mynd yn ei flaen ddaru o. 'Roedd Theatr Gwynedd yn perfformio *Tŷ Dol* Ibsen neithiwr a mi glywais i'r bore 'ma fod y gynulleidfa wedi codi fel un gŵr ar y diwedd i gymeradwyo.' A Gwen yn rhoi'r het ar bethau. 'Ac nid un o sir Fôn oedd Ibsen, meddai Mam. Wel, genod, dyna chi wedi gwrando ar lais doethineb. Gweinyddwr yn ei fri/Yn siarad sens y sy. Be 'di testun y Gadair y flwyddyn nesa, deudwch? Ond rhaid sgrialu am y disgo. Wyt ti'n dŵad, Elsi?'

Chwarae teg iddi hithau, chwerthin ddaru hi a chynnig paned i'r Bos.

Roeddwn i'n cerdded at y car ar ôl y cyngerdd heno efo Deiniol, a digwydd sôn am ddadl y disgo. 'Wel, mae pobol yn cymryd diddordeb mewn pethau felly,' meddai, 'a waeth inni wynebu hynny na pheidio. Mae rhoi cystadleuaeth iddyn nhw yn eu tynnu nhw i'r Steddfod, yn dydi? Ac unwaith yn y rhwyd, efallai y byddan nhw'n cystadlu ar gerdd dant y flwyddyn nesa.'

Roedd hi'n reit dywyll erbyn hynny, a bu ond y dim imi faglu, mae'r cae mor anwastad, ond mi gydiodd Deiniol yn fy mraich i. Wrth ddreifio adre, roeddwn yn dal i deimlo'i fysedd o'n llosgi dan fy mhenelin i. Mae llosg yn deimlad braf weithiau!

NOS WENER

Mae hi wedi bod yn wythnos well na'r disgwyl o ran tywydd, yn braf heb fod yn rhy boeth. Ond dyma hi heddiw – glaw, glaw trwm, a phawb efo ambarél a chotiau glaw a welis. Diwrnod yr Orsedd hefyd.

Clywais y bu tipyn o gwyno yn yr Orsedd bore am fod y cyfarfod yn yr ysgol yn lle bod yn y cylch. Wrth gwrs, doedd dim digon o le i bawb, a degau'n cael cam am nad oedd lle blaen iddyn nhw. Ond nid ar yr Arwyddfardd a'r Archdderwydd yr oedd y bai ei bod hi'n bwrw, ac nid tipyn o beth ydi gorfod newid y trefniadau ar y funud olaf. A genod bach y Ddawns Flodau yn gwneud dim ond sefyll yno fel tiwlips mewn border. Nid fod gen i lawer i ddweud wrth y ddawns, mae rhywun yn blino gweld yr un peth o hyd ac o hyd. Pitïo dros y pethau bach ydw i.

Does fawr o bost yn cyrraedd y Swyddfa erbyn hyn. Ond daeth un llythyr eitha diddorol y bore 'ma. Rhywbeth fel hyn:

> At y Trefnydd. Annwyl Gyfaill,
> Bendith y nefoedd ichi, gyfaill annwyl, peidiwch â gadael i gyflwynydd y teledu gladdu beirniadaeth yr awdl fel y gwnaed â beirniadaeth y bryddest.
> Cofion caredig
> Hen gyfaill.

'Mi fetia i swllt,' meddai Mair, 'mai pregethwr wedi ymddeol sgwennodd hwnna, a'i fod o wedi trio ar y bryddest, hefyd.'

Roedd Elsi'n cytuno, ond o'r farn bod pobol y teledu a'r radio, meddai hi, yn rhy barod i siarad ar draws pethau.

Mae'n siŵr fod pobol ar y Maes wedi bod yn dyfalu i bwy yr oedd heddiw am fod yn ddiwrnod bythgofiadwy a chael mynd â'r gadair adre efo fo/hi (dyna'r ffordd 'gywir' o roi'r peth heddiw). Cadair wych ydi hi hefyd, derw o ryw stad yn Llŷn a

Deiniol yn dweud ei fod o'n gwybod yn iawn amdani a bod yno goed 'cannoedd oed' medda fo.

Ar y monitor yn y Swyddfa yr oeddwn i'n gwylio'r seremoni, ac Idris Reynolds yn codi i roi'r feirniadaeth ar ran y tri beirniad. Taclus iawn, heb ormod o fanylu dibwrpas. Yna, 'Wel dyna'r ymgeiswyr,' meddai, 'dim ond saith eleni, a hynny'n siomedig, braidd. Ond, Hybarch Archdderwydd, er mai *Ffynnon Risial* yw bardd gorau'r gystadleuaeth, ofnaf na welaf fod neb yn teilyngu'r gadair eleni, a dyna hefyd farn fy nghyd-feirniaid.' Ac wedi sain fechan annifyr, y gynulleidfa yn curo dwylo yn foneddigaidd.

Welais i ddim rhagor gan i'r Bos alw arnaf. 'Gwenda, ewch â chopi o'r Cyfansoddiadau i'r BBC; maen nhw newydd ffonio i ofyn oes modd cael un arall.'

Ffwrdd â fi ar draws y Maes a rhoi'r llyfr i'r porthor, a sefyll am eiliad i weld Huw Llew efo'i raglen arferol ar y patio (patio dan do!), ac yntau, mae'n siŵr, wedi disgwyl cael sgwrs efo bardd y gadair. Ar y pryd, roedd o'n siarad efo Mei Mac ac yntau'n sôn am ei brofiadau pan alwyd ei enw ac yntau'n codi, ei hunan bach, yn y tywyllwch cyn i'r llafn olau dywallt arno fo. Dynes ganol oed yn sefyll yn fy ymyl, a gofyn i mi, 'Pwy ydi'r boi yna?' Minnau'n egluro, a dweud mai fo enillodd y gadair yn Llanelwedd, 1993. 'O,' meddai, 'a dydyn nhw ddim am roi cadair i neb eleni. Rhag cwilydd iddyn nhw, a'r holl bobol yma wedi talu'n ddrud am gael dŵad i mewn.' 'Felna mae petha,' meddwn i a throi ar fy sawdl. Roedd gen i bethau eraill ar fy meddwl.

Jest cyn cinio oedd hi pan ddaeth Deiniol drwodd, ac wedi siarad am y peth yma a'r peth arall, meddai, 'Mae hi'n noson grêt yn y Welfare heno yn ôl yr hogia. Dafydd Iwan, Eden a'r band newydd yna, Tyff Racs. Noson grêt.' 'O, felly,' meddwn i, 'dydw i ddim wedi bod mewn fawr ddim.' 'Fyddi di ddim yn mynd?' gofynnodd. 'Byddaf. Dibynnu.' 'Beth am ddŵad efo fi heno?' meddai. Mi ddigwyddodd fy meiro syrthio ar lawr a bu'n rhaid imi blygu i'w chodi cyn ateb.

Oedd, roedd hi'n noson grêt, Roedd Eden yn dda hefyd.

NOS SADWRN

A dim ond wythnos yn ôl roeddwn i'n meddwl mod i am gael wythnos hir, hir, a dyma hi bron ar ben cyn inni droi. Erbyn hyn mae llawer o bobol wedi cychwyn am adre, a mwy o bobol y cyffiniau ar y maes heddiw. Yn eu plith, Euryn Evans; nid fy mod i isio'i weld o chwaith, ond bu'n rhaid imi sgwrsio rhyw fymryn efo fo. Roedd o'n iawn am noson neu ddwy, ers talwm, ond dwylo tebyg i ddefaid William Morgan oedd ganddo fo.

Mae hi wedi arafu yn y Swyddfa erbyn hyn, popeth bron ar ben, a finnau'n cael cyfle i sgwennu hwn cyn i gyfarfod yr hwyr ddechrau. Gobeithio y ca-i beth ohono, yr unig dro imi gael eistedd yn y pafiliwn (pam ydan ni'n dal i ddweud 'Pafiliwn'?) Nid y bydda-i yno tan y diwedd, chwaith. Mae Deiniol wedi gofyn am fwrdd i ddau yn y Llew Aur ar gyfer naw o'r gloch.

Mi wyddwn i fod rhywbeth yn corddi Cyril Evans, mae o wedi bod fel hyena rhwystredig drwy'r wythnos. Mi aeth i ben y caets bore. Roedd y Bos yn rhoi llythyr i Mair pan ddaeth o i mewn. 'Ga i air efo chi?' heb gymryd sylw o neb na dim. 'Mi fydda i efo chi rŵan,' meddai Bos reit cwl, felly, a gorffen y llythyr a'r ddau wedyn yn mynd i'w stafell o. Roedden ni'n clywed lleisiau'n codi a chodi, ond yn deall yr un gair. 'Dos i roi dy glust wrth y drws,' meddwn i wrth Elsi. 'Dim ffiars o beryg,' atebodd, 'be tasa fo'n agor yn sydyn?' 'Mi wn i beth,' meddai Mair, 'Gwenda, dos di â dwy baned o de iddyn nhw fel tasa dim wedi digwydd. Dyna nei di.' Doedd hi ddim ond newydd orffen siarad pan agorodd y drws a'r Cyril yn tywallt allan fel Rhaeadr y Mochnant, a chlep ar y drws allan nes bod y lle'n crynu. Pawb ohonom efo'n gwaith yn selog. Toc, dyma'r Bos allan o'i swyddfa. 'Mi fydda i yn Stafell y Cyngor os bydd rhywun yn holi amdana i,' meddai a ffwrdd â fo. Sgwn i be ydi'r drwg?

Diwrnod diflas o ran tywydd, efo glaw mân a hwnnw'n gwlychu, ond mi gododd tua dau o'r gloch ac erbyn pedwar roedd yr haul yn grasboeth a phobol yn crwydro'r maes fel plant wedi'u gollwng ddiwedd tymor.

Daeth Inspector Pugh i mewn toc wedi pump (fo sy'n gofalu am y plismyn ar y Maes). 'Wel, dyna lanast,' meddai, 'a hithau'n ddiwrnod dwytha hefyd.' Pawb yn holi beth oedd. Mae'n debyg bod 11 o ddynion wedi bod efo'r Heddlu yn dweud iddyn nhw golli walet o bocedi eu crysbais. 'Y cwbwl yn dod atom ni rhwng tri a phedwar,' meddai, 'a dyna sy'n rhyfedd, pob un efo stori bron yr un fath. Roedd pob un wedi bod ar y stondin fwyd, a phob un wedi talu efo arian papur o'i walet. Roedd pob un wedyn wedi mynd i sefyll mewn ciw; rhai yn disgwyl cael mynd i'r Theatr Fach; rhai i Gyfarfod y Cymdeithasau; roedd dau mewn ciw i brynu hufen iâ. Ond roedd pob un ohonyn nhw mewn ciw, a phob un wedi cael bachgen yn ymddiheuro'n foneddigaidd iawn, yn Saesneg, am ei fod wedi "bwmpio" yn ei erbyn yn ddifeddwl.'

Pawb yn siarad ar draws ei gilydd. 'Am ryfedd!' 'Bedi ystyr peth felly?' 'Be dach chi'n neud o beth felna?' 'Wel am beth od.' 'Ddim mor od, chwaith,' meddai'r Inspector. 'Giang. Roedden nhw wedi sylwi'n fanwl ar y rhai oedd â phres yn eu walets, a chadw llygaid arnyn nhw wedyn nes ei bod hi'n amser cyfleus i "weithredu". A lle gwell na mewn ciw? Mae pawb yn sefyll yn weddol llonydd mewn ciw. Iawn?'

Ia, iawn; ond roedd rhywbeth heb ei esbonio hefyd. Mair ofynnodd yn y diwedd, 'Ond beth am yr hogia oedd wedi bwmpio?'

'Dyna'r pwynt,' eglurodd yr Inspector. 'Gweithio fel giang, tri mewn tîm. Y bachgen cyntaf yn bwmpio ac yn ymddiheuro er mwyn tynnu sylw'r "prae" a dal i siarad nes gweld fod ei bartner yr ochr arall yn glir. Hwnnw oedd wedi rhoi ei law yn ysgafn, fel y medran nhw, a chwip! dyna'r walet allan. Mae o'n ei phasio hi i nymbar three a hwnnw'n diflannu. Pe tase rhywun yn cyhuddo y ddau gyntaf, wel, maen nhw'n glir, yn tydyn? Does ganddyn nhw ddim sy'n perthyn i neb arall.'

Roedden ni'n gweld hyn yn glyfar iawn, ond eto rhyw flas anesmwyth ar bethau, a'r cwestiwn mawr, 'Ydach chi'n meddwl y daliwch chi nhw?' 'Go brin,' meddai Mr Pugh. Maen nhw yn Lerpwl neu Manchester erbyn hyn yn siŵr ichi.'

Roedd gen innau gwestiwn, 'Faint o bres gawson nhw, tybed?' Yr Inspector yn ysgwyd ei ben. 'Does gen i ddim syniad. Ond yn ôl yr hyn ddywedodd y dynion, ddim ymhell o fil o bunnoedd.'

Whiw! Mil o bunnoedd! Ac ar y pryd, ninnau'n ddiniwed yn mwynhau te a sgons 'diwedd tymor'.

Mi fydda i'n reit falch cael rhywun i nanfon i at y car ar ôl y stori yna.

NOS SUL

Wn i ddim pa bryd yr es i i 'ngwely neithiwr! Trwy drugaredd, roedd Mrs Thomas yn hwyr yn dod adref hefyd – wedi aros yn y pafiliwn tan yr eiliad olaf un. 'Piti na fasach chi wedi clywed y David Ellis,' meddai. 'Dyna leisiau sy gan y cantorion yma.' 'Mi glywais i'r soprano a'r tenor,' meddwn. 'Pwy aeth â hi yn y diwedd, Mrs Thomas?' 'Wel, y gontralto yna. Bendigedig! Fedra-i ddim cofio'i henw hi'n llawn, Dorothy oedd hi'n cael ei galw, un o ochor y Drenewydd yn ôl a glywais i. Noson werth chweil!'

Noson werth chweil gefais innau hefyd. Ond roedd hi'n wych cael cysgu'n hwyr y bore yma hefyd, a Mrs Thomas yn gadael imi aros yn y cae gwyn tan ganol bore, ac wedi deffro, mynd dros ddigwyddiadau neithiwr yn fy meddwl. Yn enwedig swper y Llew Aur a mynd am dro i'r mynydd cyn troi am adre. Cawsom gysgod craig i fod allan o'r awel; honno dipyn yn denau erbyn hynny, a gweddillion yr hen leuad yn hongian fel pliciad croen oren yn yr awyr.

Y Gymanfa Ganu heno yn llwyddiant mawr – fel bob amser. (Welodd rhywun un heb fod felly?). Yn arferol, bydd y côr yn canu rhyw emyn-dôn newydd, un a fu'n fuddugol yn y gystadleuaeth cyfansoddi tôn, ond eleni doedd Gareth Glyn ddim yn teimlo y medrai wobrwyo unrhyw un o'r ddwy ar bymtheg. Piti hynny. Ond fe gawsom wledd er hynny, gan i'r côr ganu'r Amen o'r *Messiah,* a hynny nes codi gwallt pen dyn moel. Elsi'n meddwl tybed ydan ni fel Cymry yn rhy barod i glodfori'n pethau'n hunain a bod yn ddibris o weithiau'r gwir feistri. Dydw i ddim yn ddigon o 'sglaig i fedru ateb cwestiwn fel yna. Nac yn ddigon dideimlad i'w hatgoffa o'i dadl efo Gwen ddydd Iau.

Bu'n rhaid inni fynd i mewn pnawn yma – yn ein dillad gwaith, *jeans and all.* Trio clirio a phacio ychydig i fod yn barod at fory a'r mudo yn ôl i'r Swyddfa yn y Stryd Fawr. Chwith gweld y cwbwl yn dod i ben, rywsut, ond dyna sy'n digwydd bob blwyddyn; i ni, yma, bob yn ail, wrth gwrs. A chyn bo hir pacio drachefn i fynd i swyddfa newydd a thref ddieithr.

Ond cyn hynny, braf fydd cael gwyliau, ymlacio, diogi, dadweindio. Dim ond ychydig ddyddiau eto, a Helô, Llanbêr! a Helô, HSS. Dau docyn i Dun Laoghaire, s.v.p.

A dw i wedi gaddo mynd i weld harddwch Dyffryn Nanhoron hefyd!

Gwenda

Stori fer dafodieithol

BEIRNIADAETH MALLT ANDERSON

A ninnau yn 1998 dyma feddwl y byddai dyfyniadau o Gyfansoddiadau 1938 o ddiddordeb, 'Fel gyda phob ffurf lenyddol, amhosibl diffinio'r Stori Fer, a ffôl yw'r neb a gais' a, 'Peth llenyddol yw'r Stori Fer, ac am y rheswm hwnnw nid doeth ceisio'i hysgrifennu mewn tafodiaith . . . Prin y geill hynny fod yn llenyddiaeth, oherwydd stori dafodiaith a geir', gan Thomas Parry, a Kate Roberts yn dweud, 'Mae'n berygl bywyd rhoi diffiniad o ddim'.

Erbyn 1998 y mae'r stori fer dafodieithol wedi ennill ei lle, ac y mae digon o enghreifftiau da ar gael. Felly, does dim esgus dros gynnig gwaith sydd heb fod yn stori fer. Rhaid bod yna elfen o stori (boed lon boed leddf); nid hanesyn, nid hunangofiant byr, nid erthygl addas ar gyfer papur newydd; nid saga bywyd y storïwr; nid hanes bywyd ardal; nid ysgrif bersonol, ac nid crynodeb o hanes arferion cymdeithasol yn gysylltiedig â diwydiant ydyw. Rhaid bod rhyw elfen o'r rhestr yma mewn stori – wedi'r cyfan mae'n rhaid ei lleoli yn rhywle, ond rhaid i'r stori fod yn fwy na lleoliad. Rwy'n teimlo bod rhai storïau yn y gystadleuaeth yma wedi eu lleoli fel esgus i bentyrru llysenwau ar y cymeriadau.

Rhaid i'r dafodiaith fod yn naturiol ystwyth, yn rhan esmwyth o'r dweud, heb dorri ar gynllun na thynnu sylw oddi ar y stori. Rhaid i'r cynllun a'r dafodiaith fod yn esmwyth yng nghwmni ei gilydd, a bid siŵr nid bratiaith llawn geiriau Seisnig neu briod-ddulliau Seisnig wedi eu cyfieithu yw tafodiaith. Mae'n gallu bod yn gynnil, yn ddeifiol ac yn ddisgrifiadol tu hwnt. Er mai am stori dafodieithol y gofynnwyd, doedd dim rhaid iddi fod yn blwyfol.

Os oes cystadleuaeth lle dylid gofyn am gael clywed y stori ar dâp, cystadleuaeth y stori fer dafodieithol yw honno. Nid peth i'r llygad yw tafodiaith, mae goslef ambell air, ac amseru ambell gymal yn rhywbeth na all y llythrennau ar bapur byth eu cyfleu. Os yw'r stori'n werth ei rhoi ar bapur dylai gael gwrandawiad.

O'r un deg saith sgript a ddaeth i law cefais bedair stori fer, un a allai fod yn stori fer, a deuddeg o sgriptiau nad oeddent yn cyflawni y ddwy agwedd sydd yng ngeiriad y gystadleuaeth. Ces bleser o ddarllen pob sgript. Roedd yr iaith yn dderbyniol, a phawb wedi gwneud ymdrech deg i fod yn dafodieithol. Dim ond *Sioni* fu'n ddigon cwrtais i nodi ardal ei dafodiaith. Corlannaf dair stori i ddechrau.

Dwy Sach: 'Ras y colomennod'. Gweler *Cyfansoddiadau a Beirniadaethau Nedd a'r Cyffiniau 1994.* Y ffugenw'r pryd hwnnw oedd *Cawn Weld.*

Hewl Dop: Ni chafwyd teitl i'r stori, ond gweler *Cyfansoddiadau a Beirniadaethau Nedd a'r Cyffiniau 1994.* Rwy'n dweud hyn ar sail geiriau'r beirniad sy'n sôn am 'wmladd' rhwng dau geiliog, 'ciliog y mynydd' a 'chilog y comin'. Y ffugenw yn 1994 oedd *Y Gwas.* Efallai bod *Hewl Dop* wedi ad-drefnu peth ar ei waith ond yr un yw ei 'stori'.

Llwchwr: 'O Rwsia â Chariad'. Gweler *Cyfansoddiadau a Beirniadaethau Bro Colwyn 1995.* Y ffugenw yn 1995 oedd *Garw.* Tybed a newidiodd y dafodiaith o Gwm Garw i Lwchwr yn unol â newid y ffugenw? Ni chafodd beirniad 1995 ei argyhoeddi, felly feirniad 1998. Dyma un enghraifft, 'Cyrhaeddodd Leningrad, a hawdd iddo weld do'dd dim ishe cyflwyniad iddi'. Anhygoel. Mae gennyf i deimlad mai yr un yw *Llwchwr* a *Hewl Dop.*

Yn agos iawn at y gorlan rwy'n rhoi:

Aman: 'Plotyn yr Addewid'. 'Stori' yw hon am gasineb a chwerwder rhwng glöwr a'i wraig. Calon y wraig wedi crawni o gasineb am iddi feichiogi. Gan fod y geiriau 'Da'n gilydd' yn arwyddocaol iawn yn 'stori' *Aman* ac mai 'Da'n Gilydd' oedd enw stori *Graddfa* yn Llanelwedd 1993, stori am wraig i löwr, sy'n eithriadol o gas tuag at ei gŵr – mae'n gyd-ddigwyddiad anhygoel. Os gwnes i gamgymeriad, rwy'n ymddiheuro.

Lle Llawn: 'Dewis Wech Trustee Newydd I'r Clwb Yfed Lleol'. Mae'r gwaith yma'n cwmpasu rhan helaeth o'r ganrif hon ac yn sôn am, 'bois cefn gwlad yn dod i'r pyllau fel haliers am eu bod nhw'n deall ceffylau'; glöwr yn mynd o dŷ i dŷ i werthu pysgod; menywod y tîm darts; ac am y bingo nos Sadwrn. Hyd yn oed fel hanesyn fedra i ddim credu ynddo. Llawer o Saesneg yn y stori. Elfen o Gymry v. Saeson.

Glo Mân: 'Gwerthu gwaith glo Glantawe'. Mae llawer o Saesneg yn y 'stori' hon hefyd. Glowyr wedi prynu'r pwll, a chael bod yno broblem ddaearegol. Dod i ben â gwerthu'r pwll i Sais – ar ôl tipyn o gynllwynio. Mae'n anodd gen i gredu y byddai'r un Sais mor dwp â llyncu'r 'stori'.

Ar ôl trafod traean o'r cystadleuwyr, ni chafwyd un stori fer hyd yn hyn. Mae i'r gweddill lawer mwy o amrywiaeth mewn testun a lleoliad.

Tudno: 'Dau air'. Ychydig iawn o dafodiaith sydd yng ngwaith *Tudno.* Llythyr personol iawn oddi-wrth mam at ei merch yn graddol ddatgelu cyfrinach y fam unig. Mae'r llythyr yn darllen yn hyfryd, dim cyffro, dim ond haen ar haen o gofio am wacter hen garwriaeth ac unigrwydd codi plentyn heb gymorth na thad na theulu. Llythyr ac nid stori fer.

Fflach: 'Llunio bai lle na bo un'. Enw gorchestol braidd ar hanes angladd dwbl mam-gu a thad-cu a chanlyniad etifeddu y *watj* aur ar eu mab, ac am hanes yr holl deulu ar ôl hynny. Mae gan *Fflach* rai dywediadau hyfryd, 'fe sgwariodd ei gefn fel pren bara' ar ôl etifeddu'r *watj.* Cyfres o ddigwyddiadau o fewn teulu yn hytrach na stori fer yw cynnig *Fflach.*

Brith gof: 'Yr MBE'. Helynt pentrefol Shoni Pant-gwyn (ddarllenwr y *Daily Telegraph*) yn methu cael copi o *The Western Mail* gan 'hen Sais o siopwr'. Mynd at

Wil, 'a wisgai'r bore arbennig hwnnw dop côt werdd o frethyn Cymreig gore a chlos pen-glin'. *Peroxide blonde* ag enw dwbwl barel yn ennill yr MBE a Chymraes brysur â, 'gwallt yn gobin twt a hwnnw'n wyn fel eira' yn gwrthod yr anrhydedd. Anghredadwy! Dim stori fer.

Malen: Nid oedd teitl i'r gwaith. 'Meri fach' wedi 'pasio'r *scholarship*' i fynd i'r ysgol ramadeg. Mynd i Lanelli ar y bẁs. 'Ffagots a phys' i ginio, prynu'r dillad a nôl adre ar y bẁs pedwar. Pawb yn hapus. Go brin fod *Malen* wedi ysgrifennu stori fer ond ysgrifennodd yr hanesyn mewn tafodiaith hyfryd. Mae'r fam yn siarad â phawb (bron) yn y trydydd person – ei gyfarch fel 'fe' neu 'hi' – mae hyn yn dal yn arferiad mewn rhai ardaloedd wrth siarad â phlant.

Penrhyn: 'Brenhines y Teras'. Cofnod o helyntion cymhleth pobl mewn teras o chwe thŷ. Daeth y diwedd mor sydyn â swigen yn diflannu. Fe wnâi gwaith *Penrhyn* y tro fel rhagarweiniad i gyfres 'Y Teras', ond nid yw'n stori fer.

Mam-gu: 'Y wherw yn troi'n whare'. Dyma'r gwaith tafodieithol mwyaf naturiol a dirodres yn y gystadleuaeth. O sir Benfro, neu'n agos ati. Mam-gu'n sgwrsio â Mali, ac mae'r agosatrwydd mor gryf nes i mi bron allu teimlo gwres anadl y siaradwraig. Ganwyd merch â nam arni i 'mam-gu', a stori bywyd y ddwy sydd yma, y chwerwder, yr ymdrech a'r llwyddiant. Ac o gydchwarae gyda'i hŵyr bach y daw testun y sgwrs. Ysgrif bersonol iawn, nid stori fer.

Camelot: 'Talentog o dwp'. Sefyllfa fodern – Brenda a Garfield wedi ennill y Lotri. Dechrau da. Roeddwn i'n gwybod yn union ble'r oeddwn i o fewn dwy frawddeg. Ond arafodd y cyfan i ddiflastod pan aed i sôn am wres canolog ac organ i'r capel. Anfaddeuol oedd darllen fod Garfield yn sôn 'am roi'r gwaith lan' – lan i ble? *Camelot* oedd y cyntaf i ddangos peth amgyffred o anghenion y stori fer.

Yn y fan hyn, carwn i awduron y tri chynnig ar ddeg a nodwyd rannu eu gwaith gyda darllenwyr papurau bro neu gylchgrawn. Mae 'na bleser o'u darllen. A dyma ddod at y pedwar ymgeisydd sydd wedi ateb y ddwy agwedd sydd ynghlwm wrth y gystadleuaeth – stori fer a thafodiaith. Eto, mi apeliaf am gael tâp o bob stori oherwydd dim ond hanner profiad yw darllen tafodiaith. Ond dyma'r goreuon:

Sioni: 'Carco mochyn'. Dyma'r unig un i nodi sain arbennig ambell lythyren ysgrifenedig. Stori hwyliog, llawn cynnwrf am fochyn Bob a Marget Rolant yn tagu ar afal, ac am allu y 'witwith' leol i ddelio â'r sefyllfa. Aeth y diweddglo yn ddifywyd. Trueni na fyddai'r stori yn debycach i gwt y mochyn – â thro bach yn y diwedd.

Bob Arall: 'Y Teulu Brenhinol a Phorth yr Aur'. Ffantasi anghyffredin sy'n dechrau, 'ar sgwâr yng Ngh'narfon' (mi fyddwn i wedi disgwyl 'sgwâr C'nafron').

Rhowch eich stori i'r dafodiaith *Bob,* yn hytrach nag i'r ffurf lenyddol gywir – nid yw geiriau fel 'buaswn', 'rheidrwydd' a 'nid wyf yn cofio' yn dafodieithol – ac y mae ffurfiau tafodieithol i'r geiriau. Erthygl o rifyn olaf Mawrth 1914 o'r *Herald Cymraeg* yw sail y stori. *Bob* yn dod wyneb yn wyneb â – phwy? Galw ambiwlans, corff yn diflannu ar y ffordd i'r ysbyty – cynhyrfus iawn. Y diweddglo sy'n gofyn am enw awdur y golofn braidd yn dawel. Stori lwyddiannus a hwyliog.

Helga: 'Y Fenyw Ddiarth'. Stori fer o ran ei hyd hefyd! Tafodiaith ddeheuol naturiol ac esmwyth drwy'r stori. Amser – Ionawr 2000 – rai dyddiau ar ôl dathliadau'r Mileniwm. Aeth *Helga* â mi i fewn i'r stori ar unwaith – ffrindiau'n cwrdd ag awyren ffrindiau oedd yn dod yn ôl o'r dathliadau yn yr Aifft. Sgwrs yn sôn am 'fenyw ddiarth' wedi symud i fewn i'r tŷ drws nesa. Sôn fod rhywbeth yn rhyfedd o'i chwmpas hi. Oedd e? Nag oedd! Cadwodd *Helga* ni rhwng 'oedd' a 'nac oedd' hyd y frawddeg olaf. Fflachiai'r stori yn y diweddglo. Stori fer hyfryd.

Ethan Hunt: 'Pâr o Brogues'. Pan ddarllenais i'r stori hon gyntaf dyma feddwl bod gormod o Saesneg yma ac acw – ond yna sylweddoli fod y rhan fwyaf o'r geiriau hyn wedi eu Cymreigio o hir arfer. Ond byddwch yn ofalus o'r duedd yma, *Ethan Hunt.* Mae'r stori yn f'atgoffa am dynnu croen nionyn (winwnsyn) – haen ar ôl haen denau yn ddadlennu'r bywyn. Petawn i wedi cael y stori hon ar dâp byddai tempo'r sgwrs ar y diwedd wedi gwneud yr holl beth yn gryfach byth. Gan mai stori *Ethan Hunt* sy'n ennill, cewch gyfle i'w darllen ar ôl fy sylwadau i.

Stori fer dafodieithol

PÂR O BROGUES

I chi gâl dallt . . . i CHI gâl dallt! Be dw i'n falu, i FI gâl dallt ydi'r pwynt . . . Nos Lun odd hi. Diwrnod cynta'r wthnos i fi. Dw i ddim yn mynd i gapal na dim byd felly. Chydig iawn o fynd sy 'na ar gapeli ffor hyn rŵan, yn enwedig gan nad ydi'r Sul yn sych bellach. Ma' rhan fwya ohonyn nhw ar werth. O'n i'm yn gwbod bo chi'n gallu gwerthu capal. Ond ma' 'na lot o betha dw i ddim yn gwbod nac yn dallt chwaith.

Ia, nos Lun odd hi pan ddes i adra o Gardydd. 'Di câl llond bol o chwilio am waith pan 'dos 'na ddim gwaith i gâl. Dim i bobol fel fi eniwe heb gwalifficesions na 'm byd. Nid bo fi'n thic. O'n i'n medru gneud y gwaith yn dosbarth ond odd 'na ormod yn reidio ar yr exam. A dw i'n crap mewn exams. So, odd raid ifi fynd i ffwr ar ôl 'y mrawd John. Ond ddim fath â John. God na! Gweld fi'n dreifio BMW fatha fo?

Dw i'm yn meddwl 'na. O'n i'm isio mynd achos o'n i'n mynd yn 'i gysgod o a fynta 'di neud mor dda. Llwythi o lefel Os a lefel As. Gafodd o joban yn syth a fflat yn sgîl hynny a fodan a car, ne car a fodan . . . Duw, dw i'm yn cofio, ond mi gafodd o bob dim odd o isio heb fawr o draffarth.

So odd hynna'n gadal Mam, Dad a fi, y brawd bach, Ethan. Dw i'n casáu'r enw 'na! Eth-an. Fatha ryw lo gwirion. Dw i jest yn deud wrth bawb am alw fi'n Wil achos dyna'r peth cynta ddath i'm meddwl i. Fath â'n yncl i. 'I enw fo 'di William hefyd, ond odd 'na ddau Wil yn 'i ddosbarth o so nath o ddeud, 'Galwch fi'n Moc,' am ma' dyna'r peth cynta ddath i'w feddwl o. Dydi Mam ddim yn licio'r enw Wil so hi ydi'r unig un sy'n câl galw fi'n Ethan.

Odd Dad ar y dôl (odd gynno fo ddim llawar o otsh be o'n i'n galw'n hun) ac odd Mam yn glanhau mewn un ysgol ac wedyn mewn ysgol arall a phan odd hi'n gorffan yn fan'no odd hi'n mynd i ryw offis lawr dre. Odd hi'n mynd allan yn gynnar yn y bora ac yn dod yn ôl tua deuddag. Gneud cinio i Dad a châl te yn barod iddo fo. Rhoid o ar y dresal efo lliain sychu drosto fo a wedyn mynd allan tua tri i neud y joban offis 'na a dod yn 'i hôl tua hannar awr wedi saith i hwylio swpar. Wedyn smwddio ne twtio ne rwbath ac ar ôl hynny odd hi'n deud, 'Dyna fo, dw i'n mynd i fyny 'ŵan. A fydda hi ddim yn gneud strôc arall tan y bora.

Felly odd hi. Mam yn gwitho. Dad yn slotian. Mam yn ennill. Dad yn gwario. Byd ar 'i ben lawr. Fo yn tŷ yn chwyrnu ac yn chwil. Hitha'n gwisgo'r sgidia trymion. A finna . . . o'n i jest yn gwatsiad pob dim yn digwydd. Gwatsiad Mam, odd hi fel cloc heb fawr o gysur gin Dad na fi, well imi fod yn onast. Ond odd Dad yn llawar gwaeth na fi. O leia on i'n siarad efo hi fel person a nid fel robot ne beiriant fath â fo.

So, am y nos Lun 'ma. O'n i'n hwyr yn dŵad adra. I ddeud y gwir o'n i ddim isio dŵad adra o gwbwl. Ond o'n i 'di câl llond bol o Gardydd. Stafall oer gachlyd o'n i'n rhentu. Dim digon o bres i fwynhau fy hun. Dim gobath am joban iawn. O'n i 'di neud un ne' ddau o betha casiwal ond dros dro odd rheiny. Mewn siopa'n shifftio stoc newydd a phetha felly. Oddan nhw'm isio neb llawn amsar. A nath un boi ddeud bo fi'n wierd am bo fi ddim yn siarad digon a mynd am sesh a hel merchaid dros y Sul. Nath ryw foi arall ddeud bo fi'n cwïyr am bo gynno fi ddim fodan. So ar ôl hynny ddes i o'r twll. 'Dyna fo,' fel sa Mam yn deud.

Colli'i waith yn y ffatri geir nath Dad. Nath hannar y lle gau lawr am bo nhw 'di colli lot o ordors o Japan. Ddath o adra ar y dy Merchar yn lle dy Gwenar. Rodd 'na gythral o dempar arno fo. Ath o'n syth i Threshers a dod yn ôl efo dau sixpack o McEwans ac ista'n yfad nhw trw'r dydd. Fifty five odd o, dodd o ddim yn gweld joban arall yn dod yn lle honno.

Ac ar ôl hynny rodd yn rhaid i Mam gâl tair joban yn lle un. Ac ar ôl hynny 'nes i ddechra teimlo'n annifyr efo fo yn hongian o gwmpas y tŷ yn magu cweir achos odd o dan draed o hyd ac yn trin Mam fel shit. O'n i isio rhoid cythral o stid iddo fo er 'i fod o 'di colli 'i waith o a bob dim. Ond ddim tan y nos Sadwrn hwnnw'n ymyl y cei 'nes i deimlo fel 'i gicio fo mewn i dytsh go iawn.

Rhyw wythnos odd hi cyn ifi fynd i ffwrdd i chwilio am waith. O'n i mor bôrd; y cyfan o'n i'n 'i neud odd cerddad rownd dre a rownd dre eto ac eto.

Dodd 'na ddim bricsan yn yr adeilada ar y stryd fawr nad o'n i'm yn nabod yn dda. O'n i hyd yn oed 'di dechra hel meddylia am y bois nath neud y brics. God! Sad 'ta be? Odd gin i'm mynadd hongian o gwmpas efo mêts erill fi. Oddan nhw i gyd wedi mynd i nôl pizza a lagyr yn rywla. O'n i 'di mynd at y cei a jest fel o'n i'n troi gornal am y Jolly Roger yn ymyl y llys barn gwelis i nhw. Clywis i nhw . . . hogan mewn sgert du i fyny at 'i bogal bron iawn a jacad ledar a ryw foi mewn jacad brethyn, trywsus tywyll a Brogues a pan welis i'r Brogues 'nes i stopio'n stond.

Sgidia gora 'mrawd i odd rheina. Dim ond y fo fasa 'di gallu prynu'r fath betha yn teulu ni. I fi odd o 'di gadal nhw pan ath o off i swancio. Dyna'r unig beth ges i gynno fo rioed. A dyna nhw ar draed sglyfath budur. Ac yn bwysicach . . . dyna nhw ar draed 'y nhad. Odd ddim rhaid iddo fo droi rownd na dangos 'i wynab. O'n i'n gwbod ma' fo odd o – y basdad!

Ar ôl hynna welis i o deirgwaith efo tair hogan wahanol a ddim bob amsar yn yr un lle. Basdad slei. Odd hon yn dre rhy fach. Be o'n i'n mynd i neud? Tawn i'n deud rwbath am y sgidia fydda fo'n dod i'r casgliad mod i 'di gweld o efo'r hwrod 'na rownd dre. A taswn i'n edliw iddo fo am hynny ella basa fo'n dial ar Mam ar ôl ifi fynd. Dodd o ddim yn rhy swil i hitio Mam. Odd o 'di gneud yn y gorffennol.

Odd Mam ddim yn gwbod? Drychis i ar 'i hwynab hi. Dodd hi'n tycio dim. Odd hi'n gneud y bwyd, y cinio, y te a'r swpar ac odd hi'n mynd at 'i gwaith a'r cyfan heb air ond 'i phadar bach, 'Dyna fo. Dw i'n mynd i fyny 'ŵan.' Ar y pryd swn i 'di gneud rwbath i 'neud iddi wenu.

So es i ffwr yn ddistaw. O'n i'n medru deud o lythyra Mam nad odd dim byd 'di newid achos odd hi'n deud dim am 'y nhad. Petai 'na rwbath yn wahanol amdano fo, fasa 'di codi 'i chalon hi, fasa hi 'di deud. Odd y dictar yn berwi yno i ac o'n i'n gweld y dwrnod lle basa'n rhaid ifi ddŵad yn ôl yn agosáu. Ond bob tro odd y dwrnod o'm mlân i o'n i'n newid 'y meddwl. Y rheswm na do'n i ddim isio dŵad adra odd am bo fi'n gwbod bydda'n rhaid ifi neud o. Neud y peth odd yn rhaid i rywun neud. Pam fi? Pam ddim? Odd yn rhaid i rywun sortio'r diawl allan. Felly, nes i aros mor hir â phosib yn y De cyn bo'n rhaid ifi ddod yn ôl ar y nos Lun hwnnw . . .

Dw i'n teimlo'n rhyfadd. Dim ond blwyddyn yn ôl odd y ddesgl yn wastad. Odd catra'n lle braf i fod yno fo a gwên Mam odd canol llonydd y cwbwl. Odd Dad yn gwitho. Dodd o ddim yn yfad; ddim yn hel merchaid. Odd 'na ddim sibrwd byth a hefyd yn y dafarn na'r swyddfa bost na Safeway tu ôl i'r bresych. Odd Dad yn chwara pŵl withia a ffwtbol amball i benwythnos. Odd o'n cadw'r ardd yn ddel. Ac odd gin Mam un joban ac odd hi'n canu wrth neud 'i phetha rownd y tŷ. Ac mewn blwyddyn ma'r byd 'di câl 'i droi ar 'i ben i lawr.

Yna odd hi'n nos Lun ac o'n i'n dŵad adra. Odd y nos yn mynd mlân am byth a'r trên yn mynd mlân am byth hefyd. Ond odd yn rhaid iddo fo stopio. Odd yn rhaid ifi gerddad i fyny'r stryd, 'n dodd?

Odd Dad allan efo ryw fitsh yn rhwla, ma'n debyg a Mam yn neud te ne swpar ne smwddio fel cadach heb wên yndi hi o gwbwl. A John yn y ddinas fawr o hyd, o hyd yn John, o hyd yn mwynhau'i hun. Dodd o heb newid, odd hynna'n saff. Odd o jest ddim yna. Odd o fel ysbryd ar y noson gerddis i o'r stesion.

Odd 'na bobol yn chwerthin i fyny'r stryd. Chwerthin ysgafn difalais. Swn i 'di leicio gallu chwerthin fel 'na. O'n i'n teimlo fel dilyn nhw. Dilyn y sŵn. Dyna 'nes i, jest dilyn o. Gwthis i 'nyrna'n ddyfn yn 'y mhocedi. O'n i'n meddwl am Mam. Bydda hi yn 'i gwely erbyn hyn. A Dad . . . odd y chwerthin 'di mynd i lawr ryw lôn gefn. O'n i isio mynd ar 'u hola nhw ond bob tro o'n i'n rhoid cam yn 'u cyfeiriad nhw o'n i'n gweld Mam yn smwddio . . . Mam yn golchi . . . fel peiriant. Y golch yn troi a throi fel 'i bywyd hi. Odd 'nghalon i'n curo'n gyflym. Ac wedyn am ryw reswm 'nes i feddwl – na, ddim heno. Ryw noson arall pan ma' gin ti fwy o blwc . . . Ac adra â fi.

Wrth imi ddod at y tŷ gwelis bod y gola mlân yn y gegin o hyd. Odd Mam yna yn ista yn y gadar yn ymyl y lle tân. Dodd hi ddim wedi mynd i fyny eto 'ta? Es i mewn. Odd 'na ryw hanner gwên o groeso ar 'i hwynab hi a wedyn nath hi sbio arna i.

'Ti'n iawn 'ngwas i?'

''M yn bad. Lle ma Dad?'

'Allan.'

Nes i jest sbio arni. Un gair byr o atab. Odd hi'n cadw gymint iddi hi 'i hun. O'n i isio bod yn siŵr 'i bod hi'n câl gwbod y gwir. 'Mam,' o'n isio deud, 'dach chi'n gwbod bod o allan efo ryw hogan o hyd? Dach chi'n sylweddoli? Pam na newch chi ddim jest gadal y basdad?' Ond y cyfan ddudis i odd, 'Dw i'n mynd i fyny 'ta. Dw i 'di blino ar ôl y siwrna.'

Es i drosodd ati a chusanu 'i boch. Odd hi'n oer er bod y stafall yn gynnas. Wrth ddringo'r grisia 'nes i droi rownd a dyna lle odd Mam wedi codi o'i chadar yn plygu dros y bwrdd yn gneud rwbath. Chymris i ddim mwy o sylw na hynny ac i fyny â fi.

Gysgis i fel y meirw y noson honno nes imi gâl 'neffro yn oria mân y bora gan rwbath. Rhwbath annelwig. 'Nes i drio mynd yn ôl i gysgu. O'n i 'di bod yn breuddwydio am ddilyn y chwerthin wrth ddod o'r trên ac am newid 'y meddwl. Breuddwydio am 'i neud o, am gâl gwarad ohono fo. Wath imi ddeud be o'n i'n feddwl ohono fo go iawn. Câl gwarad o'r basdad am y ffor odd o'n cario mlân. Odd dim hawl gynno fo hyd yn oed os odd o 'di colli 'i job ac odd petha'n ryff iddo fo. Dodd 'na filiyna o ddynion yn yr un cae ag o â'u gwragadd nhw'n syportio nhw a nhwytha'n teimlo'u bod nhw 'di colli 'u lle'n y byd. Y basdad! A phan glywis y chwerthin 'na yn y stryd wrth ddod o'r stesion o'n i'n wir isio i'r chwerthin fod yn fo efo ryw hwran er mwyn ifi gâl darnio fo.

Ond wedyn rywsut ar ôl meddwl am y peth go iawn odd gynnof i ddim mynadd. A phan welis i Mam ar 'i thraed pan o'n i'n disgwl iddi hi fod yn y gwely nath hynna daflu fi chydig. Ac wedyn o'n i 'di blino cymint nes ifi syrthio i gysgu a jest breuddwydio am neud o eto ac eto. Pan ges i 'neffro 'nes i drio mynd yn ôl i gysgu a breuddwydio am neud o eto. Ond methis i fynd yn ôl i gysgu o gwbwl. 'Nes i droi a throsi a phenderfynu codi a nôl diod o ddŵr. Es i lawr grisia. Rodd bob man yn dawal ac yn dywyll. Odd Mam 'di mynd i'r gwely debyg. Nes i fflicio'r switsh a jest imi ddisgyn am ben y tân achos dyna lle odd Dad yn gorfadd ar ganol llawr.

'Iesu ddyn, be dach . . . Dad . . .?' Odd 'na waed yn dod o ochor 'i ben o a dodd o ddim yn symud. 'Mam!' A dyna pryd 'nes i weld hi'n ista yn y gadar ger y tân fatha carrag ac yn siarad efo hi 'i hun.

'Ddyla fo ddim fod 'di gwisgo nhw. Dy sgidia di oddan nhw'n de, Ethan?'

'Mam?' Odd hi'n gwbod bo fi yna ond odd hi ddim yn sbio arna fi go iawn. 'Nes i banicio chydig. Ffonio am ambiwlans. Yna ista wrth fwrdd y gegin. Dw i'm yn gwbod be ddath drosta fi. O'n i'm yn gwbod be arall i neud. O'n i'n dechra meddwl bod 'y mreuddwyd i 'di dod yn wir a bo fi 'di gneud o go iawn yn 'y nghwsg. Odd Mam yn dal i ista 'na yn siarad efo hi 'i hun.

'Ddyla fo ddim fod wedi . . .' drosodd a throsodd. Dim ond pan o'n i'n ista 'na'n disgwl am yr ambiwlans 'nes i sylwi ar y Brogues reit yn ganol y llawr o flân y drws. Dw i'n siŵr nad oddan nhw ddim yna pan ddes i mewn. Os basan nhw, swn i 'di . . . Edrychis i ar Mam. 'Ddyla fo ddim fod wedi . . . ddim fod wedi . . .'

Odd 'y mhen i'n troi. Dad allan. Mam tu mewn. Fo'n câl hwyl. Hi'n câl hi'n anodd hyd yn oed i wenu. Rodd 'na ddarn bach ohono fi yn meddwl 'i fod o 'di dallt beth odd 'di digwydd yn y gegin 'na y noson honno ond odd 'na ddarn lot mwy ohono fi, tua naw deg naw y cant, odd ddim isio gwrando ar y dehongliad posib o'r digwyddiada.

Es i draw ati a gafal yn 'i dwylo hi.

'Mam, nathoch . . .', ac yn sydyn rodd bois yr ambiwlans yn y drws a ches i ddim cyfla i ddeud gair oddi ar hynny.

Nos Wenar 'di heno 'ma. Noson fish a tships. Dw i 'di medru câl gwaith yn siop Robaich. Yr unig siop fwyd fach bron iawn ar ôl yn y dre 'ma. Well gin i siopa bach.

Ma' Mam 'di mynd yn hoff o fish a tships ers . . . Wel ma' hi'n mwynhau byta rŵan. Gynt odd hi jest yn mynd trwy'r broses ond rŵan ma' hi'n cnoi 'i bwyd ac yn gwenu ar ôl gorffan. Ma' hi'n canu wrth olchi'r llestri. Hen ganeuon . . . 'Ffadl-idl-al . . . dacw 'nghariad . . . dadl dau . . . calon lân . . . tw-rym-di-ro . . .', a ryw betha felly. Ma' petha'n ôl yn 'u lle . . . ac eto . . .

Dw i 'di bod yn disgwl am hir isio atab i be ddigwyddodd ar y nos Lun 'na. Dw i 'di bod yn gymysglyd iawn fel taswn i'n cerddad lawr lôn hir mewn niwl trwchus yn gweld y gola yn y pelldar ond yn arafu'n hun rhag 'i gyrradd o gymint nes 'y mod i'n dechra camu'n ôl. O'n i'm isio clywad fy hun yn deud y peth, ddim hyd yn oed yn meddwl am y peth. Swn i'n mynd i hel diod cyn bo fi'n gadal i fi'n hun sortio'r peth allan yn 'y mhen i. I ddechra, o'n i'n meddwl bo fi mewn sioc. O'n i'n falch bo Dad 'di marw ar lawr y gegin mewn un ffordd ac mewn ffordd arall do'n i ddim ac o'n i'n amheus o 'nheimlada. O'n i'm yn hollol siŵr be i deimlo ac o'n i'm yn siŵr pam. A rŵan ma'r meddylia yn cordeddu yno fi fath a neidir wenwynig nes bo nhw jest â 'nhagu fi . . .

Dath John i'r angladd. Chydig iawn odd gin John i ddeud wrth Dad erioed ac yn enwedig ers iddo fo adal, ond nath o ofyn be ddigwyddodd ac odd hynny'n dipyn o sioc yno fo'i hun achos o'n i'm yn gwbod be o'n i'n mynd i ddeud wrtho fo.

'Baglu,' me' fi yn syml pan ofynnodd o. Duw a ŵyr o ble ddath y gair.

'Baglu?'
'I mewn i'r bwrdd gegin. Odd on feddw . . .', me' fi'n frysiog.
'Yn feddw? Nhad!' 'Nes i jest sbio arno fo.
'Ma' 'na sbel ers i chdi adal.'
'A beth yn union y ma' hynny fod olygu?'
'Ma' pawb yn gallu newid.' Do'n i ddim yn nabod 'y llais fy hun. Sut o'n i'n medru swnio mor cŵl pan o'n i'n teimlo fel cicio fo yn 'i fol am fod y basdad mor lwcus i gâl dianc o'r lle 'ma? 'Ar ôl colli'i waith nath o newid. Dechra yfad McEwans trw'r adag. Habit am bod y bôrdom yn gyrru fo'n wallgo. Dodd gynno fo ddim byd i neud na gobath o'i neud o chwaith.'
'Ond ma' dynion erill o'i oed o 'di ailafal yndi hi eto. Rhai o'r executives 'ma . . .'.
'Lle yn Never Never Land executive Peter Pans, ia? Odd Dad yn ffitar mewn ffatri geir, ddim un o'r ponsys 'ma sy'n ista o gwmpas bwrdd mawr yn trafod 'u miliyna ac yn sôn am wylia deirgwaith y flwyddyn yn y Bahamas a Florida.' Sbiis i reit i wynab John. Dodd o ddim efo fi. Odd 'i feddwl o'n troi ar rwbath arall o'n i 'di deud cynt.
'Ond dodd 'nhad ddim yn yfwr,' medda fo'n syn. Caledodd rwbath yno fi. Odd o ddim isio clywad y gwir na gweld sut odd petha i ni odd yn gorfod byw yn y byd go iawn.
'Ddath o miwn yn yr oria mân un bora ar ôl bod efo ryw hwran ma'n debyg; yn chwil gachu. Odd hi'n dywyll. Methu câl hyd i'r gola. Nath o faglu dros . . . dros 'i draed o'i hun am nad odd o'n medru'u teimlo nhw yn 'i fedd'dod; dod lawr fath â tunnall o frics a hitio'i ben yn erbyn ochor bwrdd y gegin. Bwrdd derw. Wyt ti'n gwbod pa mor galad 'di'r bwrdd 'na? Nath o farw a dyna fo.'
'Dyna fo? Ffycin hel!' Ath John allan i'r ardd a trio smasho'r glass yn y drws wrth 'i gau o.
Ar ôl hynna dudodd o ta-ra wrth Mam ac i ffwr â fo yn 'i BMW yn ôl i Lundan fel cath i gythral. Odd 'na'm byd ar ôl iddo fo'n fan hyn.
Dw i'n teimlo'n fwy cymysglyd rŵan achos dw i'n meddwl 'mod i 'di deud clwydda wrth John. Rywsut o'n i jest ddim yn gallu deud be o'n i'n dechra dod i gredu odd yn wir. Wn i'm. Alla i jest ddim rhaffu'r holl feddylia a gneud synnwyr ohonyn nhw.

So, dw i 'di penderfynu bod yn rhaid imi ofyn i Mam be ddigwyddodd achos ella bod y cwest a'r heddlu yn hapus yn 'i alw fo'n 'marwolaeth ddamweiniol' ond ma' 'na gwestiyna yn 'y meddwl i o hyd. A bob tro dw i'n sbio ar y Brogues ma'r cwestiyna yn tyfu ac yn tyfu. Erbyn hyn ma'n nhw fel sbrydion mewn hunlla. Ac ma'r rheiny'n cynyddu bob nos hefyd. Dw i'n deffro witha yn gafal mewn clustog ac yn trio ysgwyd bywyd i mewn iddi, ne' dw i'n clywad sŵn Brogues John yn dod tuag ata fi i fyny'r girisia . . . God! Dw i'n deffro yn y twyllwch a dw i'n gweddïo am gâl marw.
So, heno 'ma, nos Wenar, dw i 'di câl fish a tships a 'dan ni'n ista wrth y bwrdd yn y gegin. Ma' Mam yn fwy agorad rŵan,'di ymlacio mwy. Dim ond un joban sy gynno hi rŵan, yn y bora. Dw i'n ennill digon i' helpu hi. Pan odd hi'n sglaffio darn mawr o hadoc dyma ofyn yn dawal be ddigwyddodd.

'Baglu. Hitio'i ben.' Odd 'i hatab mor ffwr-a-hi, nath y cwestiwn nesa jest neidio o ngheg i.

'Be odd Brogues John yn da ar ganol llawr?'

'Fe nath rhoid nhw 'na, dudis i wrtho fo am beidio.' Rhewodd fy llaw i a gollyngis 'y ngafal ar y tshipan o'n i ar fin rhoi yn 'y ngheg.

'Dydi hynna ddim yn gneud sens! Pam sa fo yn rhoid nhw reit ar ganol y llawr?'

'Fo nath . . .'. Odd y lliw 'di mynd o'i hwynab hi. Sychodd 'i dwylo ar dusw a daeth y geiria o'i cheg hi un ar ôl y llall mewn llif di-dor.

'Fo nath rhoid nhw yna am fod o'n deud o hyd mod i'n rhoid nhw mewn llefydd lle nad odd o'n medru ffeindio nhw. Dw i'm yn gallu ffeindio'r Brogues ddynas, me' fo. Ma'n nhw yn y cwpwrdd, me' fi. Ddim yn gallu ffeindio nhw, lle ddiawl ma'n nhw? Yn y cwpwrdd, meddwn inna. Dydan nhw ddim, medda fo. Aros funud, mi ddo i fyny. Fyny â fi i'r stafall i'r cwpwrdd a dyna lle oddan nhw reit o dan 'i drwyn o. Sbia, dyna nhw wrth ochor dy hen sgidia garddio di. Ty'd â nhw yma ddynas, medda fo'n chwyrn. Sdim isio rhyw hen sgidia garddio rŵan. Pa iws 'di gardd i ddyn na mochyn? A paid â chyffwrdd yn 'y mhetha i eto. Dw i am roid nhw lle ca' i hyd iddyn nhw pan dw i isio nhw. Ath o lawr y grisia a finna i'w ganlyn o.

'Sodrodd o'r sgidia yn ymyl y dresal yn fan'cw. Dyn nhw ddim yn rhy agos i'r drws yn fan'na, me' fi? Nag 'dyn, ma'n nhw ddigon pell. Ac mi ath o allan o'r drws a dod yn ôl i mewn dim ond er mwyn profi'r pwynt fath â hen ddyn pigog yn trio profi bod grym yn dal yno fo o hyd. Yn fan'na dw i am iddyn nhw fod, a paid di â rhoi dy haffla arnyn nhw ne mi . . . Ne be? meddwn inna. Nath o sbio i fyw 'y llygid i am funud ac ath o'n goch fel bitrwt a troi fel ci 'di câl cic a slamio'r drws ar 'i ôl o.

'Wedyn es i ati i hwylio swpar, gosod y bwrdd. Dodd 'na ddim sôn amdano fo. Disgwl a disgwl ac yn y diwedd nath 'y llygid i droi at y Brogues. Ma'n nhw'n sgidia mor hardd. O'n i'n meddwl o hyd sut odd John yn gwisgo nhw a chidtha. Dy sgidia di ydyn nhw cofia. Ac wedyn ddest ti mewn o'r trên a finna'n dal i ddisgwl dy dad. Est ti fyny i dy wely a blinis i ar ddisgwl cyhyd. Ac yna meddylis y baswn i jest yn rhoid sglein bach arnyn nhw. Ond odd gin i ofn dechra rhag ofn iddo fo ddŵad yn 'i ôl a 'nal i wrthi. Ond 'nes i ddisgwl am hydodd a ddath o ddim, felly o'r diwadd dyma fi'n cydio ynddyn nhw ac efo dipyn o spit a rwbio, jest llnau tipyn arnyn nhw a rhoid nhw nôl ar y llawr . . .'

Ddath y nos Lun honno yn ôl ata i. Dw i'n cofio Mam yn plygu dros rwbath wrth fwrdd y gegin fel o'n i'n dringo'r grisia. Ond dôn i heb gymryd dim sylw.

'Nathoch chi roid y sgidia nôl yn union lle nath o'u rhoid nhw?'

'Byta dy fwyd cyn iddo fo oeri.'

'Mam?'

Parhau i fyta'n dawal ac yn araf nath hi. Yna sychodd 'i dwylo mewn tusw.

'Mwy ne lai.'

Ethan Hunt

Cystadleuaeth i rai sydd wedi byw yn y Wladfa ar hyd eu hoes ac yn dal i fyw yn Ariannin: Ofergoelion

BEIRNIADAETH MARIAN ELIAS ROBERTS

Cafwyd cystadleuaeth ddiddorol gan y pedwar ymgeisydd canlynol:

Olaf: Cyflwynodd ef ei waith yn dwt a deniadol ar ffurf llyfryn bychan gan nodi ofergoelion lwcus yn gyntaf a rhai anlwcus i ddilyn. Neilltuwyd tudalen i bob un a chartŵn ar bob tudalen. Ymysg yr ofergoelion anlwcus ceir hwn, 'Mae pobl y camp yn sôn llawer am *gualicho*, hynny yw, yr ysbryd drwg. Ryw dro es i'r siop i brynu cig a dyna ble roedd gwraig yn llefain a dweud bod ei gŵr wedi ei gadael a mynd efo geneth arall. "Ond," meddai, "does dim bai arno fo, y *gualicho* sydd wedi bod heibio"'. Bychan yw casgliad *Olaf* ond haedda ganmoliaeth.

Eurgain: Mae'r casgliad hwn yn fwy swmpus a didolwyd yr ofergoelion dan wahanol benawdau, e.e. gwrach, diafol, y rhif saith, crachfeddyg, cath, ac yn y blaen. Ceir rhagymadrodd byr i rai o'r rhain a sylwadau diddorol, e.e. dan y pennawd 'crachfeddyg' honnir bod hwnnw yn, 'rhoi hysbysiad yn y papur newydd ac yn casglu arian am yr ymgynghoriad a'i haneru efo'r plisman'. Ceir nifer fawr o ofergoelion hollol ddieithr i ni yng Nghymru gan *Eurgain*, e.e. '. . . fod barcud sydd yn lledu ei adenydd ar lawr ac yn cael trafferth i symud yn arwydd o farwolaeth aelod o'r teulu', a 'Pan glywai'r Indiaid farcud yn canu credent y byddai'n siŵr o fwrw eira', a 'Pan fydd pobl gogledd Ariannin yn drwgdybio bod y diafol yn agos maent yn gosod y sliper chwith â'i phen i lawr ac yn dechrau gweddïo'.

Ymgais dda yw hon i greu casgliad amrywiol a threfnus gan un â storfa o wybodaeth. Nid yw'r rhagarweiniad yn hollol eglur ar y darlleniad cyntaf a'r tro nesaf y bydd yn cystadlu awgrymaf i *Eurgain* ailddarllen ei gwaith ymhen diwrnod neu ddau ar ôl ei ysgrifennu. Y pryd hwnnw, oni fydd yr ystyr yn hollol eglur ar y darlleniad cyntaf, bydd angen symleiddio.

Gofalus: Ysgrif ddiddorol wedi ei hysgrifennu'n grefftus. Fel hyn mae'n dechrau, 'Fel y rhan fwyaf o bobl erbyn hyn, dydw i ddim yn ofergoelus, o bethau'r byd! . . . Ond, mae'n arferiad yn y Sbaeneg i ddweud, neu yn hytrach ofyn, "Usted cree en las brujas?", sef, Ydych chwi'n credu mewn gwrachod? "No, como creer no, pero que las hay, las hay." Na, ddim fel credu, ond am eu bod nhw yn bod, maen nhw yn bod . . .' sy'n atgoffa rhywun am sylw cyffelyb Syr Thomas Parry-Williams am y Tylwyth Teg.

Sylwodd ar un ofergoel yn Ariannin sydd yn perthyn i'r Cymry yn unig, 'Cawn wrthwynebiad llawer o'r Cymry i wisgo dillad o liw gwyrdd, peth na cheir mohono, cyn belled ag y gwn i, yn unlle arall'. Sylw diddorol arall yw, 'Pan oedd yn fachgen, treuliodd fy mhriod gryn lawer o'i amser yng nghwmni brodor a fu'n llawer o help iddo i ddysgu arferion y wlad. Roedd ganddo barch mawr tuag at y dylluan bob amser, gan ei bod, meddai ef, yn gofalu am ein lles drwy ddifa llygod a phethau eraill niweidiol, a hefyd yn rhoi hysbysrwydd pan fyddai yna rywun yn agosáu at y cartref. Oherwydd hyn, roedd yn beth anlwcus iawn i neb ladd na niweidio tylluan'.

Nid oedd angen i *Gofalus* ymddiheuro am gynnwys rhai coelion tywydd; mae'r rhain hefyd yn werthfawr. Mwynhad pur oedd darllen ei hysgrif ond gan mai beirniadu yw fy nhasg disgwyliwn iddi fod wedi cynnwys rhagor o ofergoelion i ragori ar *Mara*, y pedwerydd cystadleuydd.

Mara: Rhestru ofergoelion, cynifer â 94 ohonynt, a wnaeth yr ymgeisydd hwn gan dynnu ambell lun i gyd-fynd â'r testun. Ar y clawr ceir ffrâm hardd o flodau sychion lliwgar. Mae nifer o'r ofergoelion yn ddieithr iawn i ni, e.e. ystyrir estyn diod *mate* i rywun â'r llaw chwith yn sarhad ac mae rhoi dŵr ychydig bach yn oer arno nid yn unig yn sarhad, 'ond hefyd yn arwydd ei bod yn hen bryd i'r ymwelwr fynd adre, a pheth arall, mi all gael poen bol'. Cynghorir pob un sy'n mynd ar daith am, 'gofio gosod ychydig o siwgr yn ei fag ac arian bach yn ei boced' a phan fydd, 'storm mellt a tharanau yn agosáu mae'n rhaid gwneud croes ar y llawr efo halen a gosod bwyell arni, rhag i'r storm ddifetha dy gynhaeaf'. Ceir nifer o ofergoelion am gariadon a phriodi ac mae rhai sy'n ymwneud â'r dwylo a'r bysedd, e.e. Os bydd merch yn pigo ei bys wrth wnïo, 'os mai'r bys bawd ydy o mae'n arwydd o lawenydd, bys yr uwd, diflastod, yr hirfys derbyn llythyr, bys y fodrwy mae yna gariad ar y ffordd, y bys bach, arian ar y ffordd'.

I wella'r cyflwyniad gallasai *Mara* fod wedi gosod penawdau i'w gasgliad ac yn sgîl hynny fod wedi osgoi cael ofergoel neu ddwy ar garu a phriodi tua'r diwedd yn hytrach nag efo'r gweddill ar y testun hwnnw ar y ddau dudalen gyntaf. Gallasai hefyd fod wedi meddwl am ragor o bynciau i ysgrifennu amdanynt, ond ei eiddo ef yw'r casgliad mwyaf a'r mwyaf diddorol, ac iddo ef y dyfarnaf y wobr gyntaf. Gan i mi fwynhau darllen gweithiau'r tri ymgeisydd arall hefyd, teimlaf eu bod hwythau yn teilyngu rhan o'r wobr. Gan nad yw amodau'r adran llenyddiaeth ynghylch gwobrwyo yn effeithio ar yr adran hon, rhoddaf £100 i *Mara*, £50 i *Gofalus*, a £25 yr un i *Eurgain* ac *Olaf*. Efallai y gall Llys yr Eisteddfod ganiatáu i *Llafar Gwlad* gyhoeddi detholiad o waith y pedwar.

ADRAN COMISIYNU YR EISTEDDFOD

Nofel fer neu gyfrol o straeon sy'n addas ar gyfer bechgyn yn eu harddegau

BEIRNIADAETH ELFYN PRITCHARD

I'r rhai hynny sy'n poeni bod anghydbwysedd yng nghyfresi'r arddegau rhwng addasiadau a deunydd gwreiddiol, a hynny oherwydd prinder ysgrifenwyr, bu hon yn gystadleuaeth i godi'r galon. Pedwar yn cystadlu, a gobaith yn y man am ymddangosiad pedair nofel.

Gwybedyn: Y mae gan *Gwybedyn* lawer o waith i'w wneud ar ei nofel 'Y We' cyn y bydd yn barod i'w chyhoeddi. Y mae'r gwaith yn llawn gwallau: gwallau atalnodi, sillafu, cymysgu'r genedl, ac yn bennaf oll, gwallau cystrawennol rif y gwlith, sy'n gwneud y darllen ar brydiau yn feichus. At hynny ni thrafferthodd i gynnwys amlinelliad derbyniol o weddill y nofel; dim ond hanner dwsin o nodiadau byrion annigonol. Ond mae ganddo gynllun sy'n llawn addewid. Corryn yw llysenw ei brif gymeriad, bachgen sy'n syrffio'r We yn ddiddiwedd ac yn ei haraf feistroli. Ei thema yw'r cyfochredd o feistroli'r We a'r un pryd feistroli ei fywyd ei hun sy'n batrymwaith o ddyheadau a phroblemau a sefyllfaoedd dyrys. Y mae Corryn yn gymeriad byw a diddorol ac y mae cymeriadau eraill y stori yn rhai credadwy. Y mae'r sefyllfaoedd yn rhai diddorol a chymhleth ac y mae posibiliadau gwirioneddol yn y nofel hon. Mae'r cyflwyniad i'r gwaith yn llawn addewidion y bydd yn rhaid eu cyflawni cyn i'r nofel weld golau dydd. Y mae hefyd yn cynnwys awgrymiadau diddorol am gysylltu'r nofel â'r We. Ond yn y dyfodol y mae hynny. Yn y cyfamser mae gan *Gwybedyn* lawer o waith i'w wneud, ond gobeithio y bydd yn dyfalbarhau, ac y cawn yn y man nofel gyffrous, wahanol, gwbl addas ar gyfer ei chynulleidfa.

Bob: Y mae gan *Bob* gryn dipyn o waith i'w wneud cyn y bydd ei nofel 'Dadmer' yn barod i weld golau dydd. Ar ddechrau'r stori mae Gwyn a dau neu dri o hogiau eraill yn yr ysbyty, ac wrth edrych yn ôl yr adroddir yr hanes. Dychwelyd o gêm rygbi y mae'r criw ac wrth chwarae tric ar y gyrrwr, sef un o'r athrawon, y mae chwarae'n troi'n chwerw, yr athro yn marw o drawiad ar y galon a'r criw yn gorfod treulio noson, os nad mwy, mewn gwesty gwag diarffordd yng nghanol eira mawr.

Derbyniwyd nifer o benodau wedi eu hysgrifennu'n llawn ac amlinelliad manwl iawn o weddill y nofel. Y mae yn y cynnig hwn eto nifer o wendidau. Mae yma nifer o wallau iaith ac obsesiwn am y dafodiaith, gan dynnu sylw diddiwedd ati yn hytrach na'i defnyddio yn naturiol. Mae yma hefyd gymysgu enwau'r bechgyn ar y bws a cheir ymdriniaeth anfoddhaol ar rai agweddau ar y stori, megis marwolaeth yr athro, a beth a wneir â'r corff, a hefyd ddyfodiad y ferch i'r stori. At hynny dyw hi ddim yn glir faint o amser a dreulir gan y criw yn y gwesty, ai un noson neu fwy. Rhaid rhoi sylw i'r materion hyn cyn y ceir nofel fydd yn bodloni'r darllenydd. Ond mae'r syniad yn llawn posibiliadau. Nid yw'n gwbl newydd na gwreiddiol ond mae'n sylfaen dda i stori, sef criw o hogiau sy'n newid eu cymeriad a'u personoliaeth dan ddylanwad arweinydd sy'n gymeriad cryf ac yn dylanwadu ar y lleill. Pobl yn troi'n anifeiliaid, neu o leia'n ymddwyn yn anifeilaidd sydd yma, ac y mae elfen gref o swrealaeth yn y gwaith. Y mae disgrifiad yr awdur o'r gêm rygbi a manylion y symudiadau yn dangos bod ganddo ddawn ysgrifennu ddiamheuol. Byddai'r stori yn ychwanegiad gwerthfawr at lenyddiaeth bechgyn yr arddegau o'i hailwampio'n ofalus, ac y mae'n werth ymlafnio â hi.

Guto: Y mae angen peth gwaith gan *Guto* cyn y bydd ei nofel 'Tân Gwyllt' yn barod i'w chyhoeddi. Mae'r crynodeb manwl a gynhwysodd ar wahân i'r penodau cyflawn a geir yn awgrymu'n gryf fod hon yn nofel sy eisoes wedi ei chwblhau. Bwlio yw'r thema, a Seimon, yr hogyn sy'n cael ei fwlio a Denny yr arch-fwliwr yw'r prif gymeriadau, a'r cyd-ymwneud rhyngddyn nhw yw byrdwn y nofel. Mae hi'n symud yn gyflym, yn dal a chynnal y diddordeb, ac y mae digon yn digwydd ynddi. Mae gan yr awdur ddawn i ysgrifennu'n llithrig a diymdrech. Un o gryfderau'r nofel yw'r sylw a roddir i gefndiroedd gwahanol y ddau brif gymeriad, cefndiroedd sy'n dangos mewn gwirionedd pam fod un yn brae amlwg i'r bwli, a'r llall wedi datblygu i fod y math o berson ydyw. Daw'r ddau deulu at ei gilydd mewn ffordd ddyfeisgar, gredadwy.

Mae angen i'r awdur edrych eto ar rai pethau. Mae yn y gwaith nifer o wallau, a chynhwyswyd hefyd yn y penodau a gwblhawyd ar y mwyaf o frawddegau esboniadol nad oes mo'u hangen, neu y gellir eu cyflwyno mewn ffordd well. Dyma enghraifft, '"Ble mae dy focs brechdanau?" gofynnodd hi wrth symud at y sinc i olchi'r ychydig lestri. Arferai olchi'r bocs ar yr un pryd'. Mae'r ffaith iddi ofyn amdano pan oedd yn mynd at y sinc i olchi llestri yn ddigon i ddweud ei bod yn ei olchi yr un pryd. Mae modd cyflwyno gwybodaeth neu fanylion pwysig mewn ffordd lawer mwy naturiol nag mewn brawddeg sy'n sawru o 'nodyn ymyl y ddalen'. Fe dalai i'r awdur fynd trwy'r gwaith efo crib mân i chwynnu'r rhain. Ond mae angen rhoi sylw arbennig i rai pethau mwy sylfaenol. Yn nes ymlaen yn y stori ceir ymddangosiad John Morgan sy wedi bod, fe ymddengys, yn ffrind i Seimon, ac yn dychwelyd cyn diwedd y llyfr i fod yn ffrind iddo drachefn. Ond does dim sôn am y bachgen hwn ar ddechrau'r nofel, a thipyn o syndod yw dod ar draws ei enw. Y mae ambell bennod wan yn yr amlinellaid, a phennod 14, sy'n addo cymaint, sef y tân gwyllt, yn datblygu'n bennod ddi-gic, ddiddigwydd, siomedig; tra mae yma a thraw hefyd gryn dipyn o din-droi, ac mae angen naddu'n fwy llym i gael mwy o gynildeb a llai o fynd i bobman. Yn fwy na dim, mae angen i'r awdur ystyried ei agwedd at Denny y bwli. Mae yr hen ŵr sy'n atal Seimon rhag taflu bricsen drwy'r ffenestr yn ei ddarbwyllo y gall, trwy rym ei bersonoliaeth, lwyddo i 'edrych i lawr ar Denny'. Hyn, er bod yr awdur yn ei ddarlun o gefndir Denny, yn ennyn yn y darllenydd ryw gymaint o gydymdeimlad tuag ato a dealltwriaeth o'r hyn sy wedi ei wneud yn fwli. Ond pethau y gellir yn weddol ddidrafferth eu gwneud yw y rhain a hynny i nofel sy'n addo'n dda.

Steffan: Ar wahân i'w chwblhau, does fawr iawn o waith ar nofel *Steffan*, 'Wedi Byw'. Dyma awdur sy'n gallu ysgrifennu'n rhwydd a diymdrech, sy'n gwybod sut i saernïo stori ac sy'n gallu dal a chynnal ddiddordeb y darllenydd. Cyflwynodd dair pennod lawn ac amlinelliad manwl o'r gweddill.

Mae'r dyfyniadau o ganeuon poblogaidd ar gychwyn pob pennod yn gwbl briodol ac yn arweiniad i thema'r bennod bob tro. Ceir paragraff cyntaf sy'n hoelio sylw o'r cychwyn cyntaf ac y mae gan yr awdur ffordd gofiadwy o fynegi pethau, e.e. 'Tynnodd y dillad gwely yn gysur amdano'. Lleolwyd y stori yn y flwyddyn dwy fil a'r hyn a geir ynddi yw hanes Steffan, hogyn sy'n penderfynu gadael yr ysgol a mentro i'r byd mawr i flasu bywyd. Dyna a wna, ac mae'r nofel yn adrodd hanes ei fywyd o hynny ymlaen yn 'Roadie' gyda'r grŵp pop, Galileo. Yn ganolog i'r nofel y mae ei obsesiwn gyda Lucy, y ferch brydweddol y mae'n cyfarfod â hi yn Llundain. Stori yw hon sy'n llawn o ddathlu a meddwi a chyffuriau, o fyd y dilynwyr pop, ond mae hefyd yn llawn tristwch. Marwolaeth ei ffrind Marc sy wedi dylanwadu fwyaf ar Steffan a'i wneud yn benderfynol o godi o'r rhych a phrofi bywyd go iawn, ac y mae'r nofel yn gorffen yn eironig bwrpasol. Y mae angen peth golygu arni yma a thraw ac edrych eto ar ambell frawddeg chwithig fel, 'Amseroedd ei ddisgyniad i frecwast', a'r defnydd o'r ffurf 'caiff' yn hytrach na 'câi', i nodi dwy enghraifft yn unig. Ond mewn cystadleuaeth ddiddorol, llawn addewid, does dim amheuaeth nad *Steffan* sy ar y blaen ac y mae'n gwbl deilwng o'r wobr a'r comisiwn. Yn y cyfamser cadwed y lleill eu golygon ar Gyngor Llyfrau Cymru a chadwed Cyngor Llyfrau Cymru ei lygaid arnynt hwy.

Casgliad o groeseiriau

BEIRNIADAETH DAFYDD PRICE JONES

Gofynnwyd am ddeg croesair, a'r gwaith gorffenedig i gynnwys tua 60 croesair, wedi eu graddio a ran anhawster, a'r sampl yn adlewyrchu hynny. Ymgeisiodd pedwar a chyn ymdrin â nhw ar wahân, hoffwn ddweud ambell air (rhai ohonyn nhw'n groes!) sy'n berthnasol, i rai graddau, i bob ymdrech a dderbyniais, a hefyd i groeseiriau Cymraeg yn gyffredinol. Mae'n rhaid cyflwyno pob croesair yn berffaith gywir. Ni chyrhaeddodd yr un o'r pedwar casgliad heb o leiaf un pos ag ynddo wall a fyddai'n ddigon i'w ddifetha i'r datrysydd. Nid pob golygydd llyfrau a phapurau newydd sy'n medru trafod croeseiriau, ac felly mae'n rhaid i'r sawl sy'n creu croesair ei gyflwyno i unrhyw olygydd heb frycheuyn ynddo.

Cofiwch, lunwyr croeseiriau oll, fod yn deg â'ch cynulleidfa – nhw ydy eich cwsmeriaid. Does dim byd gwaeth na methu â gorffen croesair, a theimlo ar ôl edrych ar yr atebion olaf, 'Dim rhyfedd imi fethu, mae'r cliw yna'n annheg'. Ar y llaw arall, mae popeth yn iawn os gellir dweud, 'Cliw anodd, ond mae o'n berffaith deg; mi ddylwn i fod wedi ei gael'. Dylai pob cliw wneud synnwyr fel brawddeg, ac mae'n rhaid i bob cliw ddweud yr hyn mae'n ei olygu. Mae'n rhaid iddo arwain y datrysydd at yr ateb. Camgymeriad cyffredin yn y gystadleuaeth hon oedd cliwio'r rhan ymadrodd anghywir. Os mai ansoddair ydy'r ateb, yna rhaid cliwio ansoddair – nid enw neu arddodiad. Os oes anagram i'w ddatrys, rhaid i'r cliw ddynodi hynny rywsut. Er enghraifft, dydy, 'Sbotyn o ddŵr gwlyb iawn' ddim yn gliw i DIFEROL. Dydy'r cliw, 'Drysodd rhwng dwy ras a chafodd ofn mawr' ddim yn dweud mai enw (arswyd) ydy'r ateb. Nid pwdin ydy reis. Does neb yn galw'r pwdin yn reis. Pwdin reis ydy'r pwdin. Yna, 'Capel croesog ar chwâl yn gybyddlyd' (8, 7). Yn ôl yr ymgeisydd, Ebeneser Scrooge ydy'r ateb. Dydy 'yn gybyddlyd' ddim yn diffinio'r ateb. Hefyd, Ebenezer oedd enw Dickens ar ei gybydd. Fodd bynnag, mae 'croesog ar chwâl' yn awgrymu anagram 'Scrooge' yn llwyddiannus iawn.

Darparodd un ymgeisydd restr geiriau sy'n awgrymu anagram. Rhaid cymryd gofal wrth ei defnyddio, fodd bynnag. Anaml iawn y gellir defnyddio enw i awgrymu anagram, fel y gwnaeth yr ymgeisydd ei hun yn y cliw i 'gwrthod', 'Gomedd drwg o'th annibendod'. Dydy'r cliw ddim yn dweud fod llythrennau 'drwg o'th' yn anniben, na bod annibendod yn perthyn iddynt. Cliw gwell o lawer gan yr un ymgeisydd ydy, 'Gwlad yn troi arni (Iran). Yma gellir darllen fod llythrennau 'arni' yn troi.

Wrth gyfansoddi croesair, cofiwch lunio cliwiau â digon o amrywiaeth ynddynt. Derbyniais ambell groesair gyda mwy na thri chwarter y cliwiau'n anagramau. Gall undonedd o'r fath beri diflastod. Mae diddanu'r datrysydd yn holl-bwysig.

Derbyniais sawl croesair a chanddo atebion sy'n cynnwys nifer uchel o lythrennau heb eu croesi gan atebion eraill. Dydy hynny ddim yn bechod marwol, ond nid oedd yr ymgeiswyr wedi gwneud iawn am hynny trwy ddarparu cliwiau haws i'r atebion. Sawl gwaith, ni fedrwn orffen croesair heb edrych ar un neu ddau o atebion o'r fath yn y cefn neu yn yr amlen. Y cliw olaf i mi geisio'i ateb ym mhos olaf un ymgeisydd oedd, 'Dyfais ddinistriol yn llaw ynfytyn?' Roedd -O- gen i. LLONG? Wel, efallai. Ond nage, BOM ebe'r ymgeisydd. Ond awn ymlaen at yr ymgeiswyr, yn nhrefn yr wyddor:

Aram: Daeth yr ymgais hon ar ffurf llyfr, gyda rhagymadrodd diddorol sy'n olrhain hanes y croesair yng Nghymru a'r byd, ac yn disgrifio'r mathau gwahanol o groeseiriau a chliwiau sydd i'w cael. A dyma'r *anagram* heb 'nag' a ddarparodd y rhestr geiriau sy'n awgrymu anagram. Teitl ei lyfr ydy *Coesau'r Ieir Gwyllt* – anagram o *Croeseiriau,* a'r ansoddair *gwyllt* yn awgrymu'r anagram.

Yma cawn wyth croesair gyda diffiniadau fel cliwiau, un gyda chliwiau cywrain ac un gyda thema lenyddol iddi. Wedi darllen y rhagymadrodd, disgwyliwn weld cyfartaledd uwch o groeseiriau gyda chliwiau cywrain o bob math, a buaswn wedi hoffi hynny. Mae'r wyth cyntaf, er eu bod wedi eu graddio, braidd yn debyg i'w gilydd, ac mae gormod o lawer o anagramau yn y nawfed croesair. Er bod gwedd broffesiynol i'r gwaith, llithrodd gwallau i mewn. Mae cliwiau ar goll yn rhif 5, ac Amelia oedd enw'r wraig a groesodd Gefnfor Iwerydd, nid Emily; ac mae sgwâr llwyd wedi ei gamleoli yn y croesair olaf.

Ymddengys i mi fod croeseiriau yng ngwaed *Aram.* Cyn mentro ar lyfr fel hwn, fodd bynnag, dylai astudio'r mathau o gliw mae'n eu disgrifio yn ei ragymadrodd, a cheisio llunio croeseiriau gydag amrywiaeth cytbwys ynddynt, gan gofio bob tro fod yn rhaid i bob cliw ddweud yr hyn mae'n ei olygu. Mae datrys nifer o groeseiriau cywrain yn y Gymraeg a'r Saesneg, gan astudio a beirniadu'r cliwiau, yn gallu bod yn ymarfer ardderchog i luniwr. Peidiwch â thaflu'r rhagymadrodd; bydd ei angen arnoch ryw ddydd.

Ar y Gair: Deg croesair, pob un yn 13 x 13, ond yn mynd ychydig yn fwy anodd yn raddol tuag at y cefn, wrth i'r lluniwr ddefnyddio mwy a mwy o gliwiau cywrain, yn hytrach na diffiniadau. Cefais hwyl wrth ddatrys rhai o'r cliwiau, er enghraifft, 'Mae hi'n gwasgu weithiau. Ond ymhle?' (5). Esgid ydy'r ateb, er y byddai, 'Mae'r un fach yn gwasgu . . .' wedi bod yn well cliw byth. Fodd bynnag, mae angen mwy o ddisgyblaeth ar *Ar y Gair* mewn rhai mannau, er enghraifft, mae llawer o'r cliwiau cywrain yn anodd i'w datrys am nad ydyn nhw'n dweud yr hyn maent yn ei olygu. Yn wir, credaf fod y cliw cywrain yn feistr ar *Ar y Gair* ar hyn o bryd, fel y bu arnaf innau ar un adeg. Bydd hynny'n newid gydag amser ac ymarfer.

Mae'r ymgeisydd yn disgwyl tipyn go lew o wybodaeth lenyddol, beiblaidd ac emynyddol gan y datrysydd. I rai croeseirwyr, mae Pantycelyn yn awgrymu'r llythyren W, yn hytrach na gair mewn llinell yng nghanol emyn! Weithiau, rhaid oedd i mi balu'n ddwfn i drysordy 'nghof. 'Gwelodd y bardd ddwylo ymbilgar yn hwn' (6). 'Am be aflwydd mae'r creadur yn malu?' meddwn i. Wedi munud neu ddau, trwy rhyw lwc, daeth i 'mhen atgofion am yr ysgol Sul ac emyn T. Rowland Hughes, 'Dwy law yn erfyn sydd yn y darlun'. Rhaid cofio mai ymarfer yr ymennydd, yn hytrach na'r cof a'r gallu i bori mewn llyfrau dyfyniadau, sy'n gwneud croesair yn ddiddorol fel rheol. Ac os am sgrifennu cliwiau o'r fath (mewn cylchgrawn crefyddol neu lenyddol, efallai), dylid darparu nodiadau gyda'r atebion. Hefyd, rhaid gwireddu pob dyfyniad. Annos ei filgi mae sipsi Eifion Wyn, nid ei annog.

Cadi: Nid croeseiriau yn y ffurf draddodiadol a dderbyniwyd gan *Cadi.* Fodd bynnag, mae geiriau sy'n croesi'i gilydd ym mhob un o'r posau, ac rydw i'n berffaith fodlon derbyn mai croeseiriau ydyn nhw. Hoffais yr amrywiaeth yn y cliwiau a'r posau, sydd wedi eu graddio'n ofalus, o un bêl-droed hyd at bedair! Cefais hwyl wrth ddatrys pob un o'r posau, a hwyl fawr iawn gyda rhai. Maen nhw wedi eu saernïo'n gelfydd, yn aml fel bod 'gwobr' i'r datrysydd ar ddiwedd y dydd, megis englyn adnabyddus neu deitl darn o lenyddiaeth, ynghyd â dyfyniad ohono. Wedi dweud hynny, rhaid i *Cadi* ystyried safbwynt y datrysydd ychydig yn fwy gofalus ar adegau. Er enghraifft, mae pos lle mae llythrennau cynta'r atebion yn ffurfio enw nofel. Yn anffodus, mae'r rhaglith yn dweud gormod, ac mae'n hawdd llenwi enw'r nofel yn syth bin. Gwaith, yn hytrach na hwyl, oedd datrys y cliwiau wedyn. Mae angen cliw cyntaf mwy anodd i un o'r croeseiriau dwbl, oherwydd dyfalais enw bardd adnabyddus Cymreig efo naw llythyren yn dechrau efo E bum eiliad ar ôl dechrau datrys y pos. Yna, mae rhan sylweddol o bos yn dibynnu ar ddarganfod enw'r lle y bu i un o gantorion mwya'r byd ymgartrefu ynddo rai blynyddoedd yn ôl (5, 1, 3). Gellir ysgrifennu'r ateb i mewn yn syth. Dydy pethau fel hyn ddim yn difetha'r posau, ond credaf eu bod yn ei gwneud yn haws nag y bwriadodd y lluniwr iddynt fod. Llithrodd ambell gamgymeriad i mewn i'r gwaith, gan gyfrif anagram a darlun anghywir.

Nannas: Ymddengys i mi fod yr ymgeisydd hwn wedi bod ar frys i gwblhau'r deg pos mewn pryd, a heb gael amser i edrych dros ei waith. Mae cliwiau ar goll ac eraill wedi'u hargraffu'n anghywir. Mae rhai sgwariau a ddylai fod yn wyn yn ddu, a rhai du yn wyn, ac mae rhai o'r rhifolion yn y darluniau yn eu lle anghywir. Efallai mai brys sy'n gyfrifol am amlder y cliwiau diffygiol hefyd. Yn y croesair cyntaf, ceir y tri chliw: Tegid; Prynu; Gôl. Atebion yr ymgeisydd yw Bala; talu; sgorio. Llyn Y Bala ydy Llyn Tegid; nid prynu yw talu, ac nid gôl ydy sgorio. Mae'r cliw cywrain hefyd yn feistr ar *Nannas.*

Wedi difrïo gwaith y cystadleuydd druan uchod, rhaid i mi ddweud imi fwynhau'r croesair a eilw yn 'Tafodieithoedd'. Yn hwn cawn gliwiau, llawer ohonynt yn ymadroddion tafodieithol, a rhaid i'r datrysydd ddarganfod ateb sy'n air neu ymadrodd mewn tafodiaith arall.

Credaf fod deunydd llyfr difyr dros ben gan *Cadi,* ac fe hoffwn weld ei gyhoeddi. Ond mi fyddwn i'n wallgof petai hyd yn oed un camgymeriad yn llithro i mewn i'r gyfrol. Oherwydd hynny, mawr obeithiaf y bydd *Cadi* yn trin pob croesair fel ei babi hi ei hun, gan ei greu, ac yna'i roi mewn drôr am o leiaf fis cyn ceisio'i ddatrys yn gyfan. Gorau oll os gall *Cadi* hefyd roi'r posau i rywun arall ar ôl mynd drwy'r broses hon – rhywun sy'n mwynhau datrys croeseiriau ac a fyddai'n sylwi ar unrhyw fân frychau, ac sy'n fodlon eu beirniadu'n ddi-flewyn-ar-dafod. Yna, pan ddaw'r proflenni o'r wasg, dylid datrys pob croesair unwaith eto – o leiaf gan *Cadi,* ac, os yn bosib, gan rywun arall hefyd. Dyfarnaf y comisiwn i *Cadi.*

ADRAN CERDD DANT

Cyfansoddi cainc 12 bar y pen, gydag amseriad 2/4, a dau bennill i'r cylch, yn y cywair mwyaf neu leiaf

BEIRNIADAETH ELERI OWEN

Mae prinder dybryd o geinciau dau bennill i'r cylch ymhob arwydd amser, ac yn arbennig mewn ceinciau 2/4, 12 bar y pen. Dyma, mae'n siŵr, pam y gwelodd Pwyllgor Cerdd Dant Eisteddfod Bro Ogwr yn dda gynnwys y gystadleuaeth arbennig hon.

Yn *Allwedd y Tannau* rhif 52, mae'r *Gymdeithas Cerdd Dant* wedi rhestru ugeiniau o geinciau yn ôl eu harwydd amser, cywair lleiaf/mwyaf, nifer barrau y pen a nifer penillion i'r cylch. I lunio cainc dau bennill i'r cylch â 12 bar y pen, rhaid meddwl yn nhermau dau gymal o chwe bar yr un, a'r chwe bar olaf yn ail-adrodd y chwe bar cyntaf i raddau helaeth ac yma dyfynnaf yr hyn a ddywedir yn *Allwedd y Tannau*, 'Os yw hanner cynta'r pen yn cael ei ailadrodd naill ai yn union yr un fath neu hefo peth amrywiad naill ai mewn cynghanedd neu yn yr alaw hyd at y diwedd neu bron at y diwedd, yna nid oes angen ailadrodd y pen'.

Anfonwyd saith o geinciau i'r gystadleuaeth, a does yr un ohonynt yn ateb gofynion y gystadleuaeth. Mae rhinweddau yn perthyn i bob un ohonynt, a diolchaf i'r rhan fwyaf o'r cyfansoddwyr am gyflwyno'r gwaith yn daclus. Mae ceinciau *Aurora, Llygad y Dydd* (dwy gainc), *Soya, Ap Morus* a *Mimosa* yn geinciau traddodiadol eu naws, ond wedi eu llunio yn gyffredinol ar batrwm tri chymal o bedwar bar. Mae gwaith *Boris* dipyn yn fwy modern ac yn ddigon diddorol, ond eto, nid yw'n ffitio'r patrwm y gofynnwyd amdano. Yn ddieithriad, ceinciau pedwar pennill i'r cylch yw'r saith a dderbyniwyd. Rhaid felly atal y wobr.

Cyfansoddi cainc ar unrhyw fesur â naws y *blues* iddi

BEIRNIADAETH ELERI OWEN

Dyma gystadleuaeth 'wahanol' os bu un erioed! Tybed beth fyddai adwaith arloeswyr cynnar y byd cerdd dant i'r gystadleuaeth hon? Does dim gwadu nad yw'r grefft wedi symud ymlaen cryn dipyn yn y blynyddoedd diweddar, gyda harmonïau mwy mentrus yn y cyfalawon a cheinciau dipyn yn wahanol eu naws o ran rhythm a harmoni. Cafodd offerynnau ar wahân i'r delyn eu hychwanegu o bryd i'w gilydd, a'r cyfan hyn mae'n siŵr er mwyn ceisio ychwanegu at bortreadu'r geiriau a genir.

Yn y gystadleuaeth hon, gofynnir am gainc â naws y *blues* yn perthyn iddi – hynny yw, nid o angenrheidrwydd yn *arddull* y *blues*, ond yn cynnwys yr elfennau sy'n nodweddiadol o'r grefft arbennig honno megis y rhythmau a'r nodau unigryw – y trydydd ar seithfed lleiaf er enghraifft (a elwir yn 'nodau'r felan' os mai dyna'r term a dderbynnir yn gyfieithiad o 'blue notes'). Mae traddodiad canu gyda'r tannau a thraddodiad y *blues* wedi'u gwreiddio'n ddwfn yn y gorffennol, ac ar un olwg, mae tebygrwydd rhyngddynt os ystyrir yr elfen fyrfyryr a berthynai i'r ddwy grefft ar wahanol gyfnodau yn eu hanes. Yr hyn sy'n rhaid ei gofio yw bod y gystadleuaeth hon yn yr Adran Cerdd Dant, hynny yw, nid am unawd *blues* y gofynnir, ond yn hytrach am gainc sy'n gallu cario cyfalaw ac sy'n gallu cyfathrebu â chynulleidfa heb dynnu sylw'n ormodol ati hi ei hun, ac ar yr un pryd yn cynnwys elfennau traddodiadol y *blues*.

Daeth pedair ymgais ddigon gwahanol i'w gilydd i law, a phob un â'i rhinweddau. Mae gan *Biloxi* wybodaeth o'r cyfrwng ac mae ei waith yn gyffredinol yn dderbyniol dros ben. Mae yma awyrgylch hamddenol braf, a'r thema a gyflwynir yn y bar cyntaf yn cael ei defnyddio a'i hymestyn yn grefftus. Ond yr hyn sy'n amharu ar waith *Biloxi* yw'r ysgrifennu anniben a'r esgeulustod cyffredinol. Yn wir, pe bai wedi bod yn ddisgybl ysgol i mi, byddai'r gwaith wedi bod yn frith o feiro coch! Mewn cystadleuaeth o'r safon yma, ni ddisgwylir defnydd o *Tippex*, ac mewn sawl man, anodd ac weithiau amhosib, yw ceisio deall y nodau. Yn nhrydydd bar yr ail ran, ceir G llonnod yn y llaw chwith a G naturiol ar yr un pryd yn y llaw dde, a thybiaf mai F llonnod sydd ei angen ar ddiwedd y bar. Byddai defnyddio pren mesur i dynnu'r llinellau bar wedi gwella diwyg y gwaith. Mae hyn oll yn drueni mawr gan fod yma waith hynod o gerddorol. Pe bai *Biloxi* wedi cymryd mwy o ofal, mae'n siŵr mai dyma'r gainc fyddai wedi dod i'r brig.

Naws hamddenol hyfryd eto sydd i 'Mwddrwg' gan *Cerddor y Castell*. Cainc yn C leiaf yw hon, gyda'r rhythm a geir yn y bar agoriadol yn cael ei ddefnyddio'n gyson ac yn gelfydd. Mae elfen 'Binc Pantheraidd' yn y gainc hon, ac rwy'n hoff o'r *glissando* yn yr ail ran. Mae 'Mwddrwg' yn agos at y brig ac mae'n siŵr y gellir ei defnyddio yn y dyfodol fel cainc osod, o gael geiriau addas i'w gosod arni.

Mae 'Gan fy mod' gan *Boris* yn symud i dir tra gwahanol. Dyma gerddor sydd â gwybodaeth fanwl o arddull y *blues*, yn rhythm ac yn nodau. Mae'r gwaith y tu hwnt o gelfydd o ran ei adeiladwaith ac yn hynod ddiddorol. Ceir yma linell fas gadarn sy'n llwyddo i gynnal yr amrywiol rythmau, ac mae 'nodau'r felan' yn amlwg yn y gwaith. Er hyn oll, teimlaf mai unawd *blues* sydd yma, yn hytrach na chainc osod. Credaf y byddai'n anodd creu cyfalaw lwyddiannus i gyd-fynd â 'Gan fy mod' gan fod yma, os rhywbeth, ormod o ddiddordeb yn y cyfansoddiad. Mae'n or-gymhleth ar gyfer y gystadleuaeth arbennig hon, ond yn gyfansoddiad hynod afaelgar.

Mae adeiladwaith 'Shimdda Hir' gan *Siani* yn symlach o lawer. Mae'r eginyn a geir yn y bar cyntaf yn cael ei ymestyn yn grefftus ac yn gerddorol, a'r cymalau'n llyfn ac yn gwbl naturiol. Ceir digon o ddiddordeb yn yr harmonïau, a gwneir defnydd o'r nodau a'r rhythmau a geir mewn cerddoriaeth *blues*. Dyma gainc ag iddi awyrgylch hyfryd drwyddi. Os cyhoeddir hon rhaid i *Siani* ofalu beidio ag ailadrodd hapnodau o fewn yr un bar – llaw chwith barrau 5, 7 ac 13 yn y rhan gyntaf, ac yn yr ail ran llaw dde bar 2 a 7, a llaw chwith bar 13.

I mi, dyma'r ymgais orau, gan ei bod yn ateb gofynion y gystadleuaeth. Mae'r patrwm pendant yn ei gwneud yn addas ar gyfer cainc osod. Nawr 'te, pwy fydd y cyntaf tybed i osod arni? Dyna'r her nesaf!

Emyn-Dôn i eiriau'r diweddar Barchedig W. Rhys Nicholas

BEIRNIADAETH EUROS RHYS

Derbyniwyd 58 o emyn-donau eleni, ac mae hynny'n deyrnged amlwg i'r diweddar annwyl Rhys Nicholas gan fod cynifer o gyfansoddwyr wedi ymgeisio. Y mae natur geiriau'r garol, 'O! seiniwn eto newydd gân', yn orfoleddus, syml a theimladwy ac yn naturiol felly, roeddwn yn chwilio am yr un cyfuniad yn y dôn, yn ogystal â chynghanedd ddiddorol a gramadegol-gywir ac alaw gofiadwy. Dosbarthwyd y tonau fel hyn:

DOSBARTH III

Yr oedd mwyafrif y tonau'n ddigon derbyniol – rhai yn well na'i gilydd, ond yn anffodus collodd y cyfansoddwyr hyn y cyfle i fynegi gwir ystyr y geiriau. Yr oedd gwallau cynghanedd yn frith a thuedd i fod yn or-draddodiadol. Ar brydiau, roedd gwallau acennu hefyd yn amharu ar rediad yr alawon. Serch hynny, roedd yma botensial ar brydiau, ac ni ddylai'r ymgeiswyr hyn ddigalonni gan fod nifer ohonynt wedi ymateb yn ffafriol i rai o'r gofynion uchod. Yn y dosbarth hwn, gosodwyd y canlynol: *Carolwr, Amseriad, Hen Rodney 1, 2, 3, 4, 5* a *6, Moelfab, Peggie, Peris, Caint, Rhoslyn, Cwm Gwyddon, Tiera Del Fuego, Gorslas, Dolwen, Heledd, Mynach, Iorwerth, Garwyn, Emrys 2* a *3, Gwern, Marged, Becca 1, Mirain, Joann, Elin, Becca 2, Gloria, Ap Ioan, Rwgo* a *Capten.*

DOSBARTH II

Teimlwn fod y cyfansoddwyr hyn wedi ymateb yn fwy uniongyrchol i gynnwys y geiriau ac roedd mwy o ddyfeisgarwch creadigol yn saernïaeth y tonau. Yn gyffredinol, roedd safon y ramadeg yn gyson, er i ambell un geisio gor-gymhlethu'r gynghanedd gan golli diniweidrwydd rhiniol y geiriau. Un o feiau cyson y tonau hyn oedd ychydig o ddiffyg dychymyg yn y dilyniant cynganeddol; hefyd, roedd ambell alaw'n anniddorol, er bod nifer o'r emyn-donau'n ddigon derbyniol i'w canu yn ein caniadaeth. Yn y dosbarth hwn, gosodwyd y canlynol: *Dyn o'r De, Goleudy, Adlyn, Ger-y-Llan, Terrance, Denver, Bathafarn, Y Glasgoed, Llanfair, Crud y Nant, Rhisiart Llwyd 1* a *2, Emrys 1* a *4, Glan Leri, Cartmel 1* a *2.*

DOSBARTH I

Mae saith emyn-dôn yn perthyn i'r dosbarth hwn, ac rwy'n siŵr y cawn glywed nifer ohonynt yn ein cymanfaoedd canu. Mae yma ôl meddwl a chryn ddealltwriaeth o anghenion y geiriau. Mae'r cyfansoddwyr hefyd wedi llwyddo i greu alawon gafaelgar gyda chynghanedd fwy crefftus. Efallai bod yr emyn-dôn o waith *O-G* yn rhy gymhleth o ran ei chynghanedd gan fod y trawsgyweirio'n merwino'r glust mewn ambell gymal. Serch hynny, rhaid canmol y cyfansoddwr hwn am ei ddyfeisgarwch. Y mae *Carreg Sidan* wedi creu emyn-dôn gofiadwy iawn, er bod y ddau gymal cyntaf yn rhy debyg i gorâl gan J. S. Bach, ac yn anffodus, nid yw'r newid yn amseriad y cwpled olaf yn argyhoeddi. Y mae *Dolau,*

Ogwen, *Tir y Llan* a *Person Y Llwyn* wedi ymateb yn rhagorol, er bod tuedd i golli cyfle yn y cwpled olaf, 'Moliannwn Ef . . .'. Serch hynny, roedd ambell un o'r rhain yn agos iawn at frig y gystadleuaeth. Un dôn sy'n weddill, sef 'Cedol Sant' o eiddo *Boris* ac fe'm swynwyd ganddi'n syth. Mae'r cymalau agoriadol yn wefreiddiol; mae'r gynghanedd a'r saernïaeth yn dangos ôl meddwl aeddfed a cherddorol iawn. Mae'r cywair a'r naws yn newid wrth inni fynd i'r adran 'Moliannwn Ef' sy'n ddiweddglo pwrpasol ac effeithiol, er y byddwn wedi hoffi gweld y cymal olaf un yn codi, yn hytrach na gostwng o ran traw. Barn bersonol yw hon, ac rwy'n gobeithio y bydd 'Cedol Sant' yn rhan o'n haddoli a'n canu am flynyddoedd lawer. Mae *Boris* yn llawn deilwng o'r wobr ac edrychaf ymlaen at glywed 'Cedol Sant' yng nghymanfa'r Eisteddfod.

* * * *

Cyfansoddodd y diweddar Barchedig Rhys Nicholas y garol hon (a gafodd ei chyhoeddi yn y papur bro lleol, *Yr Hogwr*, yr oedd yn gymaint o gefn iddo, ychydig cyn ei farw. Fe'i hargreffir yma a chyda'r alaw ar y dudalen nesaf gyda chaniatâd caredig ei chwaer, Mrs Sally Lewis:

CEDOL SANT

O! seiniwn eto newydd gân
O glod i faban Mair,
Cans trwyddo Ef daeth cyfle glân
I brofi rhin y gair.

Cytgan:

Moliannwn Ef, Moliannwn Ef
Sy'n tynnu'r cread tua thref.

Am iddo beri i galon dyn
Obeithio a dyheu,
Am iddo'i foddi Ef ei hun
Yn ysbryd i'n hail-greu,

Cytgan:

Am iddo gynnig ei iachâd
A balm i glwyfau'r byd,
A throi'r tywyllwch di-lesâd
Yn fore gwyn o hyd,

Cytgan

W. Rhys Nicholas

M86 (8.6.8.688)

Am iddo beri i galon dyn
Obeithio a dyheu,
Am iddo'i foddi Ef ei Hun
Yn Ysbryd i'n hail-greu.
Moliannwn Ef . . .

Am iddo gynnig ei iachâd
A balm i glwyfau'r byd,
A throi'r tywyllwch dilesâd
Yn fore gwyn o hyd.
Moliannwn Ef . . .

Gosodiad o Weddi'r Arglwydd allan o'r Beibl Cymraeg Newydd

BEIRNIADAETH ROBAT ARWYN

Cafwyd ymateb arbennig o dda gydag un ar bymtheg yn derbyn yr her. Rhoddwydd rhwydd hynt iddynt ddewis eu cyfrwng lleisiol eu hunain yn ogystal â chyrhaeddiad y gwaith, ac o'r herwydd derbyniwyd rhychwant eang o gyfansoddiadau, yn amrywio o osodiadau cynulleidfaol i unawdau a darnau corawl meibion a chymysg. Gwaetha'r modd mae cynifer â deg ohonynt wedi camddehongli neu ddewis anwybyddu geiriad y gystadleuaeth. Ceir dau fersiwn o Weddi'r Arglwydd yn y Beibl Cymraeg Newydd, un ym Matthew 6: 9-13 yn gorffen â'r geiriau, 'gwared ni rhag yr Un drwg', ac un yn Luc 11: 2-4 yn cloi gydag, 'a phaid â'n dwyn i brawf'. Fersiwn estynedig arall yw testun deg o'r ymgeiswyr, sydd yn cynnwys cymal atodol nad yw'n bodoli yn y Beibl Cymraeg Newydd, sef, 'oherwydd eiddot Ti yw'r deyrnas a'r gallu a'r gogoniant am byth'. Teg nodi nad yw'r deg hyn wedi cydymffurfio'n llwyr â gofynion y gystadleuaeth. Dyma sylwadau ar y deg anghydffurfiwr:

Amseriad: Gosodiad cynulleidfaol gyda chordio digon taclus ar y cyfan, er i'r ymdriniaeth fynd braidd yn sillafog ac unffurf. Ceir ambell enghraifft o roi gormod o sylw i eiriau megis 'dy' a 'fel' ac nid oes rheswm i'r gair 'dwyn' fod yn uchafbwynt i'r gosodiad. Er hynny mae plethiad y pedwar llais yn dderbyniol a chanadwy.

Ap William: Gosodiad cynulleidfaol yn agor braidd yn annaturiol gyda phwyslais ar 'Ein' yn hytrach na 'Tad'. Mae'r datblygiad cynganeddol yn ddeniadol a naturiol, yn enwedig felly yn yr ail ran, ond nid yw llinell y bas yn argyhoeddi bob tro. Mae'r cymal clo yn gelfydd iawn.

Crediniwr: Gosodiad i gôr meibion yn arddull yr hen ran-ganau Cymreig. Mae'r gwead lleisiol yn ddigon grymus a chanadwy, gan ddangos adnabyddiaeth dda o'r cyfrwng, ond tuedda nifer o gymalau i ogor-droi yn eu hunfan o ran cynghanedd, alaw a chyweiredd gan fethu â rhoi cyfeiriad a datblygiad i'r gwaith. Er hynny, mae adeiladwaith cyhyrog y diweddglo yn llwyr argyhoeddi.

Bro Ogwr '98: Cyfansoddiad traddodiadol wedi ei saernïo yn dda o ran gwead y lleisiau a strwythur y gynghanedd, ond braidd yn ddigyfeiriad o ran datblygiad yr alaw. Ceir yma gordio da a sicr, a swyn arbennig i linell y tenor, er i nodau'r alto ymddangos weithiau braidd yn unffurf. Mae'r cymal olaf yn ddeniadol dros ben.

Mari o'r Llan: Unawd i lais soprano â chyfeiliant piano sydd yma, a'r cyfansoddwr yn eitha siŵr o'i siwrne. Mae'r alaw yn datblygu'n hyfryd, y cordio yn effeithiol, a phob cymal yn llifo'n naturiol o'r naill i'r llall i greu cyfanwaith gorffenedig. Gellir ystwytho mymryn ar y cyfeiliant sydd braidd yn or-ddibynnol ar gyfres o *arpeggios*, a digwydd y trawsgyweirio ar dudalen 2 a 4 ychydig yn rhy gyflym i ymddangos yn naturiol. Er nad wyf yn hollol siŵr o naws emynyddol yr Andante, dyma gyfansoddiad gwrandawiadwy iawn.

Celyn: Gosodiad SATB gan gyfansoddwr sy'n gwybod i'r dim sut i ysgrifennu ar gyfer lleisiau cymysg. Rhennir y gwaith yn dri, ac yn wir mae'r rhan gyntaf yn hynod effeithiol, y gynghanedd yn gynnes, y gwead lleisiol yn llifo'n rhwydd, a'r alaw yn hollol hudolus. Gwaetha'r modd, nid yw'r ail adran hanner cystal oherwydd gorymdrech i gyflwyno naws a chynghanedd wrthgyferbyniol, sy'n dibynnu'n ormodol ar gordiau cywasgedig y seithfed a seithfed y llywydd. Daw'r arddull agoriadol yn ôl yn y rhan olaf i gloi cyfansoddiad deniadol ag iddo lawer o rinweddau.

Batman: Cyfansoddiad ar gyfer mezzo soprano a phiano mewn arddull ysgafn, gyfoes gydag alaw a chordio deniadol ac ymdeimlad o lif braf a datblygiad addas trwy'r gwaith. Gellir ystwytho'r cyfeiliant trwy ddileu yr wythfedau dianghenraid yn llaw chwith y piano, ac ysgafnhau'r gor-ddefnydd o gordiau 4 a 5 nodyn yn y llaw dde. Dyma gân sy'n siŵr o gydio mewn perfformiad.

Iorwerth: Gosodiad SATB mewn amseriad 6/8 yn adleisio nifer o donau traddodiadol yr ysgol Sul o ran arddull a mydr. Er cystal y cynganeddu ar brydiau, nid yw amcanion y cyfansoddwr yn eglur bob tro gan nad oes digon o nodau mewn ambell far i'r alto, tenor a'r bas ynganu'r geiriau i gyd.

Suscipe: Unawd uchelgeisiol i lais uchel â chyfeiliant piano. Llwyddir i greu awyrgylch arbennig gyda chordiau agoriadol y piano, ac egyr y weddi â brawddeg leisiol hyfryd, a'r oll mewn byd o gynghanedd eitha cyfoes a digywair. Braidd yn unffurf yw'r cyfeiliant ar y cyfan, sy'n gor-ddibynnu ar gordiau o bum a chwe nodyn ar hyd y daith, gan amharu ar hyblygrwydd a datblygiad y gosodiad lleisiol. Er i'r cyfansoddwr lwyddo i greu byd sain digon effeithiol yn rhan gyntaf y gân, nid yw'r ysgrifennu lleisiol yr un mor ymarferol yn yr ail ran, a digon anodd cynnal traw yn erbyn strwythur llawn y cordio.

Rogo: Gosodiad hynod fentrus i gôr cymysg wyth llais ac unawdydd. Mae'r arddull yn dechrau yn eithaf diatonig, ond yn fuan iawn gwneir i ffwrdd â'r ymdeimlad o gyweiredd ac awn i fyd sain anodd iawn ei gynnal yn ddigyfeiliant. Er cystal y syniadau, mae lle i ystwytho'r ymdriniaeth rhag i bob llais fod yn canu yr un pryd. Ambell dro caiff cwmpawd lleisiol yr unawdydd a soprano un a dau eu hymestyn yn ormodol uwchben A uchel, gan ychwanegu at anymarferoldeb y perfformiad; ond nawr at y cydymffurfwyr:

Mynach: Gosodiad traddodiadol gyda chordio rhesymegol ac effeithiol, yn arbennig felly y trawsgyweirio o C fwyaf i E fwyaf ar y geiriau, 'a maddau i ni ein troseddau'. Braidd yn drwsgl yw rhyddm 'Dyro inni heddiw', ac ar brydiau aiff cwmpawd yr alto a'r bas yn rhy isel i fod yn gyfforddus. Mae'r 'Amen' yn wirioneddol hyfryd.

Peris: Cyfansoddiad deniadol ac effeithiol iawn i gôr meibion TbarB a phiano, er nad yw'r cyfansoddwr wedi trafferthu i nodi hynny. Seiliwyd y cyfeiliant bron i gyd ar batrwm y bar cyntaf, gan lwyddo ar y cyfan i greu effaith hypnotig ac atyniadol, er bod lle i ystwytho ac amrywio ambell far i gynyddu'r diddordeb. Cyfyng yw'r cwmpawd lleisiol, (sy'n addas i leisiau ifanc), y symud wedi ei gadw ran amlaf i'r crosiet a'r minim, a'r gwead weithiau yn ddeulais, weithiau yn dri. Ceir enghreifftiau o gamacennu (ar y gair 'sancteiddier'), a chaiff ambell ddiweddeb ei dorri yn fyr ('dy ewyllys' ac 'yn ein herbyn'), ond gellir yn hawdd gywiro'r rhain heb effeithio ar undod y cyfanwaith.

Ad Valorem: Gosodiad SATB a phiano, wedi ei gyflwyno braidd yn aflêr mewn beiro gyda phob marc deinamig wedi ei osod, am ryw reswm, mewn cylch. Mewn amseriad 5/4, dibynna'r cyfeiliant yn llwyr ar ailadrodd patrwm y bar cyntaf, sef dilyniant yn cydsymud o un D isel i'r llall, a hynny i law chwith y piano yn unig. Llwydda i greu undod rhyfeddol trwy gydol y darn, er gwaetha'r tebygrwydd i gnul marwolaeth. Ysgrifennwyd y rhannau lleisiol mewn arddull gyfoes, ddiatonig, sy'n cyfathrebu o'r cychwyn, ac mae'r gynghanedd yn rhugl a chlòs, ac yn gyfforddus ar hyd y daith. Nid wyf yn hapus â'r ymdriniaeth leisiol ym mar 6 – teimlaf fod gormod o gywasgu geiriau yma i'r lleisiau is, gan efallai achosi blerwch mewn perfformiad. Mae naws anorffenedig i'r diweddglo, a byddai'n well pe bai'r soprano, yr alto a'r tenor yn cynnal eu nodau hyd ddiwedd llinell y bas. Er hynny, dyma gyflwyniad gwerth ei glywed.

Crychydd: Gosodiad i gôr SATB ac organ, mewn iaith ddigon cyfarwydd, ac yn llwyddo i greu rhyw newydd-deb rhwng dilyniant y lleisiau ac arddull Barocaidd yr organ. Mae'r cyfeiliant yn idiomatig a naturiol, ond yn gofyn am ragor o amrywiaeth o fewn strwythur sydd yn eithaf unffurf o'r dechrau i'r diwedd. Ar y cyfan mae'r cyfansoddwr yn llwyddo i greu darlun cofiadwy ac effeithiol, er bod ambell drawsgyweiriad o B leiaf i F fwyaf yn ymddangos braidd yn drwsgl. Mae'r llinellau unigol yn ganadwy iawn ac yn addas ar gyfer corau ieuenctid, er bod angen tacluso mymryn ar ymdriniaeth ambell air (e.e. 'ewyllys' – 3 sill nid 2, 'ddaear' – 2 sill nid 1, a 'maddau' – pwyslais anghywir).

Mario: Cyfansoddiad byr i gôr pedwar llais digyfeiliant, ond nid yw'r cyfansoddwr wedi trafferthu gosod unrhyw gyfarwyddyd ynglŷn â natur y lleisiau, amseriad, awyrgylch na deinameg. Arddull foddawl sydd i'r gwaith, a naws eglwysig, hynafol iddo, gyda chyferbynnu effeithiol rhwng adrannau pedwar llais ac adrannau unsain. Er cystal rhwyddineb yr ysgrifennu lleisiol, sy'n symud yn esmwyth a naturiol o un nodyn i'r llall, braidd yn undonog yw datblygiad y gynghanedd a chyfeiriad yr alaw. Mae ychydig o ôl brys ar y cyflwyniad gyda'i ddiffyg cyfarwyddiadau ac ambell lithriad technegol (e.e. llinell y tenor yn brin o chwarter curiad ym mar 12, a 'sancteiddier' wedi ei osod ar 4 sill yn lle 3 ym mar 4).

Ellis: Unawd i lais uchel ac organ, er y gellir ei rhoi yn hawdd i gontralto neu fariton o ystyried ei chwmpawd. Yr ymdriniaeth o'r testun yn sensitif a deallus, ac yn tyfu'n naturiol ac ymarferol o wead y cyfeiliant, a strwythur yr holl waith yn esblygu'n synhwyrol o batrwm o nodau sy'n codi'n raddol o'r tonydd i'r llywydd ym mar agoriadol y cyfeiliant. Er hynny, mae tuedd i ran yr organ ogor-droi ar brydiau o fewn yr un cwmpawd sain, ac mae'r gor-ddefnydd o glystyrau yn mygu eglurder y llais ac yn arafu'r llifo o dro i dro. Mae'r newid cywair ar y gair 'herbyn' yn ein symud i dir uwch ac yn arddangos crefftwr wrth ei waith, ac mae'r diweddglo yn llawn awyrgylch ac yn orffenedig.

Cystadleuaeth ddiddorol er braidd yn anwastad ei safon. Am resymau a nod-wyd eisoes, nid oes yr un gosodiad wedi fy argyhoeddi'n llwyr, felly rhennir y wobr rhwng *Ellis* (£100), *Peris* (£50) ac *Ad Valorem* (£50).

Darn byr ar gyfer unrhyw adran o'r gerddorfa

BEIRNIADAETH RICHARD ELFYN JONES

Derbyniwyd gweithiau gan saith o gyfansoddwyr ac mae'n bleser nodi y gallwn fod wedi rhoi'r wobr i unrhyw un o'r chwe chyfansoddwr hyn: *Peris, Amseriad, Mario, Yannis, Harri* a *Carlo.* Dyma sylwadau byr ar y saith darn.

Manero: Darn heb deitl a heb sgôr chwaith, gan ei fod wedi'i gyflwyno ar dâp gyda seiniau a syntheseiddwyd, a hynny'n amrwd iawn. Darn ailadroddus yw, heb gynghanedd ddiddorol a chyda fawr ddim datblygiad.

Peris: Mae'r darn hwn i linynnau, dan y teitl 'Prague Serenade', yn ysgafn a hafaidd ei naws. Efallai bod y brif thema yn alaw Tsiecoslofacaidd, un ai hynny, neu bod y cyfansoddwr ei hun wedi llwyddo i ddynwared yr arddull werinol, frodorol yn hynod idiomatig. Mae sawl gwahanol adran a llwyddir i newid cwys yn hyderus a chynnal y trywydd yn ffres a swynol hyd y diwedd.

Amseriad: 'Cân y Delyn'. Gwaith melodaidd ar gyfer llinynnau gyda phrif alaw naturiol ac afieithus. Cychwynnir yn llawn addewid ond, wrth ddatblygu, nid yw perthynas y mydr syml a'r mydr cyfansawdd bob amser yn gyfforddus, yn fy nhyb i.

Mario: Yn yr Intrada hwn i'r llinynnau mae'n dda gweld cyfansoddwr sy'n gallu cynnal symudiad araf ag arddeliad, a chyda rheolaeth sicr ar ffurf. Mae'r darn difrif hwn yn llifo'n naturiol o ddechrau teimladwy ac angerddol tuag at gordiau trwm, dramatig cyn llithro'n ôl yn delynegol at ddiweddglo dwys.

Yannis: 'Starburst!' ar gyfer pumawd pres yw'r unig ddarn *avant-garde* yn y gystadleuaeth, ac mae'n waith herfeiddiol sy'n llawn seiniau 'newydd', addas, yn ddiau, i'w gyflwynedigion, sef 'pob teithiwr rhyng-serol'. Gofynnir i bob chwaraewr sefyll mor bell ag sy'n bosibl oddi wrth ei gilydd, ac nid yw'n syndod deall oddi wrth nodyn gan y cyfansoddwr bod yn rhaid iddynt gael cymorth arweinydd. Mae'r arddull yn ddigyfaddawd a chymhleth. Prif gryfder y cyfansoddwr hwn yw ei ehangder diymatal a'i ddealltwriaeth o'r ffin rhwng yr amhosibl a'r posibl – mater sydd wastad yn brif ystyriaeth i unrhyw gyfansoddwr blaengar y dyddiau hyn.

Harri: 'Buchedd Maen'. Gwaith ar gyfer pedwarawd llinynnol yw eiddo *Harri,* ac felly, i fod yn fanwl gywir, nid yw'n cyflawni gofynion y gystadleuaeth. Darn neo-glasurol ydyw, sy'n cychwyn yn araf â chynghanedd llawn awyrgylch. Wedyn mae'n cyffroi ac yn magu cryn dipyn o egni. Mae yma ysgafnder gogleisiol hefyd sy'n cadarnhau rhyddid mynegiant a sicrwydd techneg y cyfansoddwr hwn.

Carlo: 'Stringy Cheese' yw teitl braidd yn anneniadol y gwaith hwn ar gyfer y llinynnau. (Efallai bod gwead troellog y brif alaw yn esbonio'r teitl, anodd yw dweud.) Ond er gwaethaf hyn, hoffais y darn celfydd hwn yn arw. Dosrennir yr offerynnau i isadrannau gan arddangos cyfoeth sain hyfryd o idiomatig. Ceir datblygiad rhwydd mewn arddull neo-glasurol soffistigedig, a dangosir llawer o ddychymyg er mwyn cynnal ffresni'r mynegiant hyd y diwedd.

Cefais foddhad mawr yn darllen y cynigion hyn, a diolchaf i'r cystadleuwyr am gynnig cymaint o weithiau safonol a haeddiannol. Mewn cystadleuaeth agos iawn deuthum i'r penderfyniad mai *Carlo* sy'n cael y wobr.

Darn tua phum munud o hyd ar gyfer côr amatur da

BEIRNIADAETH BRIAN HUGHES

Daeth pum cyfansoddiad i law. Roedd gwaith *Rebecca* yn ysgafn, syml a deniadol. Cafwyd trefniant effeithiol (yr unig drefniant yn y gystadleuaeth) o gân Dewi Morris 'Nwy yn y Nen' gan *Cyrliog.* Cyfansoddwr arbrofol yw *Peris* sydd yn ysgrifennu heb ddefnyddio geiriau – mae'n gofyn i'r côr greu'r geiriau neu'r synau. Mae cyffyrddiadau da iawn yng ngwaith *Peris* ond nid yw'r ysbrydoliaeth yn gyson drwy'r cyfansoddiad. Mae *Coed-y-lan* wedi creu anthem hynod ganadwy mewn arddull gyfoes. Mae'n dangos dychymyg a chryn wybodaeth am dechneg gorawl er y gellid bod ychydig yn fwy anturus yn y modd y mae'n cynllunio alawon. Mae 'Oleuni Nefol', o eiddo *Tafwys,* yn waith effeithiol dros ben – y gynghanedd yn drawiadol a'r rhannau lleisiol yn aml yn llawn trosiadau annisgwyl sy'n cynnal y diddordeb. Mae'r cychwyn tyner yn datblygu i uchafbwynt grymus ac mae *coda* mewn arddull dawns yn cloi'r gwaith yn bendant iawn. Cystadleuaeth dda – yr enillydd yw *Tafwys.*

Cyfres o ganeuon sy'n addas i blant 7-12 oed

BEIRNIADAETH NIA CLWYD

Derbyniwyd pedair cyfres o ganeuon.

Mab y Morwr: Cyfres o saith o ganeuon ar y thema 'Gaeaf' a geir yma gyda'r geiriau o *Diwrnod Ffair* gan Mary Williams. Cyfres o ganeuon syml a chanadwy a'r alawon yn llifo'n ddi-fai. Ceir defnydd da o offerynnau taro amrywiol ym mhob cân addas ar gyfer plant ifanc. O gofio mai caneuon ar gyfer plant 7-12 oed sydd yma teimlaf fod gormod o ddefnydd o restr uchaf y llais, yn arbennig yr F uchaf. Efallai hefyd, oherwydd symlrwydd yr alawon a'r cyfeiliant, a'r math o eiriau a ddewiswyd, y byddai'r casgliad hwn yn fwy addas ar gyfer ystod isaf yr oedran. Braidd yn unffurf yw'r casgliad drwyddo draw.

Elystan: Cyfres o bump o ganeuon ar eiriau o waith Aneurin J. Edwards. Mae hon eto'n gyfres o ganeuon syml a chanadwy ac yn amrywio'n fawr o ran testun geiriol. Heb os 'Seren' yw'r gân orau yn y casgliad. Llwyddir yma i greu'r naws priodol. Mae'r alaw'n llifo'n hyfryd a'r harmonïau o fewn y cyfeiliant piano'n apelgar. Trueni nad yw gweddill y casgliad yn cyrraedd yr un safon. Braidd yn ddi-fflach ar y cyfan yw'r pedair cân arall.

Noel: Cyfres o wyth o ganeuon Nadolig i blant. Mae hwn yn gyfanwaith ynddo'i hun, yn cynnwys darlleniadau byr o'r Beibl Cymraeg Newydd i gyfeiliant hyfryd y piano rhwng pob cân. Ceir yma ryw newydd-deb a ffresni apelgar. Mae yma alawon gafaelgar, a chyfeiliant diddorol yn perthyn i bob cân. Nid oes unrhyw undonedd yma. Llwyddir i gyfleu ystyr y geiriau ym mhob cân, ac o'r herwydd caiff y diddordeb ei gynnal o'r dechrau i'r diwedd. Yn ogystal â chanu unsain a rhannau unawd mae yma hefyd ddefnydd trawiadol o ddeulais a thrillais mewn mannau. Heb os mae hwn yn gyfanwaith gwerthfawr ac yn waith y dylid ei gyhoeddi. Yn anffodus ni theimlaf ei fod yn ateb gofynion y gystadleuaeth. Mae'n waith uchelgeisiol ac yn debygol o fod yn rhy anodd i blant 7-12 oed.

Elin Ty'n y Coed: Mae 'Ffrindiau' yn gyfres o chwech o ganeuon am gyfeillgarwch. Mae hwn yn gasgliad amrywiol iawn, a'r geiriau'n gyfoes ac mewn ambell gân yn ysgafn, sy'n sicr o apelio at blant heddiw. Ceir rhyw ffresni arbennig ym mhob cân, a'r alawon bob amser yn ganadwy a chofiadwy. Mae'r cyfeiliant piano'n ddiddorol ac yn ychwanegu at yr alawon. Gwelir defnydd effeithiol o gyfeiliant ychwanegol gan recorder a/neu ffliwt mewn mannau. Yng nghân olaf y gyfres, 'Hedd', ceir y dewis o ddefnyddio deulais neu drillais (addas i'w ddefnyddio gyda phlant hŷn) er bod y gân yn gwbl gyflawn hebddo. Dyma gasgliad o alawon y byddai plant 7-12 oed wrth eu bodd yn eu canu. Gobeithio yn fawr y caiff weld golau dydd. Mae *Elin Ty'n y Coed* yn llawn deilyngu'r wobr.

Cyfansoddi darn byr i biano – safon gradd 5 neu 6

BEIRNIADAETH GWAWR OWEN

Roeddwn yn falch derbyn 13 o gyfansoddiadau. Roedd y safon yn dda iawn ar y cyfan, gyda nifer o'r cystadleuwyr wedi anelu at safon uwch na gradd 5 neu 6. Roedd rhai o'r cyfansoddiadau braidd yn henffasiwn – ddim yn dweud dim byd newydd, ond roedd gan y gweddill nifer o syniadau gwreiddiol a diddorol. Mae dau gyfansoddiad yn sefyll allan, sef eiddo *Peris* a *'Lectrolycs*. Dyma air byr am bob un.

Llawenydd: 'Bugeilgerdd'. Melodi swynol. Ymgais at ddatblygiad yn y canol. Cyfarwyddiadau clir i'r pianydd. Gormod o ail-ddweud yn y rhan gyntaf o bosib. Y cordio yn y llaw dde braidd yn drwm ar adegau. Ambell symudiad yn y rhan ganol ychydig yn anodd i radd 5–6.

Amseriad: Dechrau addawol â melodi swynol yn y llaw dde er bod cwmpawd y llaw chwith a'r byseddu braidd yn anodd i radd 5–6. Gallwn ddychmygu'r alaw yma'n cael ei chanu. Ymgais dda i ddatblygu'r felodi yn ail hanner yr ail dudalen. Siâp da i rai o'r brawddegau cerddorol. Nid wyf yn siŵr sut mae rhan gynta'r *accel* yn ffitio i strwythur ac arddull y darn, ac mae'r llaw dde yma, fel yn ail hanner y dudalen ola, braidd yn anodd i safon gradd 5–6. Oes angen *tempo primo* ar ddiwedd ail linell yr ail dudalen? Rwy'n ymwybodol eich bod yn ceisio gwneud rhywbeth gwahanol yn y *con anima* – ond eto, nid wy'n siŵr a yw'r rhan yma'n llwyddiannus. Ydych chi wir eisiau A♭ yn erbyn A yn ail fesur y dudalen ola?

Peris: 'Lleuad Llyn Padarn'. Stori yn y gerddoriaeth. Syniadau gwreiddiol. Cyflwyniad taclus, trylwyr a chyfarwyddiadau clir. Ymgais at amrywio'r sain a'r rhythm yn rhoi lliw ac amrywiaeth i'r darn. Siâp da i rai o'r brawddegau cerddorol. Hoff o'r ffordd y daethoch â cherddoriaeth y cychwyn yn ôl ar y diwedd. Tybed a oedd y cychwyniad ychydig yn hir, cyn cyrraedd prif ran y darn – roedd yna dipyn o 'stop/start' yma, er fy mod yn hoffi'r effaith. Mater o chwaeth efallai! Hoffais y darn yma'n fawr; dyma un o'r ddau gyfansoddiad oedd yn sefyll allan yn y gystadleuaeth.

Nodyn byr: 'Gwylanod'. Dychymyg da. Ymgais wreiddiol. Creu synau ac effeithiau deniadol ar y piano. Er hyn, teimlwn fod y darn yn rhy hir ac yn rhy anodd i safon 5–6.

Alltud a ddaeth nôl: 'Idylle'. Y gerddoriaeth yn cyfleu naws ac ystyr y teitl. Wedi ei sgwennu'n dda ar gyfer y piano. Siâp da i'r brawddegau cerddorol. Ydy Largo ♩ = 50 braidd yn araf? Teimlwn nad oedd dim byd newydd yn cael ei ddweud yma – efallai ei fod braidd yn henffasiwn ar gyfer y nawdegau.

Alltud a ddaeth nôl: 'Berceuse'. Naws deniadol i'r darn. Ymgais dda at ddatblygu'r canol. Diweddglo effeithiol. Y llaw chwith braidd yn anodd i'w byseddu i safon gradd 5–6. Eto, dim byd newydd yn cael ei ddweud, fel y disgwylir mewn cyfansoddiad yn y nawdegau.

Madfall: 'Preliwd i'r Piano yn G leiaf'. Y gerddoriaeth yn llifo'n dda trwy gydol y darn, ac yn adeiladu i ddiweddglo cadarn. Y darn yn rhoi cyfle i'r pianydd ddangos cryfderau'r llaw dde a'r llaw chwith. Cerddoriaeth ddeniadol. Teimlaf fod y diwedd braidd yn anodd i safon gradd 5–6 – y neidiau. Ar y cyfan, braidd yn ddiddychymyg yw'r darn – mae disgwyl rhywbeth newydd ar gyfer cyfansoddiadau'r nawdegau.

Mario: 'Piano Study'. Mae hwn yn *study* i ddysgu eich ffordd o gwmpas y piano, ac i sicrhau bod y ddwy law yn gallu gweithio ar wahân a chyda'i gilydd. Patrymau diddorol i'r gerddoriaeth mewn ambell fan. Er hyn, teimlaf bod y darn yn rhy anodd i safon gradd 5–6.

Allwedd: 'Myfyrdod i biano'. Cyfansoddiad gwreiddiol iawn. Y gerddoriaeth yn cyfleu naws ac ystyr y teitl. Sylw i fanylder. Er hyn, teimlaf fod y darn braidd yn ddwys ar gyfer safon gradd 5–6. Mae'n anodd gyda chymaint o newid amseriad o fewn y darn, ac mae angen dehongliad mwy aeddfed na safon gradd 5–6 ar gyfer y darn hwn.

Boris: '111514091498'. Darn diddorol. Hoffais y newid naws yn y rhan ganol. Datblygiad hyderus i'r motiff agoriadol. Sgôr taclus a thrylwyr. Er hyn, teimlaf bod y cyfan braidd yn drwm a thywyll. Beth yn union yw ystyr *con moto* wrth ochr ♩ = 48, sydd yn amseriad reit araf?

Clafier: 'Prelude'. Ymgais i ddatblygu motiff byr trwy gydol y darn. Y cyfansoddwr yn amlwg wedi cynllunio strwythur clir i'r darn. Amrywiaeth o rythmau yn y darn. Er hyn, braidd yn ddi-liw yw'r cyfansoddiad, ac yn drwm iawn ar y cyfan. Sgôr bler – anodd darllen.

O.G.: Darn yn dangos tipyn o ddychymyg a photensial. Ymgais dda i ddefnyddio ac i ddatblygu motiff byr. Diweddglo effeithiol. Er hyn, nid oeddwn yn hollol argyhoeddedig am y rhan *agitato,* er bod angen rhan ganol er mwyn amrywiaeth. Mae rhannau o'r darn yn llwyddiannus, ond nid fel cyfanwaith. Daliwch ati.

'Lectrolycs: 'Clytwaith'. Syniadau gwreiddiol. Creu synau diddorol ar y piano. Nodau yn gweithio'n dda gyda'i gilydd ac yn erbyn ei gilydd. Strwythur da i'r cyfansoddiad. Melodi swynol a cherddorol iawn yn y canol. Amrywiaeth o rythmau, patrymau a *texture.* Y cyfan yn gweithio'n dda ar y piano, ac wedi ei gyflwyno'n daclus a thrylwyr. Hoffais y darn yma'n fawr, ac mae'r felodi yn dal i fynd rownd yn fy mhen – arwydd da. Roedd yn sefyll allan yn y gystadleuaeth, ac mae'n enillydd teilwng iawn.

Trefniant o unrhyw alaw/on Cymreig (hen neu fodern) ar gyfer cerddorfa ddosbarth blynyddoedd 7–9

BEIRNIADAETH PATRIC STEPHENS

Er dyfodiad Cwricwlwm Cenedlaethol Cerddoriaeth mae'r ddawn o berfformio, boed yn lleisiol neu'n offerynnol, wedi ei phwysleisio fwy-fwy yn ein hysgolion. Mae prinder deunydd Cymreig addas ar gyfer cerddorfeydd dosbarth, ac felly da yw gweld y pwyllgor cerddoriaeth yn gosod y gystadleuaeth hon. Gobeithio y cawn weld y cynnyrch yn cael ei gyhoeddi. Dyma'r hyn yr oeddwn yn ei ystyried wrth feirniadu'r gystadleuaeth: addasrwydd y trefniant ar gyfer dosbarthiadau o alluoedd cymysg gyda chyfuniadau amrywiol o offerynnau; bod modd dysgu perfformio'r darn o fewn cyfnod cymharol fyr; ei fod yn ddiddorol ond hefyd yn addysgol gan gynnwys, felly, elfennau a fyddai'n destun trafodaeth ychwanegol, e.e. termau cerddorol, marciau *tempo* a dynameg, rhythmau ac amseriadau amrywiol, cordiau syml ac ymestynnol. Gair am y ddau ymgeisydd.

Alarch Tywi: Trefnodd ef yr alawon *Codiad yr Ehedydd, Llwyn Onn* a *Hela'r 'Sgyfarnog.* Mae rhannau wedi eu trefnu i offerynwyr profiadol ac ar gyfer disgyblion nad ydynt yn darllen cerddoriaeth yn rhugl, e.e. mae enwau'r nodau o dan ran y *glockenspiel,* enwau cordiau â rhythm addas i'r gitâr ac mae wedi paratoi rhan ffidil syml ar gyfer dechreuwyr. Mae'r trefniant hefyd yn cynnwys rhannau i offerynnau yn C, offerynnau trawsgyweiriol (clarinét, utgorn), offerynnau taro di-draw, offerynnau bas a phiano. Un symudiad ydyw gyda rhagarweiniad, pontydd rhwng yr alawon unigol a *coda* ar y diwedd. Mae'r driniaeth yn un ddiddorol – ychydig iawn o ddyblu sydd rhwng rhannau, ceir amrywiaeth o gordiau, rhywfaint o drawsgyweirio ac mae'r prif alawon yn cael eu rhannu rhwng yr offerynnau. Mae wedi dewis tair alaw mewn amseriadau gwahanol, sef 2/4, 3/4, 6/8. Penderfynodd *Alarch Tywi* beidio â chynnwys marciau dynameg er mwyn gadael i bob dosbarth ddehongli'r gerddoriaeth (mae'n nodi hynny ar y copi). Yn bersonol byddai'n well gen i weld y marciau wedi eu nodi ond rwy'n derbyn y syniad tu ôl i'r penderfyniad.

Capten Morgan: Trefnodd ef dri symudiad unigol ar gyfer cerddorfa o offerynnau trawsgyweiriol sy'n dyblu drwyddi gyda rhannau'r offerynnau yn C (llinynnau, recorder, obo a ffliwt), offer taro a phiano. Mae'r cyntaf yn drefniant homoffonig syml o *Rhyfelgyrch Capten Morgan* yn seiliedig ar gord y tonydd a'r llywydd. Mae'r ail, *Suo Gân,* yn cynnwys harmonïau diddorol gyda chyfuniad amrywiol o rythmau i'r rhannau unigol. Mae'r trydydd yn drefniant bywiog o *Dacw Mam yn Dŵad* – efallai yn ddewis braidd yn anaddas ar gyfer yr oedran. Mae'r marciau dynameg wedi eu nodi'n glir drwy'r gerddoriaeth ac mae'r marciau *tempo* wedi eu nodi yn y Gymraeg – gwell gen i weld y termau Eidaleg yn cael eu defnyddio. Mae'r ddwy ymgais yn haeddu canmoliaeth ond rwy'n teimlo bod trefniant *Alarch Tywi* yn rhagori ar drefniant *Capten Morgan.*

Cyfres o amrywiadau ar gyfer y delyn

BEIRNIADAETH MEINIR HEULYN

Ni ddaeth ond un cyfansoddiad i law, sef Intrada/Thema/Naw Amrywiad a Diweddglo gan *Mario.* Hoffwn ganmol y ffordd y cyflwynwyd y gwaith: ysgrifen ddestlus a digon o gyfarwyddiadau i hwyluso perfformiad. Hoffais nifer o gyffyrddiadau chwareus o fewn y darn, fel amrywiad 4, ond ar y cyfan, wrth chwarae'r darn, teimlwn nad oedd yn hollol addas i'r delyn, ac efallai yn fwy addas i'r piano, e.e. nid yw amrywiad 7 yn gweithio – mae ychydig o nodau harmonig yng nghwmpawd uchel y delyn yn gweithio ond nid 14 bar. Nid yw'n taro deuddeg ac ni allaf gymeradwyo gwobrwyo.

Tlws y cerddor: Cylch o ganeuon gyda chyfeiliant piano neu waith ar gyfer offeryn â chyfeiliant piano neb fod yn hwy na 12 munud

BEIRNIADAETH DAVID HARRIES A RICHARD ELFYN JONES

Rhoddwyd y rhyddid eleni i'r cystadleuwyr ddewis rhwng y llais ac offerynnau cyhyd ag y bo lle canolog i'r piano, a ffactor pwysig felly oedd medrusrwydd i ysgrifennu'n effeithiol i'r piano. Disgwyliem elfen delynegol amlwg yn y caneuon ac, o bosibl, dechneg braidd yn wahanol yn y gweithiau offerynnol. Ond nid felly y bu hi, oherwydd inni sylwi ar uchafiaeth alaw a thuedd i ysgrifennu mewn arddull led draddodiadol yn y rhan fwyaf o'r darnau offerynnol, yn ogystal ag yn y caneuon. Yn gyffredinol, dangosodd y rhan fwyaf o'r cystadleuwyr grefft ddisgybledig ac agwedd feddylgar at eu gwaith, ac mae'r tri sydd yn agos i'r brig wedi creu argraff ffafriol iawn gyda'u proffesiynoldeb. Dyma sylwadau byr ar y naw cyfansoddiad.

Mab y Morwr 1: Symudiad nwyfus, bywiog ar gyfer ffidil a phiano, ond heb arbenigrwydd melodaidd na chynganeddol. Mae'r idiom yn gwbl ddiatonig, a gallai'r gwaith hwn gymryd ei le cyn hawsed ar 'Cân i Gymru' ag yma.

Mab y Morwr 2: Teimlem y dylai *Mab y Morwr 2* fod wedi cynnig ei ddau ddarn fel un ymgais, oherwydd yr un yw ein sylw ar y darn hwn hefyd. Darn bywiog arall i ffidil a phiano yw. Nid yw'n anturus o gwbl ac mae'r syniadau'n arwynebol ac fel petaent wedi dod yn rhy hawdd.

Shevnarine: 'Cyffyrddiadau'. Cylch o ganeuon i mezzo-soprano a phiano yw gwaith *Shevnarine.* Daw y geiriau o ffynhonnell ddifyr ac annisgwyl; trosiad R. Gerallt Jones ydynt o gerddi byr Japaneaidd sy'n dyddio o'r ddeuddegfed ganrif a chyn hynny. Mae'r cyfansoddwr yn llwyddo i adlewyrchu cywreinrwydd ac emosiwn ymylol y farddoniaeth â chryn fedrusrwydd, (trwy ddefnydd cynnil o'r raddfa tôn-gyfan ar y cychwyn, er enghraifft). Ond nid oes atseiniau dwyreiniol rhy amlwg, a da gweld nad oes arlliw o barodïo yma. Mae'r trywydd melodaidd a'r harmonïau yn ffansïol ac, ar y cyfan, yn llawn awyrgylch. Ceir gwead gwrthbwyntiol eithaf cymhleth ym mhob cân, ond ar brydiau mae techneg rwydd *Shevnarine* yn llyffethair oherwydd bod naws arwynebol a di-fflach yn amlygu'i hun, (yn yr ail a'r drydedd gân yn benodol). Ceir rhai cyffyrddiadau teimladwy weithiau, fodd bynnag, gyda hiraeth y gân olaf, 'Mae cymaint wedi'n gadael', yn dangos creadigrwydd a sensitifrwydd.

Johannes: Gwaith arall sy'n manteisio ar gysylltiad llenyddol pwerus yw'r cylch o ganeuon yn dwyn yr enw, 'Gwnaethpwyd Popeth yn Newydd' gan *Johannes.* Yma clywn osodiadau o ddau 'Fyfyrdod trwy Lygaid Plentyn' a thair 'Cân Serch' gan Alan Llwyd. Dangosir cryn ddawn yn y gân gyntaf, 'Eira, Eira, Hwyr y Dydd', lle'r adlewyrchir symlrwydd gweledigaeth y bardd yn y datblygiad thematig tynn a'r harmonïau cywrain. Mae'r tair cân sy'n dilyn yn gofyn am ddatblygu cerddorol mwy grymus, ac er bod *Johannes* gan amlaf yn asio llais ac offeryn yn sgilgar nid yw hyn bob amser yn swnio'n ddiymdrech. Hefyd dibynnir yn ormodol ar nodau arpegio yn y cyfeiliant, a theimlem fod troadau'r gynghanedd yn gwthio'r alaw i safle eilradd. Yn y bumed gân, fod bynnag, sef 'Eilwaith pan Ddof F'anwylyd', llwyddir i ailennyn naturioldeb y cychwyn cyntaf; yma mae *ostinato* dymunol yn tywys y cylch i'w derfyn yn effeithiol.

Siwper Ted: Nid yw dewis geiriau'r cyfansoddwr hwn mor wreiddiol ag eraill yn y gystadleuaeth. Gyda stôr ddihysbydd o farddoniaeth ar gael yn y Gymraeg pam oedd rhaid dewis cyfieithiadau o Shakespeare a Dylan Thomas? Yn anffodus mae diffyg ysbrydoliaeth yn aml wrth osod, â sawl esiampl o gamacennu ('ias' fel dau sill, er enghraifft). Er bod eironi araith Shylock o *Marsiandwr Fenis* wedi'i gyflwyno'n ddigon addas mae'r ymdriniaeth yn fecanyddol, yn enwedig yn y ffordd y saernïir yr alaw yma, ac weithiau yn y caneuon eraill.

Peris: Sonata i cello a phiano yw gwaith *Peris,* a digon rhwydd ei fynegiant, mewn arddull donawl sy'n cynnwys harmonïau sy'n seiliedig ar gyfwng y pedwerydd, a hynny'n ddiymdrech. Yn anffodus mae'r rhythm yn brennaidd yn y symudiad agoriadol a llesteirir rhyddid y mynegiant o'r herwydd. Dengys *Peris* ramantiaeth Ffrengig ei naws (gyda chysgodion Satie a Ravel yn y cefndir), ac yn gyffredinol mae'r harmonïau yn gweithio'n dda. Ond nid yw'r rheolaeth ar rythm mor sicr. Yn y symudiad olaf, er enghraifft, ni lwyddir i gyfleu'r sbonc angenrheidiol oherwydd bod tuedd i ganolbwyntio gymaint ar fydr pump-yn-y-bar wedi'i rannu i 2 a 3 yn gyson. Ein cyngor i *Peris* yw ehangu ar bosibiliadau y mydrau cyfansawdd er mwyn osgoi undonedd.

Gwallt Newydd: 'Wrth Basio' i ffidil a phiano yw enw gwaith cyffrous *Gwallt Newydd.* Yma ceir cyfansoddwr arall proffesiynol ei agwedd a'i dechneg, sy'n ymddiddori mewn *jazz,* fel sy'n amlwg o'r cychwyn cyntaf. Datblygir ei brif fotiff heb ddiffygio ac yn gyson chwimwth a chyffrous trwy amrywio'r mydr yn gyson. Nid yw'n hawdd cadw'r diddordeb a'r ffresni mewn darn *moto perpetuo* fel hwn, a ffactor bwysig yn llwyddiant *Gwallt Newydd* yw'r grefft a ddangosir gyda'r gwahanol fydrau (2/4, 3/8, 4/8, 3/4, 6/16, ac yn y blaen) sy'n rhoi sbonc anghyffredin i'r darn. Mae'r gwaith hwn yn ddeniadol ac yn 'boblogaidd' heb fod yn tsiêp. Gwaith hwyliog yw, ac yn esiampl o'r math o ysgrifennu sy'n brin iawn y dyddiau hyn.

Igor: Yn ei 'Dau Symudiad i cello a phiano' sy'n seiliedig ar farddoniaeth, e.e. cummings, mae *Igor* yn dangos ei ddealltwriaeth o'r technegau mwyaf diweddar, ac er y byddai sawl gwrandawr yn ei chael hi'n anodd dirnad ei idiom ddidonawl mae rheolaeth y cyfansoddwr hwn ar ofynion thematig mewn gwaith o'r math hwn (gweler y neidiadau gosgeiddig cyson ond llawn amrywiaeth harmonig ar y piano ynghyd â llinellau eang byrfyfyr eu naws i'r cello yn y symudiad cyntaf, er enghraifft) yn dangos crebwyll soffistigedig a dyfeisgar. Yn yr ail ddarn mae'r ffurf yn amlwg, gyda rhagarweiniad ac epilog dwys yn ffrâm i dri amrywiad lle ceir gloywder tonawl i'r gwead ar y piano ac ysgrifennu dramatig, ingol i'r cello. Priodir y ddau offeryn yn gyson effeithiol drwy'r gwaith, a chyda'r berthynas lenyddol yn ffocws llachar mae holl elfennau'r gwaith yn rhoi unoliaeth boddhaol iawn.

Mario: Gwahanol iawn ei arddull i waith *Igor* yw'r 'Sonata ar gyfer Ffliwt a Phiano' gan *Mario.* Gwaith neo-glasurol confensiynol mewn tri symudiad yw hwn sy'n debyg i amryw o weithiau gan gyfansoddwyr fel David Wynne, ac efallai, ar adegau, Lennox Berkeley. Ond mae'n bwysig dweud nad cysgod tila o rywbeth y gwelwyd ei well yng ngwaith eraill yw'r sonata hon, oherwydd mae *Mario* yn dangos medrusrwydd proffesiynol, techneg ddatblygedig, a hyder wrth drin ei ddeunydd thematig. Hoffasom hyblygrwydd y gwaith – nid yw'n sgwâr ei rythmau o gwbl – ac os am weld cyfansoddwr gwir ddyfeisgar wrth ei waith, yna mae symudiad olaf y sonata hon yn esiampl dda o sut y gellir amrywio rhythm ac alaw o fewn fframwaith seiniol cynnil a chwbl gyson ei harmonïau. Mae'r teitl 'sonata' yn magu ystyr arwyddocaol pan greir undod tua'r diwedd wrth gyfeirio at ddeunydd o'r symudiad cyntaf, cyn y diweddglo effeithiol, distaw a chwestiyngar.

Gan mai ein cyfrifoldeb fel beirniaid yw datgan barn am ddarnau unigol, (ac nid mynd i'r afael â gwahanol ddadleon am rinweddau gwahanol arddulliau, boed ffasiynol neu beidio), mae'r ddau ohonom yn cydnabod mai goreuon y gystadleuaeth yw *Gwallt Newydd, Igor* a *Mario.* Mae'r tri yn dangos cryfderau gwahanol iawn, ond rhaid oedd eu beirniadu yn ôl yr un llinyn mesur. Nid hawdd oedd gwneud hynny gan eu bod, ill tri yn eu gwahanol ffyrdd, yn haeddu canmoliaeth uchel. Ar ôl ystyriaeth ofalus rydym yn gytûn mai i *Mario* y dylid dyfarnu Tlws y Cerddor eleni.

Ffolio o waith i fod rhwng 4 ac 8 munud

BEIRNIADAETH: ALAN WYNNE JONES

Derbyniwyd deg ffolio, ac er bod safon y cyfansoddiadau'n amrywio, calonogol oedd derbyn cynifer. Efallai bod angen eglurhad mwy manwl o ddisgwyliadau cystadleuaeth o'r fath. Yn fy nhyb i golyga'r gair ffolio amrywiaeth o gyfansoddiadau annibynnol sydd yn galluogi'r ymgeisydd i arddangos ei ddawn i ymdrin ag amrywiol *genres* neu arddulliau. Dim ond un gwaith a dderbyniwyd gan ambell gystadleuydd tra gan eraill cafwyd gwaith mewn mwy nag un symudiad ar gyfer yr un cyfuniad o offerynnau. Ni chredaf bod hyn yn bodloni gwir ysbryd a gofynion y gystadleuaeth. Cyflwynodd nifer o'r ymgeiswyr eu cynnyrch mewn nodiant ac ar dâp. Cynhwysir amrediad o arddulliau drwyddi draw, rhai'n fwy mentrus na'i gilydd.

Pry Cop: Cyflwynodd ef ffolio o gyfansoddiadau amrywiol: Dwy gân gyda chyfeiliant piano, sef gosodiad o 'O Ble Cest Ti'r Ddawn?' a 'Clychau Nadolig', Triawd byr i ffidil, fiola a phiano ac unawd i fiola a phiano. Gosodiadau stroffig a geir o'r ddwy gân. Tra mae'r geiriau wedi eu gosod yn ystyrlon o ran mydr, braidd yn gyfyng ac ailadroddus yw'r alaw a'r gynghanedd. Mae'r *obligato* ffliwt ar ddiwedd yr ail gân yn ychwanegiad dymunol i'r gwead. Er yn dechnegol gywir o ran triniaeth o gynghanedd, braidd yn elfennol yw'r cyfansoddiadau offerynnol.

Myfanwy Emlyn: Cyflwynodd hi ddau ddarn cyferbyniol, sef 'Cathedral Bells' a 'Breuddwydio'. Symbyliad y darn cyntaf oedd y darlun o 'San Giorgio Maggiore by Twilight' gan Claude Monet. Ceir yma ymdrech lew i greu darlun sain hynod effeithiol o'r olygfa drwy wneud defnydd sensitif o gyfuniad diddorol o offerynnau sy'n plethu i'w gilydd i greu'r naws priodol. Mae adeiladwaith naturiol i'r darn, a hyn i gyd yn arddull gynganeddol Debussy. Darn mewn ffurf ABA ar gyfer ffliwt a phiano yw'r ail ddarn. Crëir naws freuddwydiol yn rhagarweiniad y piano. Ceir dealltwriaeth dda o'r cyfrwng yma gan gynnwys ysgrifennu idiomatig ar gyfer y ddau offeryn, alawon siapus sy'n defnyddio cwmpawd llawn y ffliwt a chynghanedd sicr. Er nad yw'r rhan ganol lawn mor llwyddiannus dyma waith sy'n llwyddo i wneud defnydd effeithiol o'r deunydd craidd i greu ymdeimlad o undod.

Carys Jones: Cyflwynodd hi ddau waith, sef unawd 'Allegro con fuoco' i'r cello a symudiad yn dwyn y teitl 'Highly Strung' ar gyfer pedwarawd llinynnol. Mae'r darn digyfeiliant i'r cello ar ffurf Rapsodi neu Caprice. Cyflwynir nifer o syniadau a motiffau a datblygir rhain yn effeithiol yn ystod y darn. Rhydd dychweliad y motiff agoriadol tua'r diwedd ryw ymdeimlad o gyfanrwydd i'r cyfan. Dengys y gwaith ymwybyddiaeth drylwyr y cyfansoddwr o dechnegau a phosibiliadau'r offeryn. Cynnwys y pedwarawd llinynnol sawl newid tempo a chyweirnod i greu awyrgylch a chyffro. Seilir y cyfan ar ymdeimlad sicr o harmoni, ymdriniaeth gynnil o fotiffau a rhythmau ac ymwybyddiaeth gyffredinol o sut i ysgrifennu ar gyfer y cyfrwng. Mae addewid cerddorol yma.

Mochyn Bach: Cyflwynodd hwn ffolio o gyfansoddiadau amrywiol: 'Neithiwr wrth Feddwl', trefniant o 'Yr Hosan Las', Pumawd *Jazz* a 'Gobaith fy Mywyd'. Mae'r ddau gyfansoddiad a osodir ar gyfrifiadur yn tanlinellu ailadrodd fel nodwedd. Er bod strwythur amlwg i'r ddau ddarn, gan gynnwys ychydig ddeunydd cyferbyniol, efallai y gellid bod wedi rhoi sylw pellach i ddatblygu rhai o'r syniadau cerddorol a'r defnydd o wahanol seiniau o fewn y gwaith. Cafwyd trefniant digon effeithiol o'r alaw werin er gwaethaf ambell nodyn anghytsain yn y gyfalaw ar adegau. Prif nodweddion yr unawd olaf yw strwythur ystyrlon a llinell harmonig sicr. Nid yw gosodiad y geiriau yn gorwedd yn hollol gyfforddus bob amser a braidd yn sydyn yw'r trawsgyweiriad o G fwyaf i A feddalnod fwyaf. Er hyn mae'n gân ddigon swynol.

Navigator: Cyflwynodd ddau gyfansoddiad a luniwyd â chymorth cyfrifiadur, sef 'Tranquil Eyes' a 'Flying Seas'. Cyfunir seiniau mewn modd digon derbyniol yn y ddau ddarn gan greu naws gyferbyniol briodol. Yr un egwyddor a ddefnyddir yn y ddau gyfansoddiad, sef alaw, ffurf ar gyfalaw, cyfeiliant cordiau ac ambell effaith sain. Er bod mwy o ddatblygiad o'r deunydd yn yr ail ddarn, braidd yn ailadroddus a digyfeiriad ar brydiau yw'r ddau gyfansoddiad yn gyffredinol.

Y Pibwr: Cyflwynodd ef un gwaith mewn tri symudiad ar gyfer pedwarawd o offerynnau, sef ffliwt, obo, cello a bas dwbl. Mae rhai rhinweddau amlwg yn perthyn i'r gwaith, megis siâp yr alaw yn yr ail symudiad (y scherzo/wals) a hefyd y motiffau diddorol a gyflwynir ar ddechrau'r symudiad olaf a'r ymdriniaeth gromatig a gwrthbwyntiol driphlyg ohonynt. Yn anffodus mae gwendidau amlwg hefyd, megis diffyg crebwyll o egwyddorion harmonig ac ymdriniaeth resymol o'r offerynnau a ddewiswyd. Yn ychwanegol ceir, yn y symudiad cyntaf yn bennaf, alawon â diffyg siâp a chyfeiriad iddynt.

Mab y Mynydd: Cynhwysa'r ffolio un gwaith yn unig, sef ffantasi 'Legend' ar gyfer ffidil a phiano yn ogystal â threfniant diweddarach ar gyfer cerddorfa lawn. Mae yma rhyw adlais o waith Monti neu Kreisler ar brydiau. Cyfyng braidd yw'r deunydd harmonig yn y darn. Tri chord a ddefnyddir yn bennaf ac nid yw'r darn yn newid o'r cywair E leiaf o gwbl. Ceir ysgrifennu idiomatig yn rhan yr unawdydd ac yn yr ymdriniaeth o'r cyfeiliant. Yn sicr, mae sylfaen dda yma a gellir mireinio a datblygu'r gwaith ymhellach.

Gwydion: Cynhwysa'r gwaith gyfres o ddarnau penrhydd yn dwyn y teitl 'Glannau Dirgel' ar gyfer recorder trebl a phiano. Dyma gyfres ddeniadol o ddarnau gwahanol eu naws a'u lliw. Defnyddir y ddau offeryn mewn modd sydd yn awgrymu bod y cyfansoddwr yn hollol gyfarwydd â'r cyfrwng hwn. Mae'r tri darn wedi eu seilio ar ddawn harmonig resymegol sydd yn gyfuniad o gordiau cytsain ac anghytsain, strwythur amlwg i'r symudiadau ac ymdriniaeth gerddorol o'r motiffau a'r alawon. Rhoddir cyfarwyddiadau manwl i'r perfformwyr. Trueni na chafwyd recordiad ar dâp gyda'r sgôr. Fy unig gŵyn yw mai gwaith ar gyfer un cyfrwng (boed yn dri symudiad) sydd yma. Er hyn, dengys gryn addewid.

Cwmwl: Cyflwynodd ef ffolio o gyfansoddiadau amrywiol: 'Gweddi'r Arglwydd', 'Nosgan' a 'Daeth Nadolig Arall Heibio'. Dyma gasgliad cytbwys o gyfansoddiadau wedi eu seilio ar iaith harmonig gadarn, os fymryn yn draddodiadol. Dengys y gosodiad o 'Gweddi'r Arglwydd' fwy o aeddfedrwydd cerddorol na'r garol. Gosodir naws ddefosiynol briodol yn y rhagarweiniad. Gorwedd y geiriau'n gyfforddus ar frawddegau cerddorol siapus. Ceir adeiladwaith naturiol trwy'r darn sydd yn arwain at uchafbwynt cynnil ond trawiadol pan ailadroddir y cymal agoriadol ar y diwedd. Mae i'r garol alaw ganadwy hefyd, a'r gyfalaw ar y ffliwt yn ychwanegu'n briodol at y gwead, ond nid yw'n argyhoeddi i'r un graddau. Cyfuniad diddorol o rythm 4 a 3 churiad bob yn ail far yw prif nodwedd rhan gyntaf 'Nosgan' ar gyfer y piano. Darn ar ffurf teir-ran ydyw sydd yn adleisio cynghanedd ac arddull Mendelssohn a Schumann. Cawn yma eto alawon sydd yn llifo'n naturiol, ymdrech at wrthbwynt dwbl a'r cyfan mewn arddull idiomatig berthnasol ar gyfer yr offeryn.

Olivier: Cyflwynodd ddau waith yn ei ffolio, sef 'Fantaisie pour Orgue' i'r organ a 'Requiem Aeternam' ar gyfer côr cymysg, digyfeiliant. Mae'r darn i'r organ yn wir ffantasi sy'n defnyddio'r offeryn â digon o ddychymyg. Ceir adlais o arddull rythmig Mathias yma ac acw. Mae'r darn wedi ei lunio'n ofalus ac yn cyflwyno nifer o fotiffau sydd yn arddangos gwahanol bosibiliadau'r offeryn. Mae gofynion technegol y darn corawl yn fawr o ran sicrhau tonyddiaeth gywir a chwmpawd y lleisiau'n eang. Ceir yma ddefnydd o gynghanedd anturus sydd yn gyfuniad o'r anghytsain a'r cytsain a hynny mewn arddull homoffonig yn bennaf. Er bod y gosodiad yn un cyffrous, efallai mai'r cyfuniad a'r driniaeth yma o ddau fath o gynghanedd yw un o'i wendidau. Mae'r cordiau cytsain yn swnio'n amhriodol ar adegau. Credaf hefyd y byddai cantorion yn cael cryn drafferth wrth geisio taro rhai o'r nodau nas paratowyd ymlaen llaw gan rai o'r lleisiau eraill ac wrth ganu rhai o'r cyfyngau. Byddai recordiad ar dâp wedi bod yn fuddiol.

Cefais fy mhlesio'n fawr gyda'r gystadleuaeth a phenderfynais wobrwyo pum cystadleuydd, yn rhannol er mwyn hybu cystadlu yn y dyfodol ond yn bennaf am eu bod yn haeddu eu gwobrwyo. Dyfernir y wobr fel a ganlyn: £100 i *Carys Jones*, a £25 yr un i *Myfanwy Emlyn*, *Gwydion*, *Cwmwl* ac *Olivier*.

ADRAN DAWNS

Dawns Llys yn y dull traddodiadol Gymreig i ddim mwy na 6 chwpl yn dwyn yr enw 'Y Ferch o Gefn Ydfa'

BEIRNIADAETH G. IDWAL WILLIAMS

Rhan o'n chwedloniaeth Gymreig yw hanes y ferch o Gefn Ydfa. Mae'r teitl yn awgrymu adrodd y stori ond nid oeddwn, o reidrwydd, yn chwilio am hyn. Roeddwn yn disgwyl cyfanwaith o fewn y ddawns, naws y llys yn y symudiadau a'r gerddoriaeth, llyfnder patrymu, symud hwylus o un patrwm i'r nesaf, cysyllt-iad gyda'r teitl a newydd-deb rhywle i'm gwefreiddio. Tasg anodd ar y gorau yw cyfansoddi dawns llys, heb ei chysylltu â stori mor enwog, sydd efallai'n egluro pam mai dwy ddawns yn unig a gyflwynwyd i'w beirniadu.

Chwilen: Cafwyd yma ddawns i chwe chwpl ar yr alaw 'Bugeilio'r Gwenith Gwyn', sef cân ffyddlondeb Wil i Ann. Roedd y cyfarwyddiadau yn gyffredinol eglur ac wedi eu nodi'n ddestlus. Nodwyd mai wals arddangosfaol yw'r ddawns. Pedair rhan 32 bar sydd – y cyntaf yn uned hir i'r chwe chwpl, yr ail ran yn ddwy uned hir i dri chwpl yn cydweithio, y drydedd ran yn gylch dwbl a'r bedwaredd ran yn gylch sengl. Oherwydd y newidiadau yn siâp yr uned, cafwyd toreth o wahanol ffigurau gyda'r symud, o un rhan i'r nesaf yn hwylus ac yn llyfn. Hoffais y, 'cylchoedd i bedwar un a chwarter ac wedyn troi'r cymar â dwy law i symud o'r uned chwe chwpl i'r unedau tri chwpl', ac yn yr ail ran y, 'seren llaw dde hanner y ffordd i'r chwe merch fel roedd y bechgyn mewn dwy res ar y tu allan yn dawnsio hanner ffigur wyth i dri, y merched yn symud heibio i'w gilydd yn ôl at eu cymar' – hyn yn gelfydd iawn yn newid yr unedau dri chwpl wyneb i waered. Ond rhaid cyfaddef, yn y drydedd ran, ni welaf sut mae pontio'n daclus wrth wneud step wals.

Mae angen ailedrych ar sawl patrwm, e.e. nid oes lle rhwng y llinellau i un 'Llanw a Thrai' yn unig mewn wyth bar ar y cychwyn a theimlwn fod ychydig o lenwi cerddoriaeth mewn sawl lle. Roedd wals ar ddiwedd rhannau 3 a 4 ond nid ar ddiwedd rhannau 1 a 2. Nid oeddwn yn hoffi'r syniad bod y bechgyn yn walsio ar eu pen eu hunain a chafwyd sawl enghraifft o hyn – y cylch i'r bechgyn yn rhan 2 a'r cylch i bawb yn rhan 3. Rhaid rhoi llaw mewn cadwyn ac nid pasio ysgwydd dde ac yn ogystal, annelwig braidd oedd cyfarwyddiadau'r 'gadwyn fawr' yn rhan 4. Doedd dim angen ychwanegu at y cyfarwyddiau heb-law dweud 'nes cyfarfod â'r cymar'. Er y pwyntiau addawol ni theimlwn fod yma thema gyffredinol na chysylltiad rhwng un rhan a'r nesaf nac o fewn y rhannau, yn arbennig rhan 2, nac at y teitl heblaw am yr alaw. Nid oedd teimlad o gyfanwaith (roedd yma bron bedair dawns wahanol) nac o ddawns llys i mi. Hefyd awgrymaf y byddai'r ddawns wedi gorwedd yn well ar amseriad 4/4 neu 2/4.

Gwelfor: Dawns i 4 cwpl oedd cynnig *Gwelfor,* yn defnyddio tair A a saith B o'r alaw 'Meillionen'. Roedd hefyd 'stori' ar y diwedd ond ni chafwyd eglurhad i gyplysu'r symudiadau a'r stori ac ni welais unrhyw gysylltiad rhyngddynt. Ni ddwedwyd dim, ond rhaid mai dawns arddangos oedd y bwriad gan fod cymaint o ffigurau'n cael eu cyflwyno. Cychwynnwyd mewn uned hir gan arwain pedwar ymlaen ac yn ôl ddwy waith. Dau symudiad (sêr i dri a ffigur wyth o gwmpas dwy ferch) oedd yn dilyn sy'n nodweddiadol o ddawnsfeydd uned hir fesul deubar. Adlewyrchiad fel a welwyd yn Abergenni oedd y patrwm nesaf (B1). Tipyn o gymysgedd patrymu yw hyn. Tybiwn mai castio oedd cwpl un yn B2 cyn gwau i lawr yr ochrau ond blêr oedd y ffigur yma wrth symud i'r sgwâr. Os oes 'digon' o gerddoriaeth fel a ddywedwyd yn B3, dylid addasu/ychwanegu at y patrwm neu awgrymu sut mae llenwi'r gerddoriaeth. Er hynny, hoffais y seren hanner ffordd i'r pedair merch a phob merch wedyn yn mynd o gwmpas y bachgen oedd gyferbyn â hi. Ni welaf le i bromenâd (rhan B4) mewn dawns Llys ac yn anffodus nid oedd digon o wybodaeth yng nghyfarwyddiadau rhan B5 i ddod â phawb yn ôl i'r uned hir o'r sgwâr. Cymysgedd o sawl symudiad gyda newid siâp i gylch ac yn ôl oedd yn y rhan olaf yn cymryd B6 a B7 o'r gerddoriaeth. Eto nid oedd thema'n rhedeg trwy'r ddawns ond yn hytrach cyfres o ffigurau, un yn dilyn y llall heb greu unrhyw ymdeimlad o ddawns llys na chysylltiad gyda'r teitl.

Er i'r ddau ymgeisydd gyflwyno sawl symudiad digon diddorol, ni chefais ymdeimlad o'r stori na gwefr ynddyn nhw ac rwyf yn atal y wobr.

Cyfansoddi darn o gerddoriaeth ar gyfer cystadleuaeth dawnsio creadigol

BEIRNIADAETH JOHN E. R. HARDY

Dwy ymgais yn unig a dderbyniwyd ond hyderaf y bydd gwell ymateb yn y dyfodol gan fod hon yn adran a allai gwmpasu ystod eang o ddulliau a dibenion cerddorol gydag apêl gyffredinol eang. Mae pawb yn hoffi rhyw fath o gerddoriaeth sydd â'i gwreiddiau ym myd y ddawns, boed yn *Rite of Spring* (Stravinsky) neu *Tea for Two,* ac o *Flamenco* i *Jungle, Techno* a *Drum'n Bass,* heb anghofio dawns y glocsen a ffurfiau traddodiadol Gymreig eraill. Dengys y ddwy ymgais ehangder y maes o fewn y categori hwn. Dyma air byr amdanyn nhw.

Ehedydd: Ysgrifennodd ef ei waith ar bapur MSS; wals gonfensiynol yn y ffurf clasurol A-B-A, gan newid cyweirnod ar gyfer Adran B. Ceir yr ymdeimlad o adeiladu tuag at lawer o ailadrodd tua'r diwedd, yn cynnwys deunydd sydd erbyn hyn yn gyfarwydd gan greu ymdeimlad cysurlon, o fewn cyrraedd, deniadol, ac sydd yn rhan o arddull gyfarwydd. Ond ni ddylai *Ehedydd* gywilyddio oherwydd y nodweddion hyn. Mae'r themâu yn rhai deniadol iawn ac mae dawns yn ddisgyblaeth mor eang fel y gallaf yn hawdd ddychmygu coreograffydd yn dehongli'r darn hwn yn hollol blaen fel ymarferiad i ddull unffurf y wals; neu mewn dull eironig, gan benderfynu gweithio yn hollol yn erbyn y ffurf a chreu efallai'r gwrthgyferbyniad mwyaf posibl rhwng y symud a'r gerddoriaeth. Gallwn ddychmygu'r cyfansoddiad fel un gwirioneddol ddymunol a doniol. Wrth i gerddoriaeth gydweithio gyda chelfyddydau eraill, mae cyswllt yn bopeth. Mae'r partner artistig yn gosod y telerau o safbwynt gwrando ar y gerddoriaeth a'i deall. Pe bai'n rhaid imi farnu'r gwaith hwn dywedwn nad yw'n torri tir newydd ac nad yw'n wreiddiol nac yn chwyldroadol. Ond nid yw'r priodoleddau uchod yn creu gwaith o safon. Mewn gwirionedd y mae cerddoriaeth sâl yn aml yn llechu tu ôl i wisg *avant garde* er mwyn cuddio'r embaras. Mae hwn yn ddarn sy'n bodloni ac yn fwynhad. Mae'n teilyngu'n gwerthfawrogiad ni. Gobeithio y caiff ei berfformio a'u fwynhau, ac wrth gwrs gall fod yn gyfeiliant i ddawns.

Diogyn: Ffurf cyfansoddiad stiwdio sydd gan *Diogyn* ac fe'i derbyniwyd ar dâp. Mae ffynonellau'r sŵn synthetig – amrywiaeth o synau wrth drin allweddellau, samplau a synau offerynnau taro – wedi eu gwau â chryn fedrusrwydd a dychymyg. Mae'n amhosibl dweud a oedd y cyfrwng cyfansoddi ar dâp aml-drac confensiynol neu ar systemau golygu disg galed. Mae'r cyfansoddiad hwn yn gyferbyniol llwyr i'r un blaenorol ac mae'n cyflawni ei amcanion mewn modd eglur a phendant. Mewn ffordd ryfeddol o dda mae'n ceisio arwain y glust ar gyfeiliorn gan greu byd o sain sy'n newid ac yn datblygu'n barhaus. Er bod ystod y dewis yn weddol gyfyng, ni ellir beirniadu'r cystadleuydd ormod am hyn gan fod y seiniau gorau'n costio ffortiwn, oni fedrwch ychwanegu samplau o sain, neu offerynnau cerdd go iawn i ysgafnhau lliw'r donyddiaeth sy'n ddigidol. Y mae lleisiau, waeth pa mor amherffaith, o hyd yn ychwanegu rhywbeth os cânt eu trin a'u cyfuno'n ofalus.

Mae cyfansoddiad *Diogyn* yn datblygu ac yn ymffurfio'n raddol. Byddai hyn yn addas ar gyfer coreograffi sy'n llifo'n rhwydd, neu sydd wedi ei seilio ar brosesau tyner, fel yng ngwaith Sioned Hughes, heb egni cadarn nac ychwaith ystumiau onglog. Ar y llaw arall y mae'n awgrymu sefyllfa draethiadol neu ddramatig gydag efallai rif cynyddol o berfformwyr ar lwyfan yn disgwyl am ddigwyddiad mawr, deinamig. Yn anffodus, prin bod y darn yn gwireddu'r addewid o guriadau, y ffrwydradau o egni na'r grym pwerus. Mae hyn mor bryfoclyd oherwydd mae'r Preliwd (neu felly y mae'r darn yma'n ymddangos i mi) mor wirioneddol dda. Ceir adeiladwaith da, gan ddefnyddio'r ffynonellau gydag ymwybyddiaeth o gyflymder, lliw, drama a'r natur ddynol ac o steil. Mae hefyd yn wreiddiol ac y mae'r llais unigryw yn awgrymu bod personoliaeth gerddorol gref ar waith. Gallai cynnig y cyfansoddiadau i goreograffydd/ion weithio arnyn nhw fod yn sialens ac yn ddatblygiad diddorol a byddwn yn awgrymu y dylai darn *Diogyn* ddod yn gyntaf, gan arwain yn syth at gyfansoddiad *Ehedydd* – yr olaf yn cael ei ganu'n fyw ar y piano (neu ddeuawd piano). Credaf y gwnâi hyn gyfansoddiad diddorol iawn fyddai'n arbennig o dda i ddawnswyr.

Mae bron yn amhosibl dewis enillydd ac nid wyf yn osgoi cyfrifoldeb wrth ddyfarnu'r wobr yn gyfartal rhwng y ddau ymgeisydd.

ADRAN DRAMA

Drama Hir – Cadwyn o ddramodigau heb fod yn llai na phedwar a dim mwy na chwech, i gymryd dim llai nag awr a hanner

BEIRNIADAETH VALMAI JONES, GARETH MILES A MANON RHYS

Gosodwyd tasg hynod i'r cystadleuwyr, un a fyddai'n anodd i ddramodydd proffesiynol ei chyflawni'n llwyddiannus. (Daw i'r meddwl ddramâu Alan Ayckbourn.) Does fawr ryfedd, felly, mai dau ymgeisydd a gafwyd ac mai un o'r rheiny a ymdrechodd i gadw at amodau'r gystadleuaeth.

Ronallt: 'Calonnau Twyllo'. Un ddrama statig, ddiddigwydd nad yw'n gafael o'r dechrau. Mae'r iaith yn wallus megis, 'Hyfryd i wybod dydy twyll ddim yn un o fy beiau'. Nid oes gan yr awdur fawr o grebwyll ynglŷn â llunio deialog fywiog, er bod rhai llinellau'n anfwriadol ddoniol megis, 'A dweud y gwir, yr ardd yw fy mhryf ddiddordeb' ac, 'Os ydw i'n cael codiad bydda i eisiau clybiau golff newydd cyn dy olchydd dysgl, Dilys.'

Twm: 'Y Gadwyn Hon'. Pump o ddramodigau sy'n plethu i'w gilydd. Er bod yma ôl gwaith caled gan awdur profiadol, ceir nifer o ddiffygion artistig. Mae angen cryfhau'r strwythur er mwyn creu cyfanwaith a fyddai hefyd yn grymuso'r dramodigau unigol. Dylai'r awdur ddadansoddi ei gymeriadau'n ddyfnach ac yn fwy trylwyr gan roi ystyriaeth lawnach i'w cyfraniad i'r gwaith yn ei gyfanrwydd. Ar hyn o bryd y mae'r sefyllfaoedd yn rhy ddiddigwydd a'r cymeriadau'n rhy arwynebol i'r gynulleidfa ymddiddori yn eu hynt a'u helynt.

Er bod 'Y Gadwyn Hon' yn ein barn ni ymhell a fod yn barod i'w llwyfannu, dyfarnwn £200 i'r awdur fel cydnabyddiaeth o'i ymdrech a'i ymroddiad.

Drama Fer ar gyfer y llwyfan

BEIRNIADAETH VALMAI JONES, GARETH MILES A MANON RHYS

Dal Ati: 'Ennill nid Colli'. Mae'r cystadleuydd hwn yn fwy o bamffledwr nag o ddramodydd. Llwyfannodd ei ddaliadau gwleidyddol eirias yn ddigyfaddawd heb eu hymgorffori mewn cymeriadau credadwy na'u gosod mewn stori ddiddorol sy'n argyhoeddi. Llefaru ar ran yr awdur a wna'r cymeriadau ac nid drostynt eu hunain.

Rhyd y Nant: 'Dinas Peris'. Y flwyddyn yw 2098. Yn dilyn trydydd rhyfel byd ar ddechrau'r ganrif a thon enfawr o fewnlifiad, meddiannwyd Cymru'n llwyr gan estroniaid. Sefyllfa ystrydebol, efallai, ond un ag iddi bosibiliadau dramatig, ond collodd yr awdur ei gyfle. Mae angen mwy o ddigwydd, ac nid yw'r cymeriadau'n ennyn ein diddordeb, ac yn rhy aml ceir datganiadau propagandyddol a thrafodaethau pwyllgorol yn hytrach na deialog fachog. Fel pob cystadleuydd arall ond un nid yw *Rhyd y Nant* yn ymwybodol o bwysigrwydd a defnyddioldeb dramatig seibiau.

Isallt: 'Machlud'. Ceir yma ymgais i ddeialogi'n effeithiol ond nid oes fawr o ddyfnder i'r stori nac i'r cymeriadau. Mae gormod o debygrwydd rhwng y ddau brif gymeriad ac mae'n anodd meddwl amdanynt hwy, a'r tri arall, y tu allan i'r 'ystafell wely a byw' lle y digwydd y chwarae. O ailsaernïo'r ddrama hon a dyfnhau ei chymeriadau, y mae'n bosib y gellid ei llwyfannu.

Iolo: 'Yr Archdderwydd'. Ffars yn nhafodiaith afieithus Cwm Tawe. Ar y cyfan y mae'r hiwmor yn llafurus a bwriadus, ond y prif wendid yw'r man cychwyn. Mae'n hanfodol bod sefyllfa gychwynnol ffars yn argyhoeddi er mwyn i'r gynulleidfa dderbyn y cymhlethdodau sy'n dilyn blith draphlith.

Amatur: 'Oen Llywaeth'. Monolog a seiliwyd, y mae'n amlwg, ar brofiadau personol ac ar adnabyddiaeth yr awdur o gymdeithas benodol – Dyffryn Conwy – yn hytrach na gwaith rhywun a aeth ati i sgrifennu drama ar gyfer cystadleuaeth. Y mae *Amatur* yn ysgrifennu'n egnïol, yn finiog ac yn ffraeth, a llwydda'r cymeriad a borteadir i ennyn ein cydymdeimlad. Nid yw'r gwaith heb ei ddiffygion, fodd bynnag. Mae angen cryfhau'r llinyn storïol. Awgrymwn fod Jason yn sôn am ei gariad ynghynt, a'i fod yn darllen llythyr y fam yng ngwydd y gynulleidfa, gan droi ei siom yn ddiweddglo. Dylai ystyried ei ddrama fel drafft i'w gyflwyno i gyfarwyddwr ac actor gan geisio eu cydweithrediad i'w datblygu ymhellach ar gyfer ei pherfformio. Awgrymwn hefyd ei fod yn gwneud astudiaeth drwyadl o gampweithiau'r *genre,* megis *Talking Heads,* Alan Bennett.

Brynderwen: 'Pwy Piau Fi?'. Ymdrechwyd, yn aflwyddiannus, i gyfleu sefyllfa sy'n ennyn cywreinrwydd. Er bod y ddeialog yn llifo'n rhwydd gan fynegi'r tyndra a'r gwrthdaro rhwng y ddau frawd, dramodig haniaethol a disylwedd yw fel ag y mae.

Ceri Farr: 'Merch Anweledig'. Er bod yma syniad ag iddo bosibiliadau, nid yw'r cymeriadau'n ennyn diddordeb a methwyd â chael y ddeialog i godi oddi ar y papur.

Aman: 'Breuddwydiais y Byddai'n Rhaid i Mi Fynd o'r Cwm'. Dyhead athro o Gymro am ddychwelyd o Lundain i'w fro enedigol, a hynny'n groes i ddymuniad ei wraig, yw'r deunydd crai. Yn anffodus, methiant llwyr fu'r ymgais i greu drama o bwnc mor addawol. Mae gormod o gymeriadau yn y ddrama, gormod o siarad, ac y mae'r ddeialog yn or-llenyddol ei naws.

Arfon: 'Tatws yn y Popty'. Perthyn llawer o rinweddau i'r ddrama hon: y sefyllfa sylfaenol yn un ddiddorol ac yn berthnasol i'r byd sydd ohoni; cymeriadau cryfion; cyd-destun cymdeithasol credadwy a deialogi graenus. Diffygion y gwaith yw gormod o ddigwydd ac o siarad, a'r angen am gyfleu'r emosiwn yn fwy cynnil. Awgrymwn y dylai *Arfon* chwynnu'n ddidostur er mwyn dadlennu'r eironi hanfodol yn fwy effeithiol.

Yn gyffredinol, teimlwn mai ychydig o'r cystadleuwyr yn y ddwy gystadleuaeth sy'n dangos eu bod yn magu profiad ac yn datblygu syniadau wrth fynychu'r theatr. Gor-eiriogrwydd yw'r prif wendid – y tybio mai actorion yn siarad â'i gilydd ar lwyfan yw drama. Nid cofnodi iaith naturiolaidd yw gwaith dramodydd ond ei chyfleu drwy ddewis a dethol yn ofalus. Ni ddangoswyd fawr o ymwybyddiaeth o bwysigrwydd theatrig cynildeb, eironi, rhythmau iaith, seibiau a thawelwch, heb sôn am elfennau corfforol a gweladwy. Cytunwn mai *Amatur* yw'r dramodydd buddugol a'i fod yn derbyn £400. Dyfarnwn £100 i *Arfon* am waith diddorol y gellid ei ddatblygu'n ddrama.

Drama radio. Naill ai: Drama radio awr o hyd. Testun: agored ond dylid cyfyngu'r nifer o actorion i wyth ar y mwyaf. **Neu: Drama gyfres chwe pennod, hanner awr o hyd.** Testun: agored

BEIRNIADAETH LYN T. JONES

Mae'n dda gallu cofnodi cystadleuaeth sy'n codi'r galon. Pum sgript a ddaeth i law, ac mae mwy nag un yn dangos addewid clir o allu'r awdur i lunio sgript ar gyfer y cyfrwng radio.

Tema con Variationi: 'Telyn â Phedalau'. Cawn ein llusgo i fyd yr abswrd yn fuan. Dechreuir gyda theulu dosbarth canol traddodiadol, y ferch, Grug, yn cael gwersi telyn, ac yn llwyddo yn ei harholiad Gradd 3. Dyw'r delyn fach bresennol ddim yn ddigon da – rhaid wrth delyn â phedalau. Yr ateb yw gosod pedalau ar y delyn bresennol – rhatach na phrynu un ddrud newydd! Dyw'r gwneuthurwr telynau, Cadog, ddim am wneud hyn, yn naturiol, felly mae Jôs, y tad, yn penderfynu rhoi pedalau beic ar y delyn. Am syniad da! Dim angen i rieni brynu Volvo bellach gan y gall y telynorion seiclo i gyngherddau ar eu telynau! Mae'n syniad gogleisiol, ond bob hyn a hyn mae'r awdur yn anghofio'r cyfrwng dan sylw a cheir cyfarwyddiadau fel, 'Cilio wrth weld yr olwg ddagreuol ar wyneb Grug'. Synau a geiriau a goslef sy'n cario'r cyfan mewn drama radio ac nid yw paragraff hir o eglurhad am yr hyn sy'n digwydd yn yr olygfa yn golygu dim. Rhaid i'r cyfan fod ymhlyg yn y ddeialog neu yn y synau. Bob hyn a hyn daw'n amlwg taw ar gyfer y llwyfan y bwriadwyd y sgript yn wreiddiol gyda mwy o gyfarwyddiadau llwyfan, 'Pawb yn ei [*sic*] safle; Grug ar ei stôl o flaen y delyn [Blaen

De], yr arholwr yn ei gadair [Blaen Chwith] a Jôs yn dal bwnshed o neilon a sbaner [Cefn Canol] yn barod i ruthro mlaen'. Mae gwybodaeth yr awdur o gerddoriaeth a thechnegau telyn yn llawer sicrach na'i wybodaeth o gyfrwng radio.

Dwmplen: 'Twba Dwmplen'. Ymdrech deg at greu cyfres wahanol i'r arfer, gyda chasgliad o ddigwyddiadau yn ymwneud â'r cymeriad canolog – menyw o gorffolaeth helaeth. Mae'r bennod gyntaf yn dilyn troeon trip o gefnogwyr y côr meibion lleol i gyngerdd yn Neuadd Albert, Llundain, gan gynnwys y prif gymeriad. Gwendid y bennod yw taw dim ond dwy brif olygfa sydd ynddi i bob pwrpas, gyda'r hanner cyntaf yn olygfa ar y bws i Lundain a'r ail hanner yn siop Horrods [*sic*]. Mae digon o ddeunydd doniol yn y sgript, ond er fy mod i'n derbyn ei bod yn bosib dod o hyd i wasanaeth-ferch Gymraeg ei hiaith yn Harrods, mae'r cyfan yn ymestyn hygrededd. Drwy wneud y cymeriad canolog gymaint o gonglfaen i'r ddrama, rhaid creu mwy o olygfeydd byrrach i alluogi'r ddrama symud yn ei blaen. Mae'r chwarae'n dueddol o fynd yn sownd yn ei unfan, yn hytrach na datblygu. Wedi meddwl llawer am ddisgrifiad yr awdur o'r wasanaeth-ferch, 'Acen gryf aber-Essex', ac yn dal i fethu clywed yr hyn sy ym meddwl yr awdur!

Mistar Mostyn: 'Mos'. Pennod gyntaf cyfres o chwech, gyda'r prif gymeriad, Mostyn Jones, yn gweithio fel cyfieithydd llai nag effeithiol! Mae Mos (ynghyd â'i wraig Eira) newydd symud o ardal Wrecsam ac yn cael ei dynnu i mewn yn aelod o dîm siarad cyhoeddus tafarn y Puffin. Mae'n meddu ar y ddawn i gamddehongli sefyllfaoedd yn aml, ac mae hyn yn fodd i ddod â'r elfen gomedïol i'r bennod. Mae gan *Mistar Mostyn* syniad clir am ofynion radio fel cyfrwng, ac mae'n creu golygfeydd sy'n symud y cyfan yn ei flaen yn rhwydd. Yn anffodus, dyw ei reolaeth ar rythm brawddegau ac iaith ddim yn sicr, ac o'r herwydd mae'r sgript yn dioddef. Eto i gyd, mae posibiliadau i hon fel cyfres, ac mae'r amlinelliad o'r pum pennod arall yn ddigon manwl i roi syniad da o'r dilyniant – caiff pob dim ei daflu i'r pair, o elfennau traddodiadol ffars i dafarnwr hoyw i drawswisgwyr.

Ffred: 'Mela'r Mason'. Ymgais glodwiw i geisio creu ffantasi gyfoes lle mae Dewi a Melangell yn teithio Cymru'r Mileniwm drwy gyfrwng traethawd academaidd, 'Cymru yn y flwyddyn 2050'. Daw adleisiau o *Wythnos Yng Nghymru Fydd* a *Gweledigaethau Uffern* i liwio'r sgript, a does dim o'i le ar brocio'r adleisiau hynny. Mae'r dychan yn finiog ac effeithiol, ond mae angen edrych ar strwythur y ddrama'n fanylach. Er enghraifft, mae'r hanner cynta'n ddeialog rhwng Dewi a Melangell yn unig, heb fawr o 'ddrama' ynddi i hoelio clust y gwrandawr. Gall *Ffred* ysgrifennu'n gynnil a llyfn, ac mae ganddo ddawn i chwarae â geiriau a llunio deialog sy'n llawn rhythmau effeithiol. Mae cyfle yma i greu drama unigol ddifyr. Dyw hi ddim wedi cyrraedd y cyflwr hwnnw yn y fersiwn bresennol. O fewn ffiniau'r ddrama mae holl fuchod sanctaidd y genedl yn cael ergyd – y Brifysgol, y Seiri Rhyddion, y byd hysbysebu, a'r byd technoleg gwybodaeth, heb sôn am Radio Welcym – gorsaf radio Welsh Cymraeg a'r byd gwleidyddol.

Os aiff *Ffred* yn ôl at y ddrama ac ailymweld â strwythur y darn, credaf fod yma hedyn ffrwythlon i'w feithrin.

Hammurabi: 'Llygad am Lygad'. Mae'r bennod gyntaf o chwech yn agor yng ngwers addysg grefyddol yr athro, Arwel Roberts, ar gyfer Blwyddyn 11 yn Ysgol Uwchradd Tŵr Gwyn. Cyflwynir ni i athrawon a disgyblion – y Gary Butland anystywallt a'i gariad Sharon sy'n dweud, 'Symptom 'di Gary Butland. Crachan ar yr wyneb. Ma' gwraidd y drwg yn llawer dyfnach' a T.J. y Prifathro, '. . . mae'n rhaid imi roi clust i rieni. Ma' ganddyn nhw hawlia'. Ken Jones yr athro ffiseg hanner cant a phump sy'n cynhyrfu wrth weld ambell ddisgybl yn ei, 'thop bach tynn a sgert fyny at ei thin'. Bob Rowlands yr athro mathemateg, 'Se nhw' (rhieni) 'yn eu dysgu nhw i fihafio, ddysga inna nhw i gyfri', a Menna, yr athrawes hanes, yn ogystal ag ambell gwynwr o riant. Mae'r awdur yn gyfarwydd â'r hyn sy'n digwydd yn y stafell ddosbarth a stafell yr athrawon. Cawn ddilyn perthynas Arwel a Paul, ac Arwel a Menna, ymwneud Gary â chyffuriau, bywyd rhywiol y disgyblion ac agwedd awdurdodau yn gyffredinol.

Mae'r sgript yn rhedeg yn rhwydd a chredadwy, er bod tuedd i'r cymeriadau fod yn ystrydebol ac yn ormod ddu a gwyn. Gallaf ddeall y rheswm am hynny, ond rhaid bod yn wyliadwrus rhag gadael i'r darlun monocrom reoli gormod ar y gyfres. Mae strwythur y bennod wedi ei hadeiladu'n gelfydd, â'r stori'n datblygu'n naturiol fesul golygfa. Lluniwyd amlinelliad o'r penodau dilynol yn ddigon manwl i ddilyn trywydd y stori a datblygiad y cymeriadau unigol yn glir.

Braf nodi bod tair ymgais y gellid eu hystyried ar gyfer y wobr. Mae llongyf-archiadau'n ddyledus i *Mistar Mostyn* a *Ffred* ond *Hammurabi* sy'n cipio'r wobr am yr ymdrech agosaf at ffurf orffenedig, gan ddangos ymwybyddiaeth o'r cyfrwng ac o strwythur drama yn y cyfrwng hwnnw.

Trosi Drama i'r Gymraeg

BEIRNIADAETH GRUFFUDD PARRY

Dau drosiad yn unig a dderbyniwyd, trosiad *Dau-Wyth* o *Who's Afraid of Virginia Woolf?* (Edward Albee) a throsiad *Trillo* o *The American Dream* (Edward Albee) – dwy ddrama Americanaidd sydd wedi eu hen sefydlu eu hunain fel enghreifftiau o grefft a chelfyddyd gwbl unigryw ym maes y ddrama gyfoes.

Dau-Wyth: Dywed ef mewn nodyn ar y dechrau, 'Ar ôl ei throsi, erys y ddrama hon yn ddrama Americanaidd ond yn yr iaith Gymraeg. Nid wyf – a hynny'n fwriadol – wedi cyfieithu'r cyfeiriadau ffeithiol a daearyddol "Americanaidd" a geir ynddi.' Digon teg. Nid oes dim o'i le ar gynnig i gynulleidfa yng Nghymru olwg ar fywyd yn America trwy gyfrwng yr iaith Gymraeg ar lwyfan yng Nghymru. Llwyddodd *Dau-Wyth* i wneud hynny i ryw raddau. Mae'n ymwybodol iawn o naws a chymhlethdodau'r gwreiddiol, ac erys peth o atseiniau lefelau dyfnach y ddrama yn y fersiwn Gymraeg. Mae iaith y cyfarwyddiadau llwyfan a phopeth sydd wedi ei italeiddio yn y trosiad yn gwbl dderbyniol. Dengys yn wir feistrolaeth ar eirfa a chystrawen ac idiom – ar wahân, efallai, i ambell lithriad fel cyfieithu (to...) mewn cyfarwyddyd yn (i...) yn hytrach nag (wrth...). Mae 'safn y llew' am 'snapdragon' nid yn unig yn gywir ond yn cyfleu naws ac awyrgylch y gwreiddiol. Ond mae iaith y ddeialog, hanfod y ddrama mewn gwirionedd, yn wahanol, ac y mae'n anodd gweld sut y gellir ei chyfiawnhau. Mae'n wir fod Americaneg y gwreiddiol yn rhywbeth cwbl unigryw wedi ei sylfaenu ar iaith lafar fyw a lliwgar, ond nid yr iaith honno wedi ei thrawsblannu mae Albee yn ei defnyddio, ond yn hytrach yr iaith honno wedi ei chyflyru a'i saernïo i bwrpas. A dyna pam nad yw pethau fel, 'dw i rioed wedi bod mor ofn' a, 'Gollwng pethau arna i' a, 'Ella nei di'm necio fo', 'efo'r pobol 'ma', 'cael nhw drosodd ar ddydd Sul neu rwbath', 'Disgyn amdano fo', yn dderbyniol. Iaith lafar wedi dirywio i fod yn fratiaith sydd yma, ac yn sicr ddigon nid yw hynny yn cyfleu crefft a chelfyddyd y gwreiddiol.

Trillo: Mae ef wedi lleoli'r trosiad o *The American Dream* yng Ngogledd Cymru. Nid yw, efallai, wedi ymdrechu i Gymreigio'r gwreiddiol yn llwyr, a da hynny oherwydd wrth beidio mae wedi llwyddo i gyfleu'r gwirioneddau sylfaenol y mae Albee yn ymdrin â hwy, ac y mae'r cymeriadu yn effeithiol ar sawl lefel. Mae 'Mami' a 'Dadi' a gweddill y cymeriadau yn bod yng Nghymru'r ugeinfed ganrif yn union fel y mae 'Mommy' a 'Daddy' yn bod yn America. Mae'r ddeialog yma yn esmwyth ac yn llithrig a'r iaith lafar yn cael ei defnyddio yn gwbl hyderus i greu sgwrsio naturiol a chredadwy heb fygwth bod yn rhodresgar na mympwyol. Iaith y Gogledd sydd yma ond y mae'n ddigon safonol i fod yn ddealladwy yn unrhyw ran o Gymru gyda'r mân newidiadau mewn geirfa ac acen y byddai actor profiadol yn eu gwneud yn gwbl ddidrafferth.

Mae 'Y Cymro Delfrydol' yn gyfraniad gwerthfawr i'r theatr gyfoes yng Nghymru a gellid ei chynnig yn hyderus i unrhyw gwmni. Mae'n sicr hefyd y gallai rhyw gwmni a chynhyrchydd fod yn falch o weld trosiad *Dau-Wyth* oherwydd y posibiliadau a'r ffaith bod y sylfeini ar gael yma. Awgrymaf rannu'r wobr deilwng sydd ar gael eleni yn £300 i *Trillo* a £100 i *Dau-Wyth*, a diolch am y cyfle i ddarllen dau waith diddorol iawn.

Monolog

BEIRNIADAETH CEFIN ROBERTS

(a) Creu monolog

Derbyniais un ar bymtheg o sgriptiau; pedair ar ddeg o fonologau gwreiddiol a dau drosiad. Wedi imi ddarllen rhyw bump o'r rhai gwreiddiol roedd patrwm o wendidau yn dechrau dod i'r amlwg ymhlith yr ymgeiswyr. Gwendid y rhai gwannaf oedd tuedd i areithio yn hytrach na monologi a'r rhai oedd yn dangos addewid yn tueddu i golli'r trywydd hanner y ffordd drwy'r gwaith. Roedd tuedd hefyd i ambell ymgais droi'n stori fer ar brydiau a chrombil y gwaith yn or-ddibynnol ar groniclo llith o atgofion heb fawr o emosiwn yn perthyn iddyn nhw. Mae'n bwysig mewn monolog fod enaid y cymeriad yn ei amlygu ei hun i'r actor a'r cyfarwyddwr yn ogystal â'i atgofion. Teimlwn ar brydiau fod rhai o'r atgofion mor bell yn ôl fel nad oeddynt yn golygu rhyw lawer i'r cymeriad a'u cyflwynai heb sôn am y gynulleidfa. Nid yw'r feirniadaeth mewn trefn teilyngdod.

D.J.: 'Iacob'. Cyn-filwr yn traethu wrth ei gath am ei gyfnod yn ymladd yn Burma. Er bod yma ddigon i gnoi cil arno a thro llythrennol yn y gynffon pan ddown i wybod fod hyd yn oed y gath wedi ei stwffio, does dim cynllun clir i'r gwaith. Mae'r ymson wedi ei chyflwyno ar ffurf cyfres o frawddegau heb yr un paragraff ar eu cyfyl; ni welais unrhyw reswm dros ei llunio fel hyn gan fod paragraffu yn rhoi syniad pendant i'r sawl sy'n mynd i bortreadu'r gwaith o dempo a rhythm y cyflwyniad, ac er bod modd defnyddio gwallau iaith a Chymraeg sathredig i bortreadu cymeriadau, gall droi'n fwrn ar y glust. Mewn ymson, dim ond yr iaith sydd gan yr actor i'w sbarduno ac i ddeffro ei emosiynau; does ganddo neb arall ar y llwyfan i'w gymell o un trywydd dramatig i'r llall. Ar hyn o bryd, does gan *D.J.* ddim digon o feistrolaeth ar yr iaith i fynd i'r afael â thasg mor anodd. Mae ei waith yn frith o frawddegau fel, 'Dwi'n gwybod ti wedi weld nhw canwaith ond dyna gyd sydd gyd fi ar ôl'. Er bod yma ambell fflach o oleuni mae'r ymson bron drwyddi yn rhan o ryw orffennol pell.

Saunders: 'S.O.S. Samson Jones'. Mae'n amlwg nad oedd *Saunders* wedi hyd yn oed edrych dros ei waith yn iawn cyn ei gyflwyno. Nid gwallau teipio sydd yma, ond diffyg gofal. Y tristwch yma eto yw nad oes gan *Saunders* ddigon o feistrolaeth ar ei iaith i gyflwyno'r syniadau sydd ganddo. Mae'n anodd dweud a yw'r Gymraeg sathredig weithiau'n fwriadol i roi lliw i'r cymeriad, ond mae'r camsillafu'n gwneud imi amau hynny. Gwacter ystyr ym mywyd dyn gweddol ifanc sy'n troi at alcohol am ei gysur sydd ganddo, ac mae'r drasiedi enbyd yn cael ei datgelu yn y tair brawddeg olaf. Mae'r tro yn rhy gyflym, ac mae'r cyfan drosodd cyn inni allu synhwyro'r drasiedi, heb sôn am ei blasu. Ar wahân i'r diffyg gofal, dyma wendid mwya'r gwaith.

Valentine: 'Yr Allwedd'. Gan mai'r un awdur yw *D.J.*, *Saunders* a *Valentine*, fe dybiwn, mae'r un diffygion yn perthyn i'r tri chynnig, ac er bod rhyw lun o reswm dros y gwallau iaith yma i ychwanegu lliw i'r cymeriad, mae hyd yn oed ei gyfarwyddiadau llwyfan yn frith o gamgymeriadau. Rhaid wrth feistrolaeth lwyr ar iaith cyn y medrwch ei darnio i bwrpas theatrig. Gresyn na fyddai wedi canolbwyntio ar un cyfanwaith gorffenedig gan fod teimlad anghyflawn i bob ymdrech a anfonodd i'r gystadleuaeth. Mae gan y tri chynnig eu cryfderau, ond nid oes un cyfanwaith yma fyddai'n haeddu gwobr.

Maesgwyn: 'Anerchiad Llywydd Merched y Wawr yn Cyflwyno Gŵr Gwadd y Noson'. Dyw creu araith neu anerchiad ddim o reidrwydd yn creu monolog. Mae'n rhaid wrth ryw elfen theatrig/ddramatig i sicrhau bod araith yn troi'n fonolog. Er cystal yr araith, ac er fy mod i'n llawn gydymdeimlo â'r neges a drosglwyddir ynddi, dydi hi ddim yn fonolog. Gallai cadeirydd unrhyw gangen o Ferched y Wawr ddefnyddio'r araith hon pe bai Ron Davies yn digwydd bod yn ŵr gwadd iddynt. Rhaid dod i ryw gyffyrddiad ag enaid cymeriad mewn monolog.

Pencoed: Monolog ysgafn am eisteddfota a beirniadu a chythraul cystadlu. Mae yma ambell funud ddigri, ond prin yw'r gwreiddioldeb. Tueddu i aros yn ei unfan a wna'r cyfan, â rhyw deimlad ei fod i gyd wedi cael ei ddweud o'r blaen.

Y Gilfach Ddu: Araith neu anerchiad sydd yma ac nid monolog; anerchiad dirprwy brifathro i'w staff yn eu rhybuddio am beidio â gwastraffu eiliad o'u hamser yn mynychu llefydd fel toiledau yn ystod yr egwyl os nad oes gwir angen arnynt, ac os oes angen, yna rhaid iddynt feddwl beth arall y gallant fod yn ei wneud yn ystod eu hymweliad, fel na fu eu hamser yno'n 'wastraff' llwyr. Cyflwynir y rhybudd ar ffurf rhestr ac felly, i raddau, rhestr a gafwyd ac nid ymson. Teimlwn hefyd i'r ymgais yma fod yn rhan o sioe neu gyflwyniad llawer hwy ar un adeg a bod angen y cyd-destun hwnnw arno i'n cynorthwyo i'w gwerthfawrogi'n llawn. Nid oedd digon yma i'r gwaith fedru sefyll ar ei ben ei hun fel cyflwyniad theatrig.

Pencei: Araith sy'n atgoffa rhywun am ddeunydd *stand-up comic* am eithafiaeth arian. Americanwr yw'r prif gymeriad, ac mae ei wraig yn gwario'i arian fel gro. Arwynebol iawn yw'r hiwmor, a does nemor ddim drama'n agos ati. Go brin y gellir galw ymdrech fel hon yn fonolog.

X: 'Monolog i Ferch'. Mae gan *X* well gafael ar ei grefft. Mae'r arddull yn ymylu ar theatr yr abswrd, ond ni theimlaf iddo arbrofi'n ddigon pell efo'r delweddau a'r themâu mae'n eu cyflwyno mewn cwta dudalen o sgript. Mae'n fy atgoffa ar adegau am *Dyddiau Difyr* Samuel Beckett, ond nad yw eto wedi cynefino digon efo'i ddewis arddull na chwaith yn plymio'n ddigon dwfn i'r themâu i ddarganfod eu llawn botensial. O wneud hynny, fyddai'r cyfanwaith ddim cweit mor swta ag yr ymddengys ar hyn o bryd. Byddai'n talu'r ffordd i *X* ailedrych ar ei waith a bod yn llawer mwy mentrus y tro nesaf.

Cyhyrau: 'Charlie'. I ddyfynnu'r awdur, 'Cyn-weithiwr dur a gollodd ei swydd yng ngwaith dur Brymbo yw Charlie'. Mae'n agor campfa cadw'n heini ar stad ddiwydiannol yn y pentre, a thra'n cyflwyno'i araith mae'n mynd o gwmpas yn ymarfer ar y gwahanol offer yn y gampfa. Mae'r lleoliad a chefndir y cymeriad yn ddi-fai, ac mae arddull yr ymson yn reit agos-atoch-chi. Yn anffodus does dim byd yn digwydd i Charlie. Er i mi gynhesu ato fel cymeriad, a theimlo'i fod yn mynd i fwrw'i galon inni unrhyw funud, wnaeth o ddim. O ganlyniad, monolog sobor o ddiddigwydd a geir, heb unrhyw uchafbwyntiau iddi.

Maes-y-gwanwyn: 'Pauline'. Dynes unig yn ei phumdegau yn byw mewn fflat yn Llandudno yw Pauline. Mae'n byw ar atgofion o'r gorffennol pell ac yn tristáu o weld safonau'n gostwng o ddydd i ddydd. Tebyg o ran arddull i ymdrech *Cyhyrau,* ond mae gan Pauline dipyn mwy i'w ddweud wrthym na Charlie. Serch hynny, mae'r arddull fymryn yn herciog ac mae Pauline yn mynd i fwy a mwy o ddŵr poeth wrth fynd yn ei blaen a chollir mewn rhythm a thempo a thrywydd erbyn y diwedd. Llwydda *Maes-y-gwanwyn* i gyfleu unigrwydd Pauline yn drawiadol ar adegau, ac mae honno ar ei gorau yn yr adran lle mae'n codi ei llaw ar y, 'ddynes neis o'r tai newydd yn y coed'. Piti nad oes cysondeb yn yr arddull gan fod yma addewid pendant.

Croesair: 'Croeseiriau'. Cymeriad cymhleth iawn yw Croeseiriau, sy'n cyflwyno'r fonolog. Bron na ddywedwn ei fod yn gymeriad rhy gymhleth i'w adael ar lwyfan ar ei ben ei hun! Teimlwn drwy'r amser y carwn weld rhywun arall yn sgwrsio efo fo ar adegau i ddod â rhyw lun o eglurhad i ni o'i gyflwr a'i ddryswch meddwl. Doeddwn i ddim yn siŵr a oedd yr hen ŵr yn dioddef o ryw salwch meddwl neu iselder ysbryd. Monolog lwydaidd ei naws ac yn rhy fyr efallai i wneud cyfiawnder â'r cymhlethdod syniadau a gyflwynir.

Stiwt: 'Dai Owen'. Monolog atgofus yn iaith liwgar ardal y Rhos. Mae yma dristwch a hiraeth dolefus am ryw oes a fu, a byddai ar ei mwyaf effeithiol mewn capel yng nghymuned y Rhos ei hun. Yn anffodus, mae hon eto'n colli ei ffordd, ac mae'n dueddol o redeg ar ôl ei chynffon ei hun tua thri chwarter y ffordd drwy'r gwaith. Os mai'r un awdur yw *Stiwt, Croesair, Maes-y-gwanwyn* a *Cyhyrau,* ac rwy'n amau hynny'n gryf, mae'r un gwendid yn rhedeg trwy'r pedwar cynnig, sef diffyg cysondeb mewn arddull. Er cystal yw pob un mewn mannau, mae angen mwy o ofal wrth saernïo'r gwaith.

Acton: 'Jessica'. Ymson ddigon di-fai am ferch o'r enw Jessica yn danfon llythyr at Dirk Bogarde ar ôl gwrando arno'n sgwrsio ar Radio Pedwar sydd yma. Dydi hi ddim yn ymson uchelgeisiol iawn, a rhyw unigrwydd a gwacter ystyr yw'r themâu sy'n dod i'r amlwg. Er yn ddi-fai, mae hefyd fymryn yn ddi-fflach, ac yn gorffen braidd yn swta. Tybiaf mai'r un awdur â'r pedwar blaenorol sydd wedi bod wrthi eto. Os hynny, mae'n resyn nad yw wedi caboli un neu ddwy o'r monologau i gyrraedd y safon, gan fod addewid ym mhob ymdrech, ond eto, ni theimlwn imi dderbyn cyfanwaith yn yr un o'r ymdrechion.

Fideo: 'Jan'. Tybed ai'r un awdur fu wrthi yma eto? Os hynny, mae'n sicr yn haeddu gwobr am ddyfalbarhad yn unig. Mae Jan yn gymeriad crwn a difyr sy'n cadw'n sylw hyd y diwedd. Mae yma frychau, ac mae angen ailedrych ar y gwaith o safbwynt y gynulleidfa. Credaf fod lle i ymestyn y gwaith ryw fymryn gan fy mod i'n ysu am wybod mwy am Jan a'r gŵr a'i gadawodd mor ddisymwth. Caiff y fonolog ei chyflwyno mewn llyfrgell recordiau, crynoddisgiau a fideos, ac mae'n lleoliad rhy ddifyr i beidio â defnyddio mwy ohono. Ni fyddwn yn cynghori *Fideo* i fynd ati i lwyfannu'r gwaith nes ei fod yn gwbwl hapus fod Jan yn gymeriad crwn, cyflawn. Addewid sydd yma ar hyn o bryd, ond mae hwnnw'n addewid pendant.

Er i nifer dda gystadlu, siomedig oedd y safon ar y cyfan. Serch hynny, o'i ddatblygu, mae *Fideo* wedi dangos digon o addewid i mi ddyfarnu'r wobr yn llawn iddo.

(b) Trosi monolog

Gethin: Tudalennau agoriadol *Shirley Valentine* (Willy Russell) oedd dewis *Gethin.* Er cystal yr ymdrech mae'n syrthio i'r fagl o gyfieithu air am air o'r cychwyn cyntaf. Mae'r ddrama'n agor efo, 'Y'know I like a glass of wine when I'm doin' the cookin''. Mae *Gethin* yn trosi, 'Wchi dw i'n licio glasiad o win pan dwi'n hel bwyd'. Teimlwn yn syth nad oedd angen yr 'Wchi' ar y cychwyn yn y Gymraeg; mae'n taro'n od i'r glust am ryw reswm. Glynu'n slafaidd wnaeth *Gethin* trwy gydol y trosiad, ac mae perygl wedyn iddo swnio fel darn wedi ei gyfieithu.

Trillo: Mae *Trillo*'n cael gwell hwyl arni. Trosiad o ran agoriadol o *Bed Among the Lentils* sydd ganddo ac mae'n llwyddo o'r cychwyn i roi i ni ddiwyg Cymreig ar y clasur bach hwn gan Alan Bennett. Yn wir, byddai cyfieithiad o'r casgliad cyflawn yn gaffaeliad mawr i actorion Cymraeg, ac mae gan *Trillo*'r ddawn i wneud hynny. Mae'r mydr a'r eirfa ganddo i wneud cyfiawnder â gwaith Bennett. Efallai ei fod weithiau yn syrthio i'r un fagl â *Gethin,* ond ddim mor aml o bell ffordd. Wrth drosi, mae'r fagl yno bob amser wrth gwrs, ac yn un hawdd syrthio iddi. Gwobrwyer *Trillo.*

ADRAN DYSGWYR

CYFANSODDI I DDYSGWYR

Gwaith unigol: Cyflwyniad ar eich ardal heb fod yn fwy na 10 munud. Safon: Agored

---

BEIRNIADAETH DEGWEL OWEN

Rhaid canmol y tri chystadleuydd. Gellid disgwyl y byddai mwy wedi mynd ati i gyflawni'r dasg seml o gyflwyno'u hardaloedd ar lafar ar dâp o fewn deng munud. Hoffwn pe bai Pwyllgor y Dysgwyr yn diddymu ei gyfarwyddyd i, 'ddanfon casét o faint arferol' ar gyfer y gystadleuaeth hon a rhoi dewis i gystadleuwyr ddefnyddio, 'unrhyw ddyfais gyfathrebu gyfoes', megis casét sain, tâp fideo, camera cyfrifiadurol neu ffilm. Mae llawer o sefydliadau ac unigolion yn berchen ar y taclau hyn yn yr oes dechnolegol hon a byddai ambell gyflwyniad ar 'Fy Ardal' yn elwa wrth ychwanegu lluniau, symbol a delwedd. Roedd cyfle yma i adrodd stori a hanes yr ardal gan ddefnyddio llais yn unig, neu, i ychwanegu at swyn a theimlad tuag at y fro, drwy ddefnyddio cerddoriaeth gefndirol a phwrpasol. Roedd rhyddid i rywun â dawn, dychymyg a gweledigaeth greu llun geiriol o'i ardal, gan ddangos, nid yn unig allu a chywirdeb a blaengaredd yn yr iaith newydd ond hefyd allu i fanteisio ar y cyfle i ddisgrifio'r modd y bu ei fro a'i thraddodiadau a'i henwogion yn sbardun i ddysgu iaith ac ennill etifeddiaeth newydd.

Trafodaf gyfraniadau'r tri ymgeisydd gan nodi eu gallu o ran iaith: (cywirdeb ymadrodd; y defnydd o briod-ddull a throsiad; patrymau brawddegol amrywiol; a'r ddawn i gyfathrebu'n glir ac yn naturiol); mynegiant: (eglurdeb ac acen foddhaol; hyder a mynegi barn; y gallu i greu awyrgylch a dawn ddramatig wrth ddisgrifio); cynnwys: (patrwm y cyflwyniad; gwybodaeth o'r ardal; ei lleoliad, ei henwogion, ei hawyrgylch a'r ffeithiau hanesyddol cywir a diddorol ynglŷn â hi), ac, yn olaf, y synnwyr cyffredin i wneud y mwyaf o'r rhyddid y soniais amdano uchod wrth arbrofi gydag offer ychwanegol i wneud y traethu moel yn rhywbeth swynol, apelgar a llawn bywyd.

Blodau'r Enfys: Ceir yma ddisgrifiad byw ac annwyl o Gwm Llynfi gan un sydd wedi meistroli'r Gymraeg ac sydd bellach yn gallu disgrifio ei bro â balchder a rhamant. Mae'n sôn am y mynachod yn gorffwys ar eu ffordd i'r abatai mawr gynt; am y glowyr a fu'n cynnal traddodiadau'r cwm; am y diwydiannau bach newydd sydd wedi cymryd lle'r pyllau glo. Nodir mai yma y bu Wil Hopcyn yn canu 'Bugeilio'r Gwenith Gwyn' i'r ferch o Gefn Ydfa. Mae'n adrodd am yr eisteddfota, a'r chwaraeon sydd mor fyw yno, gan lwyddo i drosglwyddo ei hanwyldeb a'i chariad at y cwm yn emosiynol ac yn deimladol. Mae llif mynegiant da yma sy'n ddiffuant ac wedi'i fynegi mewn Cymraeg gloyw.

Cynthia: Y Fenni, 'y dref o gwmpas y castell', yw ardal a chartref *Cynthia* er y chwedegau. Mae'n nodi marchnad wlân enwog y dref, a'r tair marchnad a gynhelir yno heddiw. Disgrifia hefyd ddiwydiannau'r ardal a rhydd sylw i eisteddfodau'r gorffennol a Chymdeithas Gymraeg y Fenni a fu'n coleddu'r iaith gyhyd. Sonia hefyd am enwogion yr ardal: Augusta Hall, Carnhuanawc, John Owen a William Crwys Williams. Ychydig o bersonoliaeth *Cynthia* ei hun sy'n dod i'r amlwg; mae yma fwy o gronicl hanesyddol, gwrthrychol. Mae yma rai mân gamsyniadau iaith a chamynganu (castell – castel) hefyd yn britho'r cyfan.

Merch y Ffin: Cyflwyniad araf, pwyllog a dealladwy, yn cynnwys amrywiaeth ac awyrgylch arbennig â'r defnydd deallus o gerddoriaeth gorawl ac emynyddol ac adrodd a chanu penillion i ychwanegu at naws y disgrifio. Mae'r iaith a'r mynegiant a'r cynnwys yn dda wrth iddi ddisgrifio ei hardal, sef Wrecsam a'r Cylch. Yn frith drwy ei chyflwyniad ceir cerddoriaeth megis Parti'r Ffin yn canu 'Croeso i Wrecsam' i'n hatgoffa am fro'r Eisteddfod, y wlad o'i chwmpas a'i diwydiant a'r diwylliant. Mae sylwedd yn ei disgrifio ac yn y modd y sonia am enwogion yr ardal: I. D. Hooson, J. T. Jones, Bryan Hughes, Islwyn Ffowc Elis, W. S. Gwynne Williams ac Aled Lewis Evans. Dyfynna o rai o weithiau'r enwogion. Mae hi'n dangos ei bod yn feistres ar ganu penillion a chanu gwerin. Ar ôl crwydro'r ardal yn eiriol ac yn gerddorol/lenyddol, mae'n gorffen â dyfyniad o waith Brian Martin Davies. Gwaith sy'n uned ynddo'i hun yw hwn ag ôl ymdrech a saernïaeth yn amlwg arno. Mae *Merch y Ffin* yn llawn haeddu £70. Rhodder £20 i *Blodau'r Enfys* a £10 i *Cynthia.*

Gwaith grŵp: Trafodaeth ar 'Ddiddordebau' heb fod yn hwy na 15 munud

BEIRNIADAETH DEGWEL OWEN

Mae'n debyg i Bwyllgor y Dysgwyr wneud ei orau i ennyn cefnogaeth i'r gystadleuaeth hon a rhoi hwb i lawer o ddosbarthiadau nos, canolfannau dysgu Cymraeg, clybiau ieuenctid, dosbarthiadau ysgol a grwpiau o unigolion. Disgwyliwn y byddai haid o gystadleuwyr yn ysu am estyn am y *Sony Walkman* neu'r *Hi Fi Panasonic* i wneud cyflwyniad sain perffaith a chreu argraff dda. Disgwyliwn gyflwyniad wedi'i saernïo'n gelfydd a disgwyliwn glywed Cymraeg gloyw, cywir a mynegiant ffraeth; hiwmor ac apêl i'r 'llygad mewnol' hwnnw; blaengaredd a mynegiant o farn bendant; trafodaethau ar ddiddordebau anghyffredin a chyffredin. Disgwyliwn ddod i adnabod rhai o gymeriadau'r grŵp a gweld personoliaethau'r aelodau'n dod i'r amlwg; ond yn anffodus, dim ond tri grŵp a fentrodd i'r maes. Dyma rai sylwadau arnyn nhw.

Dawn Dinefwr: Grŵp o oedolion yn trafod diddordebau cyffredin ac anghyffredin drwy ddull holi ac ateb a safon y mynegiant yn uchel. Ceir yma lawer o hiwmor wrth i'r cystadleuwyr fwynhau'r drafodaeth a chlywais chwerthin naturiol y grŵp. Bu trafod i ddechrau ar glochyddiaeth a'r hwyl a gâi un aelod wrth ganu clychau eglwys yn Llandeilo. Nid oedd y sgwrsio'n rhy hir a llwyddwyd i osgoi undonedd. Arweiniwyd y sgwrs wedyn i drafodaeth ar 'Clychau Cantre'r Gwaelod' ac yna at chwedlau'n gyffredinol. Cyfeiriwyd at feddygon Myddfai a rhinweddau meddygol planhigion. Yn olaf, trafodwyd profiadau un aelod a fu ar daith i Madagascar lle roedd y brodorion yn ei chamgymryd hi am genhades. Dyma grŵp a oedd wedi bod wrthi am beth amser ac yn gloywi ei Gymraeg.

Swdonym: Grŵp o ferched ifanc yn sgwrsio ar sawl testun oedd o ddiddordeb iddyn nhw ac i'w cenhedlaeth: rhaglenni teledu (*Eastenders*); ffilmiau (*Batman a Robin*); y radio; darllen cylchgronau; prynu dillad newydd a ffasiynau. Roedd hi'n amlwg eu bod wedi paratoi'n fanwl ymlaen llaw, ac arweiniodd hyn at siarad cyflym a bwrw iddi heb oedi i feddwl ac ystyried. Roedd un cwestiwn/ateb yn dilyn y llall, heb gyfle i anadlu bron nac i ystyried beth oedd y cwestiwn/ateb. Llwyddwyd i fynegi sawl barn, ond ar y cyfan, er bod yr iaith yn gywir a'r mynegiant yn glir, roedd y sgwrsio'n anaeddfed a disylwedd.

Y Manics: Grŵp o ferched ifanc (o ysgol neu goleg) yn gwneud gwaith llafar yn eu dosbarth. Mae'n amlwg eu bod wedi paratoi a thrafod cywaith ar y testun 'Problemau Pobl Ifainc', oherwydd dyma a gawn ac nid 'diddordebau'. Er hyn, gwneir ymgais deg i droi'r testun wrth i'r ferch gyntaf yn y gwaith grŵp ofyn, 'Oes diddordebau gennyt ti?' a'r ail ferch yn ateb, yn afresymol, i'm tyb i, 'Oes. Rydw i'n mwynhau trafod pobl ifainc'. Yna mae'r grŵp yn mynd ati i drafod, yn fyr iawn a heb lawer o sylwedd, destunau megis tensiwn yn y teulu, smygu, problemau cyfathrebu gydag athrawon a rhieni, ac yn olaf alcohol. Ni allaf yn fy myw weld y testunau hyn yn dod i'r dosbarth 'Diddordebau', ac mae'r cyfan, o'r herwydd, yn amherthnasol.

Rhodder £70 i *Dawn Dinefwr* a £30 i *Swdonym.*

Cerdd: Dŵr neu Olwynion

BEIRNIADAETH ROBAT POWEL

Derbyniwyd dwy ar hugain o gerddi ac mae safon Cymraeg yr ymgeiswyr yn ganmoladwy iawn ar y cyfan. O ran cywirdeb iaith, byddai nifer ohonynt yn gallu ymgeisio'n anrhydeddus yn adran llenyddiaeth eisteddfod. Yn wir, ar ddiwedd yr ugeinfed ganrif, a phobl yn dod at y Gymraeg ar hyd amrywiaeth fawr o lwybrau, beth yn hollol yw ystyr y term 'dysgwr' bellach? Bid a fo am hynny, rhaid croesawu unrhyw sbardun sy'n annog pobl i fynegi eu profiad trwy'r iaith Gymraeg. Yn ddiau, llwyddodd y gystadleuaeth hon i wneud hynny. Calonogol hefyd yw nodi nad yw'r un ymgeisydd yn gwbl ddi-glem. Llwyddodd pawb i ysgrifennu'n uniongyrchol ac ogosi'r ymdrechion hynny sy'n llawn geiriau haniaethol, gwag, ac sy'n fagl i rai ar risiau cyntaf barddoni. Rhannaf y cyfansoddiadau yn dri dosbarth.

DOSBARTH III

Yma ceir ymdrechion sydd yn rhyddiaith bur, y Gymraeg yn aml yn ddi-wall, ond heb arlliw o rythm neu fynegiant cerdd ynddynt. Sampl fer yw'r canlynol:

> Heb ddŵr mae bywyd gwyllt a pysgod [*sic*] yn marw,
> Heb ddŵr mae blodau yn colli eu lliw,
> Heb ddŵr mae syched mawr arna i.

Na ddigalonned yr ymgeiswyr hyn. Maent yn ysgrifennu'n ddigon cywir. Darllen mwy o farddoniaeth dda sydd ei angen nawr, a dal i ysgrifennu. Rhoddaf yn y trydydd dosbarth hefyd ddwy gerdd sydd yn dipyn mwy diddorol, sef gwaith *Llygaid y Dydd* ac *Ewcalyptws 1.* Yn anffodus, er craffu'n drugarog, ni welaf unrhyw gyswllt o gwbl rhyngddynt â'r testunau a osodwyd.

Yn y dosbarth hwn, felly, ceir: *Mira Sari, Bryn Ffŵl, Elidyr, Llygaid y Dydd* ac *Ewcalyptws 1.*

DOSBARTH II

Yma rhoddaf ymdrechion y gellir eu galw'n gerddi ond sy'n cynnwys gormod o linellau gwan.

Ewcalyptws 2: Disgrifiad diddorol o Awstralia, ond mae hon yn fwy o gerdd am y cangarŵ nag am ddŵr. Mae yma ambell gystrawen anghywir, fel, '. . . lle dim byd yn byw', ac mae'r gwaith yn brin o farddoniaeth.

Killamarsh: Bardd yn ceisio mynegi teimladau dwys am y pyllau glo, ond mae gormod o wallau iaith yma megis, 'Glo am ddiwydiant' ac 'Yn lleoedd pell'. Dylai berfau mewn brawddegau fel, 'Unwaith troiodd olwynion . . .' a 'Torodd [*sic*] dynion lo' fod yn yr amser amherffaith, 'trôi olwynion' a 'torrai dynion lo'.

Ewcalyptws 3: Mentrodd ar englyn am ddŵr afon Cynfal. Mae'r llinell gyntaf a'r drydedd yn wallus, ond y llinell olaf yn well, 'Lli di-dduw a lliw di-ddal'.

Deryn Du: Cerdd am olwynion beic yn dal i droi wedi i fab farw mewn damwain. Y syniad am olwyn fawr bywyd yn dda, ond mae gormod o linellau rhyddiaith yma.

Dalati: Yr un bardd â *Deryn Du.* Yr un syniad, sef teithio ar olwyn fawr bywyd. Mynegiant cywir a rhai llinellau da, 'Megis olwyn fawr y ffair/try Olwyn ein bywyd ni'.

Yr hen ddysgwr: Cerdd am olwynion y pyllau glo. Digon glân, ond nid oes dim byd newydd ynddi, ac mae'r rhythm yn mynd ar goll weithiau. Mae'n dewis y gair anghywir ambell waith, e.e. 'troi tuag adre fyddai'n *siriol* mwy'.

Nant yr Eos: Cerdd ramantaidd ei naws mewn penillion odledig am yr eos yn canu gerllaw nant mynydd. Rhai llinellau diddorol, ond mae'r rhythm yn diflannu'n aml.

Fflur: Olwynion y fframau Zimmer mewn ysbyty yn ei hatgoffa am olwynion eraill bywyd megis y pram a'r car. Dweud yr hanes mewn rhyddiaith heb lawer o rythm y mae *Fflur.*

Tlws yr Eira 1: Penillion odledig, eithaf bachog, am ddŵr afon, nant a môr, ond tueddu i ddewis geiriau anghywir fel, 'Mae e'n *syflyd*/Heb ddim *tôr* [*sic*]'.

Eos Pum Erw: Cerdd arall am olwynion pwll glo a hanes bywyd glöwr. Mae'n gorffen yn hiraethus, '. . . mae'r olwynion yn llonydd;/Ac mae'r dyffryn yn las ac yn dawel'. Serch hynny, mae gormod o linellau rhyddieithol, a rhai geiriau anaddas, megis, '. . . niwl sy'n *addurno* y bryniau'.

Pontwr: Cerdd ddigon synhwyrus am afon Conwy, ond gormod o fân wallau iaith a geiriau anghywir, e.e. 'Dŵr i mewn dŵr . . .' a Dŵr'n serennu'. Hoffaf 'cymylau blonegog'.

DOSBARTH I

Ceir mwy o dinc barddoniaeth yng ngherddi'r dosbarth hwn, ond effeithir ar lawer ohonynt gan ddiffyg rhythm a dewis anaddas o eiriau.

Crud-y-gwynt: Hanes afon Ogwr trwy'r tymhorau. Ambell linell fachog fel, 'A'r glaw yn mwydo'r tir/A thonnau fel ceffylau gwyllt . . .' ond mae llawer o linellau cyffredin hefyd gan *Crud-y-gwynt.*

Tlws yr Eira 2: Disgrifiadau telynegol o ddŵr nant, afon, môr a llyn. Cerdd well nag un *Tlws yr Eira 1,* ond rhai geiriau anaddas, e.e. 'A'r eryrod yn esgyn' (eryrod yng Nghymru?), 'A chychod *swrth* . . . mewn hedd', a chystrawen anghywir fel, 'Mae dŵr y llyn dy unig ffrind'.

Llais o'r llwyni: Olwyn pwll glo unwaith eto, a chyn-löwr yn edrych arni mewn amgueddfa. Mae'n cadw'r odl a'r rhythm yn dda iawn ac yn cyfleu tipyn o hiraeth y glöwr, 'Lleisiau fy hen gyd-weithwyr sydd/Yn galw arnaf nos a dydd'.

Lloerwen: Yr un bardd â *Llais o'r llwyni,* mi dybiaf. Creu darlun eithaf synhwyrus am garu ar lan afonig fach, a rhai ymadroddion campus fel, 'Symudliw olau'r dŵr . . .'. Fodd bynnag, nid yw'n cadw'r rhythm gystal â *Llais o'r llwyni.* Ni welaf sut y mae dŵr megis, 'celfydd law y crefftwr'.

Gwalia: Cerdd ddigon gafaelgar. Y dŵr yw'r dagrau yn llygaid hen gaseg lle gwêl y creadur ei hun yn ifanc eto, 'Gwelaf . . ./. . . hiraeth yn nŵr dy lygaid,/ac olion/oriau'r gorffennol/yn nofio/ynddynt . . .'. Byddai'r gerdd yn gryfach trwy ddileu ambell air neu ymadrodd gwan megis 'gaseg hoff'. Yn anffodus, mae'r ddelwedd olaf am drwyn hir y gaseg yn amharu ar y gerdd.

Y Ffured: Teimlwn ar unwaith mai dyma fynegiant cryfaf y gystadleuaeth. Y broblem oedd bod y mynegiant hefyd mor dywyll – neu gynnil – fel na ddeallwn beth yr oedd y bardd yn ei ddweud. Serch hynny, wedi hir graffu a phendroni, credaf fy mod yn ei gweld hi. Mam ifanc, a llefain di-baid ei phlentyn yn ei llethu. Ffoi at afon yn y coed ac ystyried hunanladdiad. Yna cofio am ei nain a chyngor honno. Gorfod penderfynu, 'Nofio/neu foddi?' Bywyd yn ennill, dychwelyd at y babi (a'r gŵr?).

Er bod yma ambell ymadrodd aneglur neu anaddas o hyd, e.e. 'Yn erbyn llanw dy lid' (llid pwy?) a 'Cerdd adar yn *sblasio'r* coed', mae hon yn gerdd gref sy'n mynegi gwewyr mam ifanc dan bwysau. Mae'r ymadroddion byr yn enwedig yn fachog-awgrymog, ''Dw i'n boddi./Pawb drosto'i hun./Ffoi.', a'r gerdd yn gyfanwaith destlus iawn yn rhythm pendant y *vers libre.* Rhodder y wobr lawn i *Y Ffured.*

Y Gerdd

DŴR

Mae'r baban yn crïo ac yn crïo,
Dagrau bach ei hiraeth yn nofio
Yn erbyn llanw dy lid.

'Dw i'n boddi.
Pawb drosto'i hun.
Ffoi.

Cerdd adar yn sblasio'r coed.
Ust! Rhywle mae nant yn canu.
Traed yn taro eu gwrthbwynt trwm.
'Dw i'n dod i graffu â llygaid hallt
Ar y dŵr di-ddal yn crychu
Am wyneb annwyl.
Nain.
Ym mhoengan y nant
'Dw i'n clywed yr hen lais di-lol.
''Ti 'di gwneud dy wely, 'merch i,
Rhaid i ti orwedd ynddo fe.'
Ar fy mys mae ei modrwy aur
yn cosi, yn llosgi. Er cof.

'Rŵan amdani.
Nofio,
Neu foddi?'

Mae'r baban yn cysgu'n drwm.
Dyma tithau'n fy nisgwyl gan wenu.
Yn y goedwig, bydd y nant yn canu.

Y Ffured

Darn o ryddiaith: 'Cyfrinachau'. Safon: Agored

BEIRNIADAETH ELWYN HUGHES

Cafwyd ymateb derbyniol iawn i'r gystadleuaeth hon, ac fel y gellid disgwyl gyda thestun amhenodol fel 'darn o ryddiaith' a'r safon yn agored, doedd hi'n fawr o syndod bod tri ar ddeg o weithiau amrywiol tu hwnt wedi dod i'r fei, rhai'n hir, rhai'n gryno, a rhai, fel gwaith *Barcud*, yn rhy fyr; rhai wedi eu hysgrifennu mewn iaith lenyddol raenus, eraill mewn Cymraeg llafar tafodieithol; rhai'n ysgrifau, rhai'n storïau byrion, ac un yn gyfieithiad o'r gân 'Whispering Grass' gan *Aderyn Bach.*

Nid oedd gennyf unrhyw ddisgwyliadau penodol ymlaen llaw: yr hyn yr oeddwn yn chwilio amdano oedd awdur â rhywbeth diddorol i'w ddweud a'r gallu i'w fynegi ei hun yn effeithiol o fewn ffiniau ei afael ar yr iaith. Gwendid nifer o ddysgwyr yw ceisio cyfieithu'r hyn yr hoffent ei ddweud yn eu mamiaith yn hytrach na meddwl yn nhermau'r hyn y medrant ei ddweud yn Gymraeg. Ysgrifennu difyr, disgybledig oedd y nod, felly.

Daeth y canlynol yn agos at y dosbarth cyntaf: *Siôn Corn, Coch y Bonddu, Pontwr, Avril, Blodwen o'r Rhondda, Llygad y Dydd* – pob un yn ddarllenadwy a phob un wedi ei ysgrifennu mewn Cymraeg hynod gywir ar y cyfan, ond yn brin o'r sbarc angenrheidiol i'w codi'n uwch, ond yn bendant yn y dosbarth cyntaf y mae ysgrifau *Adda* ac *Ismael*, y ddau'n ysgrifennu'n goeth ac yn ddifyr (yn enwedig disgrifiad *Ismael* o rai o gyfrinachau byd natur). Trueni na fyddai wedi chwynnu ambell baragraff sy'n dweud yr amlwg, er mwyn tynhau ychydig ar y gwaith. Tair stori fer sy'n dod i'r brig a byddwn yn fwy na bodlon dyfarnu'r brif wobr i unrhyw un ohonyn nhw:

Enfys: Ysgrifennu gofalus, cymeriadu effeithiol a stori dda ynglŷn â'r ffordd y mae profiadau Owen gyda'r bwli pan oedd yn blentyn yn dylanwadu erbyn hyn ar ei ymddygiad yn dad.

Ewcalyptws: Stori synhwyrus am ddwy hen ffrind ysgol yn graddol ddatgelu pob math o gyfrinachau wrth ei gilydd. Mae cymysgedd o emosiynau a thensiynau'n ffrwtian dan yr wyneb trwy gydol y stori hon ac mae'r ysgrifennu'n fywiog a naturiol.

Rusalka: Portread o dri pherson cwbl wahanol, pob un â'i gyfrinach bersonol ei hun. Mae'r awdur yn creu awyrgylch mewn ffordd hyfryd ac yn ysgrifennu'n gryno ac awgrymog tu hwnt. Deuwn i adnabod y tri chymeriad yn dda mewn ychydig eiriau, ond mae cymaint o'u cyfrinachau eto heb eu datgelu. Ysgrifennu disgybledig a chrefftus iawn.

Llongyfarchiadau i bawb a gymerodd ran ar eu gwaith graenus, difyr a safonol. Hoffwn gydnabod camp arbennig *Enfys* trwy gynnig £15 iddi, ac mae *Ewcalyptws* a *Rusalka* yn haeddu £30 yr un. Ond i bwy y rhoddir y tlws? Mae stori *Ewcalyptws* yn dynnach a'r tensiwn yn gryfach ond mae rhywbeth yng ngwaith *Rusalka* sy'n gwrthod gadael llonydd imi. Pa gyfrinachau sy'n llechu yn y cefndir? Oes cysylltiad rhwng y tri chymeriad? Beth fydd eu tynged? Am iddi lwyddo i gyfuno cryfder emosiwn a chynildeb mynegiant mewn ffordd mor effeithiol, dyfarnaf y tlws i *Rusalka*.

Yr Ysgrif

CYFRINACHAU

> Ti leuad wen yn ffurfafen nos,
> Pell yw d'olygon a chlaer,
> Dros yr holl fyd o'r wybren dlos,
> Gweli bawb oll ar y ddaear.

Dwed i mi, dwed i mi dy gyfrinachau . . .

Taflodd hyrddiad o wynt bapurau i mewn i'r awyr yn y stryd gul. Roedd y nos yn filain o oer ac yn barod serennai'r rhew yn y lloergan. Roedd y stryd yn wag heblaw am un dyn ifanc oedd yn cerdded yn araf iawn at fynedfa siop – y lloches orau dros nos.

Wrth iddo lusgo'i draed roedd golwg druenus arno. Gwisgai garpiau gyda blanced amharchus dros ei ysgwyddau crebachlyd. Baglodd o'n sydyn. Doedd o ddim wedi bwyta ers dyddiau ond dangosai ei farf weddillion ei bryd o fwyd diwetha ychydig ddyddiau yng nghynt. Yn ddiolchgar rhoddodd y flanced ddiraen ar y llawr ac wedyn, wrth orwedd yn anesmwyth yn oerni'r nos, gwyddai y byddai o olwg llygaid ymholgar y gyfraith.

Roedd o wedi bod ar y ffordd ers misoedd – yn cerdded ac yn ceisio – ei esgidiau'n llawn tyllau ac weithiau'n wlyb at ei groen – ond yn benderfynol o gyrraedd yma – tref ei fagwraeth. Gwyddai fod ei rieni'n byw o hyd yn y dref ond heno ei gyfrinach o oedd hyn. Wyddai neb!

Ar ôl iddo adael cartref yn ei arddegau roedd Siôn wedi byw ar y strydoedd – yn ddigartre, yn ddi-waith ac yn ddiobaith. Cadwai gwmni gyda hwliganiaid ac yn fuan daeth i fabwysiadu eu dull o fyw. Roedd o'n rhan o fyd tywyll – diod a chyffuriau, ac yn y diwedd, dwyn. Doedd dim dianc. Ond un diwrnod cyfarfu â rhywun – ac yn sydyn newidiwyd ei fywyd.

Ond heno yr unig beth yr oedd eisiau ei wneud oedd mynd adre gyda'r newyddion da. Roedd yr awydd i weld ei rieni eto'n llosgi yn ei galon. Dim gorffwys heno! Yfory, a fuasai popeth yn iawn? Ar ôl ymweliad yfory gobeithiai Siôn y buasai'n rhydd i garu, chwerthin a byw bywyd yn llawn. Ar ôl yfory . . .

Roedd Miss Jones yn edrych arnyn nhw gyda gwên ar ei hwyneb, yn meddwl am y profiad bythgofiadwy yr oedd hi wedi ei fwynhau'r bore 'ma. Roedden nhw ar silff y ffenestr ac yng ngolau'r lleuad ymddangosent hwy yn fain ac yn ariannaidd.

Roedd Miss Jones wedi derbyn galwad ffôn yn ystod y bore oddi wrth ei ffrind, Mabyn.

'Wyt ti'n brysur heddiw? Hoffet ti ddod i'w gweld nhw? Maen nhw'n barod!'

Roedd Miss Jones wedi bod yn disgwyl yr alwad.

'Wrth gwrs,' meddai hi. 'Fe yrraf fi acw ar unwaith.'

Yn fuan cyrhaeddodd dŷ ei ffrind. Byngalo oedd o, ychydig filltiroedd o'r dref, ar ffin y cefn gwlad.

'Neis dy weld ti,' meddai Mabyn. 'Wyt ti wedi dod â dy sgidiau glaw?'

'Wrth gwrs,' meddai Miss Jones, ei llygaid yn gloywi. 'Dw i'n barod am unrhyw beth.'

Wedi eu gwisgo mewn esgidiau glaw cerddai'r ddau ffrind dan siarad yn gyfeillgar gyda'i gilydd.

'Paid â deud wrth neb am y lle hwn. Ein cyfrinach ni ydy o!' meddai Mabyn.

Cydient ym mreichiau ei gilydd a chodai cyffro ym Miss Jones.

Roedd y lôn gul yn wlyb ac yn llithrig ar ôl glaw'r dyddiau diwetha ac roedd Miss Jones yn falch o deimlo braich gref a chymwynasgar ei ffrind Mabyn.

'Cymer ofal, 'nghariad i,' meddai Mabyn. 'Dydy o ddim yn bell nawr.'

Ar ôl cerdded trwy'r rhes o goed a oedd ar bob ochr i'r lôn, cyraeddasant yn sydyn. Dyma olygfa! Doedd Miss Jones erioed wedi gweld unrhyw beth tebyg. O dan y coed yn y ceunant bach roedd yna garped gwyn. Ym mhob man roedd cannoedd o eirlysiau'n siglo yn yr awel ysgafn. Gan blygu i lawr, gallai Miss Jones glywed eu persawr hyfryd. Ac yn gymysg â'r persawr roedd sŵn hudolus y gwynt fel pe bai'r blodau main yn canu eu clychau bach.

Siaradodd neb. Roedd y ddwy'n mwynhau'r munud annisgrifiadwy. Amser i godi'r galon oedd yr amser a dreuliwyd yng nghyfrinach y coed.

Torrodd llais Mabyn ar draws y mudandod, 'Hoffet ti gael rhai i fynd gyda thi?'

'O, diolch,' atebodd Miss Jones a chan gamu'n ofalus iawn, casglodd hi ddigon i'w rhoi mewn ffiol fach ar silff y ffenest gartre . . .

Yn Ward 7 yn Ysbyty Gwynfryd disgleiriai'r lleuad trwy'r ffenestri, yn taflu cysgodion. Roedd y nyrsys yn symud yma ac acw yn dawel. Chlywid dim ond sŵn eu sgidiau rwber ar y llawr pren. Yn ei gwely yng nghornel y ward gorweddai Mair yn llonydd. Mam yn ei thridegau oedd hi. Roedd hi wedi gweld yr arbenigwr yn ystod y prynhawn gyda chanlyniadau'r profion.

'Rhaid ichi fod yn hollol onest gyda mi,' meddai Mair wrth yr arbenigwr.

Edrychodd yr arbenigwr arni gyda golwg graff yn ei lygaid a dywedodd mewn llais isel a difrifol, 'Mae'n ddrwg iawn gen i, ond . . .'

Ar ôl siarad yn dyner gyda hi, gadawodd yr arbenigwr y ward. Cofleidiodd hithau'r gyfrinach ofnadwy i'w chalon – dim ond blwyddyn eto i fyw!

Y prynhawn hwnnw, roedd hi'n hynod eofn. Ond nawr yn unigrwydd y nos roedd hi'n teimlo'n bruddglwyfus iawn. Dim ofn drosti ei hun. Buasai hi'n darganfod cadernid yn ei ffydd gadarn ond doedd hi ddim eisiau i'w gŵr cariadus fagu'r ddau blentyn ar ei ben ei hun. Buasai'n rhaid iddo fo ddangos cadernid pwyllog tad a thynerwch tawel mam. Gan feddwl amdanynt hwy, llanwyd hi â llu o atgofion. O'r diwedd llifai'r dagrau i lawr ei gruddiau. Sut oedd dweud y newyddion arswydus yfory pan fuasai ei gŵr yn ymweld â hi?

Cuddiwyd y lleuad gan gwmwl du ac yn y tywyllwch sibrydodd Mair, 'Ein Tad yn y nefoedd . . .'

Ti leuad wen yn ffurfafen nos, diolch iti am rannu . . .

Rusalka

Llythyr at ffrind sy'n byw dramor. Safon: Agored

BEIRNIADAETH NIA WILLIAMS

Daeth deunaw o lythyron i law, a chefais gryn bleser o'u darllen un ac oll – nid bod pob un yn wych a llawn dychymyg – ond dyna galonogol ydoedd darllen gwaith y Cymry newydd yma, oedd wrth eu bodd yn arddangos eu galluoedd ieithyddol, eu cystrawennau uchelgeisiol a'u geirfa anhygoel – rhai'n ymfalchïo mewn ambell eiryn gwreiddiol tu hwnt! Amrywiai'r cynnyrch o ran safon a chynnwys, rhai'n tueddu i or-ddibynnu ar yr ystrydebol, saff, tra eraill yn ymestyn terfynau'r dychymyg yn rhy bell, ond rhaid canmol pob un yn ddieithriad am fynd ati i gyfansoddi yn ei ail iaith. Cystal oedd meistrolaeth y rhai gorau fel y gallent gyfleu hiwmor, beiddgarwch, clyfrwch a chynildeb yn ddiymdrech ac yn effeithiol dros ben.

Tueddiad y llythyrwyr a roddaf yn y trydydd dosbarth ydy bod braidd yn anarbennig – llythyron ystrydebol, yn holi mwy o gwestiynau nag y maent yn eu hateb, yn brin o wreiddioldeb a fflach, a heb fod â chystal gafael ar yr iaith â'r cynigion eraill. Syrth *Angharad* i'r categori o ofyn mwy nag y mae'n ei gyfleu – wrth ysgrifennu llythyr at ei ffrind yn y Swistir. *Blodwen o'r Rhondda* hithau yn euog o'r un bai – wrth iddi ysgrifennu at ei chyfaill yng Nghanada, er iddi baentio darlun hyfryd o'r Rhondda gyfoes i atgoffa ei ffrind o'i gwreiddiau. Llythyr difyr ddigon a gafwyd gan *Ebrill* – mewn ateb i lythyr o'r America gan ffrind – yn darllen yn rhwydd ac yn gywir, ond eto efallai braidd yn saff ac anarbennig. Mae clwstwr o lythyrwyr sy'n clodfori gogoniannau eu hardal wedyn. *Sioned* sydd newydd ymgartrefu yng ngogledd Cymru wedi cyfnod yn y Wladfa, ac sy'n amlwg wedi syrthio mewn cariad â phrydferthwch Dyffryn Clwyd – ac am sicrhau Mair na chaiff mo'i siomi gan yr harddwch naturiol sy'n ei haros pan ddaw ar ymweliad. Cefais fy moddhau gan wreiddioldeb a hiwmor llythyr *Llinos* – mae mwy o ffresni yn y dweud yma, ac y mae yna rywbeth i'w ddweud! Ambell lithriad cystrawennol sy'n gwanhau'r cynnig yma yn anffodus. Un arall sy'n arddangos ffresni a hiwmor ydy *Cai*, sy'n ysgrifennu at Hans ei gyfaill yn yr Almaen. Cyfaill go amheus yn ôl y 'pecyn' a ganfyddwyd o dan ei wely yn dilyn ei ymweliad diwethaf â Chymru, a'r 'babi' – na ddyweder mwy! Mae ambell lithriad ieithyddol hwnt ac yma gan *Cai* hefyd. Daeth dau gynnig Nadoligaidd eu naws, ar ddull y blwydd-lythyr Americanaidd; un gan *Tony* a'r llall gan *Mike*. Ychydig arlliw yma o'r 'gwaith cartref' bondigrybwyll, ond llythyron cysurus, saff yn datgan hanesion teuluol yn ddigon difyr. Braidd yn rhethregol yw llythyr *Tlws yr Eira*; eto gormod o holi ac ymateb i hen gwestiynau – tueddu i fod yn hiraethus ystrydebol wrth werthu gogoniannau sir Benfro. Collodd *Gwenllian* fi, a hithau ei hun, yng ngwead cymhleth ei llythyr – mae yma wreiddioldeb yn ddigamsyniol. Bedwyr sy'n anfon gair o rybudd at ei hen gyfaill Geraint a hithau yn amlwg wedi ei thrwytho yng nghefndir y chwedl Arthuraidd, ceisiodd *Gwenllian* wau dyfeisgarwch a dychan, slicrwydd geiriol a gweledigaeth syniadol i'w llythyr – ond rhywsut aeth y neges ar chwâl oherwydd diffygion iaith a chystrawen gloff.

Gwell gafael ar yr iaith, mwy o amrywiaeth cystrawennol a rhwyddineb wrth eu darllen, sy'n peri i mi osod y pum llythyrwr nesa yn yr ail ddosbarth. Teimlwn bod y rhain yn ysgrifennu at bobl go iawn ac am rannu profiadau go iawn. *Mira Ayu* yn cyflwyno darlun o'i bywyd newydd yma yn y de-orllewin, yn portreadu sir Benfro yn fyw ac yn real, a chyda gwir ymdeimlad, i'w chyfeilles Karina yn Jakarta. *Ann* yn cysylltu â'i ffrind Eleri – a chymeriadau'r llythyr yn dod yn fyw o flaen y llygaid. Hithau *Un o Ddwy* yn ysgrifennu'n hiraethus am wyliau a dreuliodd yng ngogledd Cymru. Llythyr yn adrodd hanesion stormydd y gaeaf a aeth heibio sydd gan y *Ferch Fach o'r Cei* – ac yn darlunio'n fyw ac yn ddramatig effeithiau'r tywydd garw a gafwyd ar drigolion sir Benfro. Difyr dros ben. Cefais fy swyno gan lythyr *Robin Hafren*. Llythyr wedi ei saernïo'n gelfydd, mewn iaith gyhyrog a chywir. Llythyr grymus ac iddo bwrpas – tueddu at nostalgia go iawn hwnt ac yma. Cwestiwn – oni fyddech wedi trafod llawer o'r materion a gyfyd yn y llythyr hwn wrth i chi'ch dau gyfarfod ar faes yr Eisteddfod? Rhesymeg y peth sy'n ddirgelwch i mi! Tybed *R.H.* onid oes lle i gynildeb? 716 o eiriau pan ofynnir am 'hyd at 300'?

Deil tri'n weddill – tri unigryw – a chefais wefr wrth ddarllen y rhain dro ar ôl tro. Dengys y tri feistrolaeth ar air, cywair a chystrawen fel ei gilydd. Llythyr syml, mewn iaith agosatoch sydd gan *Alwen* – cronicl o ddigwyddiadau diddorol, doniol sy'n cydio yn y dychymyg. Y diweddaraf o Gaerdydd megis, mewn brawddegau bachog a chyda sylwadau crafog. Difyr iawn!

Cywair tra gwahanol sydd i lythyr *Y Ddolen*. Dafydd yma yng Nghymru yn anfon gair o brofiad at ei gyfaill Joele ym Maluti, sy'n swyddog yr amgylchedd yno – mynegi ei bryderon y mae Dafydd ynghylch cynlluniau sy ar droed ym Maluti a allai beri niwed, megis y niwed a wnaed i Gapel Celyn yn nechrau'r chwedegau. Llythyr grymus, iaith gyhyrog, neges afaelgar. Er darllen y cynyrchiadau yma dro ar ôl tro ar ôl tro, deuai yr un un i'r brig yn gyson. Gafaelodd yn fy nychymyg o'r cychwyn cyntaf – llythyr *Tomos* at Ffred yn y Wladfa. Dylai pawb gael cyfle i ddarllen hwn – mae mor gelfydd! Llythyr doniol, beiddgar ag elfennau o bathos hwnt ac yma, mewn iaith lafar hynod bwerus ydyw – mae'n drymlwythog o straeon ac eto'n gynnil. Anodd iawn cloriannu'r llon a'r lleddf – roedd y tri a ddaeth i'r brig yn wych, ond i *Tomos* dyfarnaf £25, yna £15 i *Y Ddolen* a £10 i *Alwen*, a diolch i bawb am oriau o bleser.

YSGOLION

Blwyddyn 7, 8, 9

Cyflwyno cywaith creadigol gan unigolyn yn cynnwys deunydd amrywiol ar 'Teulu', 'Gwyliau' neu 'Hamdden'

BEIRNIADAETH ELIZABETH EDWARDS

Daeth pymtheg ar hugain o gyweithiau i law a braf yw dweud bod ôl cryn ymdrech ar bob un ohonynt. Roedd y safon, ar y cyfan, yn uchel. Wrth bwyso a mesur yr ymdrechion roeddwn yn chwilio am wreiddioldeb, dyfeisgarwch, cyflwyniad deniadol ac amrywiaeth o ffurfiau. Roeddwn hefyd yn disgwyl iaith o safon uchel. Ni chefais fy siomi. Cefais flas ar ddarllen sgyrsiau, llythyrau, disgrifiadau, darnau'n mynegi barn, adroddiadau, cardiau post, posteri ac ambell chwilair. Yn anffodus, roedd pedwar ar ddeg o'r cystadleuwyr wedi bodloni ar gyflwyno un ffurf yn unig, disgrifiad fel arfer, er bod y gystadleuaeth yn gofyn am 'ddeunydd amrywiol'. Felly, er bod y cyflwyno'n ddyfeisgar a safon yr iaith at ei gilydd yn arbennig o dda, ni ellid eu hystyried i'w gwobrwyo. O'r un ar hugain sy'n aros, mae pump yn dod i'r brig o ran cynnwys a diwyg. 'Hamdden' oedd dewis-deitl y pump. Nid yw'n syndod, efallai, mai'r un yw pleserau hamddena i'r mwyafrif llethol o bobl ifanc heddiw. Mae pob un o'r rhain yn mwynhau mynd i'r sinema, gwylio'r teledu a mynd ar wyliau. Mae ambell un yn hoffi siopa a chwaraeon hefyd. Mae pob un yn llawn haeddu cydnabyddiaeth. Felly dyma'r drefn ar ôl hir bendroni. Yn gydradd drydydd ac yn cael £10 yr un mae *Jemima* a *Siaradus*. Yn ail ac yn cael £20 yr un mae *Matilda* a *Belinda*, ond yn gyntaf, a thipyn ar y blaen mae *Quiksilver* sy'n llwyr haeddu'r wobr o £40 am waith rhagorol.

Ysgolion blwyddyn 10, 11, 12 a 13. Ysgrifennu deunydd ar gyfer papur bro neu gylchgrawn

BEIRNIADAETH EUROS JONES EVANS

Derbyniwyd dau ar bymtheg o gyfansoddiadau. Rhaid imi ganmol yr holl ddeunydd a ddaeth i law oherwydd profir bod y ddawn i ysgrifennu'n estynedig a diddorol ar gynnydd ymhlith dysgwyr y Gymraeg ym mlynyddoedd 10-13 yn ein hysgolion uwchradd. Y mae'n debyg mai ffrwyth y pwyslais a roddir bellach ar gynhyrchu gwaith ffolio yn arholiadau TGAU a Safon Uwch sy'n gyfrifol am hyn. Rhaid llongyfarch yr athrawon sydd wedi bod wrthi'n ysgogi'r cystadleuwyr i ysgrifennu mewn amrywiol ffyrdd: hanesion, disgrifiadau lleol, storïau, sgyrsiau, a mynegi barn. Awn cyn belled â dweud y gellid cyhoeddi bron bob cyfansoddiad a ddaeth i law mewn papur bro lleol. Dengys y gweithiau hefyd feistrolaeth gynyddol y disgyblion ar yr iaith. Cyflwynwyd y rhan fwyaf o'r gweithiau'n raenus, deniadol a lliwgar. Rhaid rhyfeddu at y gallu sydd gan bobl ifanc bellach i ddefnyddio prosesydd geiriau a chyfrifiadur i gynhyrchu gweithiau sydd mor broffesiynol eu diwyg.

Un ysgrif yr un ar broblemau pobl ifanc a geir gan *Orang-wtan, Roy E, Sbwriel, Crocodeil* a *Magïen.* Diau mai ymateb i dasg mewn dosbarth a wnaeth y cystadleuwyr hyn. Cawsant ysgaffaldau patrymau brawddegol yn gymorth i gyflawni'r gwaith. Maen nhw i gyd yn dda, ac yn dangos sut y gall addysgu effeithiol feithrin hyder disgyblion ail iaith i fynegi barn ysgrifenedig yn drefnus a chyflawn. Ymhlith y rhain y mae erthygl *Magïen* yn rhagori o ryw ychydig.

Cafwyd deunydd amrywiol a diddorol gan *Esyllt, Catatonia 2, Bobol Bach, Go-go-goch,* a *Pobl-y-dref.* Heblaw am gynnyrch *Esyllt,* sy'n cynnwys cyfweliad a darn mynegi barn deallus, cyflwynwyd y gweithiau i gyd ar ffurf cylchgrawn. Y mae gan y cystadleuwyr hyn ddawn i fynegi barn am nifer o bynciau megis y profiad gwaith a gawsant, anghenion ardal Pen-y-bont a thripiau ysgol. Dyma enghraifft o ddawn ysgrifennu *Pobl-y-dref,* 'Roedden ni'n mynd i Ffrainc ar y llong dros nos. Dyma oedd rhan orau'r daith. Pam? Achos dw i'n hoffi poeni'r athrawon a thynnu lluniau o bobl yn cysgu. Hoffwn i fynd yno eto? Na hoffwn – Paid â bod yn dwp'. Prif ddiffyg rhai o'r ymgeiswyr hyn a ddefnyddiodd brosesydd geiriau oedd peidio â gwirio'u gwaith ar ôl gorffen teipio.

Symudwn i dir uwch gyda *Gwylan, Heulwen, Heledd, Cymraes, Fleur-de-lis, Merch y Bont* a *Heddwyn.* Ceir rhinweddau amlwg yng ngweithiau'r cystadleuwyr hyn. Y mae'u hysgrifennu'n fwy datblygedig a llwyddant i gynnig amrywiaeth o ddeunyddiau. Cylchgrawn lliwgar newydd i arddegwyr a geir gan *Gwylan.* Y mae'r 'Tudalen Ffilmiau' a 'Dacw Dafydd' yn ddeunyddiau grymus. Trawiadol hefyd yw cynnwys amrywiol cylchgrawn 'Pen-y-bont' gan *Heledd.* Swmpus yw gwaith *Heulwen* er mai braidd yn feichus yw'r erthygl ar brifysgolion. Ceir tair ysgrif ddeallus gan *Cymraes.* Mae ganddi'r ddawn i fynegi barn yn gytbwys. Gwaith glân a deniadol iawn yw eiddo *Heledd* a ddengys ddawn i ysgrifennu'n gywir. Llwydda *Fleur-de-Lis* – yn enwedig yn y cyfweliadau gyda'r personau sy'n gysylltiedig â'r Eisteddfod ym Mhen-y-bont – i ysgrifennu'n ddiddorol. Fel cyfanwaith teimlaf fod *Merch-y-Bont* a *Heddwyn* yn rhagori o ryw ychydig ar y gweddill a hynny oherwydd eu bod wedi cynnwys eitemau sy'n cyfleu naws ac ysbryd papur bro. Rhydd *Merch-y-Bont* enw i'w phapur, sef 'Clebran Abercynffig'. Ceir cyfuniad o'r ffeithiol a'r dychmygus ganddi. Diddorol yw'r disgrifiad o ddefnydd y Gymraeg yn Ysgol Gynradd Ton-du ac y mae'r ysgrif ar ddiweithdra yn yr ardal yn llawn pathos. Ymdrech dda yw'r stori fer hefyd. Deunydd papur bro sydd gan *Heddwyn* hefyd. O'r dudalen gyntaf hyd at yr olaf un yr ydym yng nghwmni rhywun sy'n ymhyfrydu yng ngweithgareddau a hanes ei fro yn enwedig gan fod yr Eisteddfod Genedlaethol yn cael ei chynnal ynddi eleni. Llwydda i wneud y cyffredin, gan gynnwys y mân gyhoeddiadau, yn ddiddorol. Bydd yr ysgrif ar 'Parc Gwledig Bryngarw' yn arweiniad da i'r sawl a ddaw i'r Eisteddfod. Pleser yw dyfarnu £25 yr un i *Merch-y-Bont* a *Heddwyn,* a £10 yr un i *Gwylan, Heulwen, Heledd, Cymraes* a *Fleur de Lis.*

GWAITH FIDEO

Creu fideo: Agored

BEIRNIADAETH EUROS JONES EVANS

Y mae'r camcorder bellach yn gyfrwng hwylus a grymus i symbylu gwaith llafar ymhlith dysgwyr iaith. Mewn cystadleuaeth o'r fath disgwylir bod gan y sawl a gynhyrcha'r fideo wybodaeth sylfaenol o'r grefft o ffilmio a golygu. Mae'n bwysig hefyd bod sefyllfaoedd yn cael eu dyfeisio sy'n profi cyrhaeddiad llafar a hyfedredd y dysgwyr yn yr iaith. I greu fideo llwyddiannus rhaid wrth offer golygu ond gan nad yw cyfleusterau golygu soffistigedig o fewn gafael y rhan fwyaf o gynhyrchwyr amatur, rhaid wrth olygu-mewn-camera. Rhaid bod yn ofalus iawn, felly, wrth drefnu dilyniant wrth ffilmio gwahanol olygfeydd ac ati. Dylid parchu sgiliau sylfaenol megis sicrhau bod y camcorder ar dreipod, gofalu bod pwrpas i bob siot gan osgoi symud y camera yn ddiangen, osgoi sŵmio i mewn ac allan oni fydd angen, a sicrhau bod ansawdd y sain yn eglur, yn enwedig wrth ffilmio yn yr awyr agored. Awn cyn belled ag awgrymu bod y grefft o gael y sain yn iawn yr un mor bwysig â'r llun. Does dim yn fwy diflas na gorfod gwylio fideo sy'n amlygu un neu fwy o'r diffygion uchod. Daeth tri fideo i law sy'n amrywio o ran crefft a sylwedd.

Siwan: Gwaith dysgwraig ifanc ydy'r fideo – merch o fro'r Eisteddfod sydd am ddangos cyfoeth hanes a thraddodiadau Bro Ogwr. Gwnaeth waith ymchwil trylwyr i nifer o leoedd diddorol yr ardal. Fodd bynnag, amrwd iawn yw'r cynhyrchu a'r golygu. Aneglur yw'r sain yn aml ac y mae'r toriadau mynych yn andwyo'r cyflwyniad yn fawr. O ran gwaith fideo, yr adran orau yw'r cyfweliad ar y diwedd. Er mwyn gwneud tegwch â'r deunydd sydd ynddi, y mae'n rhaid i *Siwan* olygu'r fideo yn drylwyr eto a cheisio gwella ansawdd y sain.

Dosbarth y Dysgwyr Rhiw-fawr: Y mae yma ymgais lew i greu stori ar y thema 'Camsyniad'. Anelir at gyflwyno'r ysgafn a'r doniol. Aneglur yw'r siarad mewn mannau ac o'r herwydd ceir anhawster i ddeall y plot. Tra amrwd yw'r golygu mewn mannau ac oeda llygad y camera yn rhy hir mewn rhai golygfeydd. Trwy amryfusedd, mae'n debyg, collwyd eiliadau cychwynnol y fideo. Sut bynnag, y mae'n amlwg bod y dosbarth dysgwyr hwn wedi cael hwyl fawr gyda'r gwaith. Aed i gryn drafferth i ffilmio mewn gwahanol leoliadau. Pe bai mwy o ofal wedi'i gymryd gyda'r ymarfer a'r llefaru, byddai'r fideo wedi cyrraedd safon uwch.

Lleucu: Gwaith grŵp o ddysgwyr yn Aberystwyth. Dyma'r cynhyrchiad mwyaf boddhaol o'r cyfan. Y mae yma gynllunio gofalus a golygu diogel. Llwyddwyd i gyfleu stori llawn hiwmor am gymeriad yn cyrraedd Aberystwyth mewn dingi. Cawn ddilyn ei anturiaethau yn y dref ac yntau'n methu deall iaith ac arferion y brodorion. Clyfar iawn yw'r plantos sy'n gwneud sbort am ei ben ac yn ei sbarduno i chwilio am ffordd i ddysgu'r iaith. Plethwyd elfen o serch yn ogystal â chwrs Wlpan i mewn i'r fideo. Trueni fodd bynnag na fyddid wedi sicrhau sefyllfaoedd sgwrsio dwysach. Er nad yw'r sain yn foddhaol mewn rhai golygfeydd, y mae tempo'r fideo yn dra boddhaol. Elfen gyfoethog ynddi yw'r caneuon gwerin a genir yn y cefndir ac y mae llais unigryw y canwr yn ychwanegu at gyflawnder y cynhyrchiad. Dyma'r fideo sy'n rhagori yn y gystadleuaeth hon. Dyfarnaf £75 i *Lleucu*, a £25 i *Dosbarth y Dysgwyr Rhiw-fawr* am ddangos y mwynhad a gawsant wrth wneud y gwaith.

PARATOI DEUNYDD AR GYFER DYSGWYR

Paratoi deunydd darllen addas ar gyfer dysgwyr Safon 3 a 4

BEIRNIADAETH PHILIP DAVIES

Mae paratoi deunydd addas ar gyfer dysgwyr yn gofyn am waith a fydd yn cynnal diddordeb y darllenydd. Er bod iaith dysgwyr safon 3 a 4 yn eithaf rhugl ar lafar, dylai deunydd darllen ar eu cyfer fod mewn iaith sy'n ymestyn geirfa a chystrawen ymhellach, ond heb fod mor anodd fel bod angen cymorth geiriadur bob munud. Cafwyd deunydd gan dri yn y gystadleuaeth hon; casgliad o storïau byrion ac ysgrifau gan *Trillo* ac *Y Rwdlen* a stori ddychmygus estynedig gan *Teithiwr.* Yng ngwaith *Trillo,* mae casgliad o ddeg stori sy'n amrywio o rai cyfoes i rai sy'n debyg i chwedlau Aesop. Er bod ambell wall teipio, ar y cyfan mae'r iaith yn addas, a chafwyd geirfa ar ddiwedd pob stori. Mae rhai o'r storïau yn 'henffasiwn' o ddiniwed ond mae'r hiwmor a'r tro yng nghynffon y storïau yn effeithiol. Mae wyth pennod yn stori estynedig *Teithiwr.* Mae'r stori'n anghyffredin iawn ac yn disgrifio cwmni bysys yn manteisio ar ffolineb pobl dan ddylanwad eu hawydd am statws cymdeithasol ac ariangarwch. Ar y cyfan, mae iaith y stori hon yn fwy anodd nag iaith gwaith y ddau gystadleuydd arall, er bod geirfa ar ddiwedd bob pennod. Mae'n ffres cael stori ddychmygus ar gyfer dysgwyr, er mor anhygoel ydyw, ac er bod ambell bennod ychydig yn hirwyntog. Deg o ysgrifau personol sydd gan *Y Rwdlen,* yn ymateb i ddigwyddiadau a sefyllfaoedd neu bobl a chymeriadau megis y 'Teletubbies' a 'Norah Batty'. Er bod ambell gamgymeriad yn yr iaith, ar y cyfan mae'n addas iawn. Mae'r deunydd yn ddiddorol ac yn enghraifft dda o sut i ysgrifennu ysgrifau mewn arholiad. Cafwyd deunydd gwahanol iawn gan y tri chystadleuydd. Diolch iddyn nhw am gystadlu. Yn anffodus, rhaid rhoi trefn ar y deunydd a gyflwynwyd. *Trillo* ydy'r mwyaf gorffenedig a'i ef biau'r wobr.

Detholiad o ddeunyddiau darllen addas ar gyfer disgyblion Cyfnod Allweddol 2

BEIRNIADAETH RHIANNON WALTERS

Mae datblygu sgiliau darllen yn elfen bwysig yn y broses o ddysgu Cymraeg yn ail iaith, ac yn ôl gofynion y Cwricwlwm Cenedlaethol, mae angen ymateb i ystod o ddeunydd darllen ynghyd â chywain gwybodaeth o nifer o ffynonellau ysgrifenedig. Serch hynny, cwyn athrawon yw bod diffyg adnoddau addas a deunydd darllen pwrpasol ar gyfer plant ysgol sydd yn ddysgwyr. Ceisiodd sawl pwyllgor dysgwyr fynd i'r afael â'r broblem hon, ac yn wir cafwyd nifer o gystadlaethau yn y gorffennol oedd wedi eu hanelu at blant C.A.2. Gyda'r Eisteddfod eleni mewn ardal lle dysgir y Gymraeg yn bennaf yn ail iaith, byddid yn disgwyl cryn ddiddordeb mewn cystadleuaeth a allai fod wedi arwain at sicrhau cyflenwad o ddeunyddiau darllen sydd â gwir angen amdanynt. Siom felly oedd canfod mai un yn unig a fentrodd i'r maes.

Evelyn Mai: Un llyfr 'darllen a gwneud' byr a gafwyd gan *Evelyn Mai* a'i bwriad yw i blant geisio ei ddarllen a'i ddefnyddio heb gymorth. Nid oes yma stori fel y cyfryw; yn hytrach ceir cyfres o bosau megis cyfateb geiriau, chwilair a llenwi bylchau, i gyd yn seiliedig ar ymweliad Meryl y gath â nifer o leoliadau. Byddai'r llinyn cyswllt hwn hwyrach yn fwy addas ar gyfer disgyblion C.A.1, fel y byddai safon ambell un o'r posau. Mae nifer o'r posau hyn wedi eu seilio ar batrwm gosod cardiau geiriau yn y bylchau priodol, ond nid yw'r ffurf yma bob amser yn hylaw ar gyfer sefyllfa'r ystafell ddosbarth. Ceir nifer o frychau iaith a sillafu a theimlwn i'r gwaith gael ei baratoi ar frys. Mae gofynion y gystadleuaeth hon ar gyfer C.A.2 yn benagored ac felly gobeithiwn am swmp o ddeunyddiau amrywiol ac ymestynnol fyddai'n llwyddo i ddifyrru ynghyd â chyfoethogi iaith y dysgwr. Roeddwn yn disgwyl hefyd i'r detholiad adlewyrchu diddordebau yr oed arbennig hwn mewn iaith fyddai wedi ei strwythuro yn ofalus. Cystadleuaeth siomedig oedd hi ac ni chafwyd yr hyn yr oeddwn yn chwilio amdano. Yn anffodus, ni allaf gymeradwyo gwobrwyo.

Casgliad o ddarnau ysgrifenedig byr a gwreiddiol yn delio â safbwyntiau a daliadau personol er mwyn ysgogi trafodaeth mewn dosbarth o ddisgyblion Cyfnod Allweddol 4

BEIRNIADAETH NEFYDD PRYS THOMAS

Fel cyn-athro, roeddwn yn chwilio am becyn y gellid ei ddefnyddio gydag ystod eang o ddisgyblion 14-16 oed ac a fyddai hefyd yn cyflwyno amrywiaeth o byncIau perthnasol i'r oed ac i ofynion y meysydd llafur. Roeddwn hefyd yn chwilio am ddeunydd a fyddai'n cyflwyno rhai safbwyntiau gwrthgyferbyniol ac arddulliau gwahanol er mwyn ysgogi ymateb a gosod patrwm.

Y Garreg Lwyd: Dyma berson sy'n gyfarwydd â'r maes a'r gynulleidfa. Yn y pecyn hwn ceir cyfres o sylwadau amrywiol byr yn ymwneud ag agweddau ar fywyd ysgol a hamdden ynghyd â chyfres o ddeialogau sy'n ymdrin â'r byd cyfoes. Byddai'r deunydd hwn yn ysgogi trafodaeth mewn dosbarth, ond braidd yn denau oedd y pecyn o ran amrywiaeth pynciau a natur y darnau. Ond mae gan *Y Garreg Lwyd* afael sicr ar eirfa a chystrawennau perthnasol.

Gwenalarch: Cyfres o saith erthygl tua 120-150 o eiriau yn ymwneud â phynciau megis rhaglenni teledu, dilyn ffasiwn, bywyd ysgol, a phwysau i gydymffurfio a'r amgylchedd yw'r pecyn hwn. Mae gan *Gwenalarch* afael dda ar eirfa a chystrawennau perthnasol ond nid yw'r pecyn yn cyflwyno digon o amrywiaeth mewn arddull nac ystod digon eang o bynciau.

Dominic: Yn ôl yr awdur, 'Dyma gasgliad o sgyrsiau byrion ar faterion cyfoes gan ddisgyblion dychmygol chweched dosbarth . . .', a dyna graidd y broblem. Mae'n amlwg nad yw *Dominic* wedi llawn sylweddoli natur y gynulleidfa darged ac adlewyrchir hynny yn natur a hyd y darnau a'r amrywiaeth o ffurfiau iaith a ddefnyddir; nifer ohonynt yn rhai gwallus. Ond mae yma ysgrifennu bywiog a sawl pwnc sy'n berthnasol i ddisgyblion iau a hoffais ddull *Dominic* o godi pwynt dadleuol ar ddiwedd pob darn.

Evelyn Mai: Pedair problem dan y pennawd 'Problemau'r Prifathro' yw'r casgliad hwn; pedair problem sy'n cyflwyno dwy agwedd wrthgyferbyniol i'w trafod gan brifathro dychmygol. Tasg y disgyblion, yn ôl *Evelyn Mai,* yw darllen yr wybodaeth a gyflwynir, trafod y broblem gydag aelodau o grŵp a chynnig ateb ynghyd â rhesymau. Mae'r awdur hefyd wedi cynnwys pecyn o gardiau chwarae rôl i hybu'r gwaith grŵp. Er fy mod yn hoff o'r syniad y tu ôl i'r pecyn, yn anffodus nid yw'r casgliad hwn yn ddigon cynhwysfawr nac yn gwbl berthnasol i'r oedran. Mae'r testun hefyd yn frith o wallau iaith.

Er i mi fwynhau darllen gwaith y pedwar cystadleuydd ni lwyddodd yr un ohonyn nhw i'm darbwyllo i'w becyn gwrdd â holl ofynion y gystadleuaeth. Mae cystadleuaeth o'r fath yn mynnu bod y sawl sy'n ymateb iddi, nid yn unig â gafael sicr ar yr iaith, ond hefyd yn deall natur ac anghenion y maes dan sylw; o'r herwydd, rhaid gofyn ai doeth yw ei gosod yn Adran y Dysgwyr. Diolch i bob un o'r pedwar am eu cynigion a rhodder £25 yr un iddyn nhw.

ADRAN GWYDDONIAETH A THECHNOLEG

YMCHWILIO, DADANSODDI A CHREU

Disgyblion ysgolion cynradd

Cynllunio a chreu cwch symudol i gario pwysau o 50g dros bellter o 2m dros ddŵr

---

BEIRNIADAETH CATHERINE WOODWARD

Roedd yn bleser cael beirniadu cystadleuaeth oedd wedi ysgogi ymateb mor frwd gan ddisgyblion ysgolion cynradd. Roedd y brwdfrydedd yn cael ei adlewyrchu, nid yn unig yn nifer y cystadleuwyr (41 i gyd), ond hefyd yn amrywiaeth a gwreiddioldeb y deunydd. Er mwyn rhoi tegwch i bob un o'r modelau ystyriwyd nifer o ffactorau wrth feirniadu'r cychod, rhai fel tystiolaeth o gynllunio, gallu'r cwch i garo llwyth o 50g ac i deithio am o leiaf 2 fetr mewn dŵr, hyd at 30cm neu lai, ac yn cynnwys system egni ar y cwch, ynghyd â gwreiddioldeb, dychymyg a manylder. Roedd nifer o'r modelau'n cynnwys y ffactorau sylfaenol ac roedd hi'n anodd dewis enillydd.

Gellir grwpio'r modelau yn ôl un ffactor sylfaenol, sef y system a defnyddid i symud y cwch. Cynhwysai'r rhain nifer o systemau: rhwyf, bandiau elastig, balŵn, gwyntyll yn cael ei yrru gan fatri, peiriant parod, peiriant a wnaed gartref a batri solar. Roedd rhai modelau'n cynnwys cyfuniad o'r systemau yma. O'r cychod a yrrid gan bŵer rhwyf a band elastig roedd rhai'n gyfyng eu symudiadau. Serch hynny, roedd rhai yn y categori hwn wedi eu dyfeisio'n ofalus ac yn cyrraedd gofynion y gystadleuaeth. Roedd y cychod a ddibynnai ar bŵer balŵn wedi eu hadeiladu â dychymyg ond ni allwn fod yn siŵr y gallent hwylio am ddau fetr heb gael eu hail-lenwi ag aer. Roedd y modelau oedd yn cynnwys gwyntyll batri'n dangos gallu creadigol llawer o'r disgyblion i ddyfeisio system symud; er hynny, mewn rhai achosion roeddwn i'n ceisio dyfalu pa mor dda y gallai'r systemau yma weithio pe bai'r gwyntyll wedi ei orchuddio â dŵr. Roeddwn yn hoff iawn o'r modelau gyda'r peiriant cartref. Aeth cryn fedrusrwydd i'w rhoi wrth ei gilydd. Wedi myfyrio'n hir uwch nifer ohonon nhw penderfynais o'r diwedd fel hyn:

Mae *Criw Harri Morgan* (Y ddraig) yn dangos gwreiddioldeb, sylw i fanylder a chynnyrch gorffenedig a chymeradwy. Hoffais yn arbennig y ddogfen gynllunio oedd wedi ei chynnwys gyda'r ymdrech ac mae tystiolaeth bendant o ddyfalbarhad gan y gwneuthurwr o fynd yn ôl a gweithio'n fanwl ar y cynllun. Ef sy'n haeddu'r wobr gyntaf o £85. Mae *Llong Cymru* yn ail agos iddo ac yn haeddu

£75. Mae golwg ddyfodolaidd ar y model yma ac mae ganddo beiriant tra effeithlon ar gyfer symud. Yn gyfartal drydydd gyda £45 yr un rwyf wedi rhoi *No. 1* a *Fflach.* Mae'r ddau wedi defnyddio cylched trydan a pheiriant effeithlon. Serch hynny, rwy'n credu yn gallai *Fflach* gael problemau gyda dŵr yn mynd i'r howld os na rydd sylw i'r ffordd y mae'r llyw wedi ei osod. Rwyf hefyd wedi dewis dau fodel ar gyfer y pumed safle. Nid yw *Y Mathew* a'r *Peiriant Crac* wedi dibynnu ar fecanyddiaeth fodern, y ddau yn hytrach wedi defnyddio ffurf gwahanol ac yn haeddu £20 yr un. Dewisais y rhain oherwydd eu hymddangosiad a'u sylw i fanylder a'r gofal amlwg wrth eu hadeiladu. Yn olaf rwyf wedi penderfynu rhoi gwobr arbennig o £10 i *Pingu.* Mae'r cwch yma yn amlwg wedi cael ei adeiladu gan adeiladwyr cychod â hiwmor arbennig a mwynheais y jôc.

Gwaith graffeg gwreiddiol: maint A4 ar gyfrifiadur

BEIRNIADAETH RHYS HARRIES

Siomedig ar y cyfan oedd safon y cystadlu. Doedd yr un o'r cystadleuwyr wedi defnyddio maint A4 a chynhyrchwyd pob ymgais gan ddefnyddio meddalwedd a chaledwedd sylfaenol dros ben. Cafwyd ymdrech dda gan *KLH* ac roedd gwaith *Llong Cymru* yn wreiddiol iawn o safbwynt ei neges tra bod *Sky 1* wedi llwyddo i ddangos dawn arlunydd. Mae *No. 1* yn llwyddo i gyflwyno'r neges o ailgylchu'n gryno gydag arlunwaith effeithiol, syml a thrawiadol. Ei ymgais ef oedd yr orau a dyfarnaf £100 iddo. Rhoddaf £50 i *Sky 1* a £25 i *Llong Cymru.*

ADRAN PEN TOST

Cyfansoddi cân

BEIRNIADAETH DYFAN JONES

Roeddwn i'n siomedig yn nifer y ceisiadau, ac yn safon anaeddfed y gwaith. Piti na chafwyd mwy o gystadleuwyr o golegau ac ysgolion.

Cali: 'Hebddo i'. Dyma oedd y gorau o'r ceisiadau. Roedd y felodi'n swynol ar adegau ond, ar y cyfan nid oedd yn llifo. Heb fod geiriau wrth law byddwn wedi cael trafferth gwahanu'r penillion oddi wrth y cytgan. Roedd y recordiad yn weddol, y llefrau'n glir a'r offeryniaeth yn dangos talent, ond y cyfansoddiad sy'n gorfod derbyn y feirniadaeth, ac nid y recordiad. Mae dyfodol i'r cyfansoddwr hwn ond iddo gadw ati, ond ar hyn o bryd mae diffyg aeddfedrwydd yn y gwaith.

Tralee: 'Y Bendi Blws'. Gan taw 'cyfansoddi cân' oedd nod y gystadleuaeth, dw i'n ei chael hi'n anodd beirniadu'r cynnig hwn. Dw i'n deall o'r nodyn a ges i gan *Tralee* mai cân o sioe oedd hi, a falle bod cân o'r fath yn dal dŵr yn y sefyllfa honno. Ond wedi ichi dynnu'r gân allan o'r sioe mae ddiffyg gwreiddioldeb yn amlwg fel na allaf ddweud rhyw lawer amdani, ond ei bod yn rhy arwynebol o lawer i dderbyn teilyngdod o unrhyw fath.

Treflan: 'Cân Branwen'. Mae diffyg gwreiddioldeb yn perthyn i'r cynnig hwn. Dw i wedi clywed y gân ganwaith o'r blaen. Dw i'n amau taw'r un person sy'n gyfrifol am 'Y Bendi Blws', ac fel y dywedais am y gân honno, efallai ei bod yn siwtio panto neu sioe gerdd, ond dydi'r gân ddim yn ddigonol ar gyfer cystadleuaeth lle mae'n gorfod sefyll ar ei phen ei hun.

Er bod arwyddion gobeithiol yn perthyn i un neu ddau o'r cyfansoddiadau, ofnaf na allaf wobrwyo'r un ohonynt.

Cynllun ar gyfer cefnlen i lwyfan y Babell Ieuenctid ar unrhyw ffurf

BEIRNIADAETH DAVID EMANUEL

Cafwyd deuddeg ymgais. Roedd gan *CS1* ymgais dda. Roedd ganddo ddefnydd cryf o liw a graffeg, a'r cyfan yn syml ond effeithiol. Cynllun glân a newydd oedd eiddo *CS2*. Dangosai ddefnydd medrus o waith graffeg. Dyma'r ymgais ailorau'r gystadleuaeth. Roedd graffeg a lliw bywiog yng ngwaith *CS3* hefyd. Byddai'r cynllun hwn wedi gweithio'n well fel cynllun print tecstiliau. Ymgais dda iawn. Defnyddiodd *CS4* liwiau fflwroleuol bywiog a newydd. Ymgais frwdfrydig ond byddai'r cynllun wedi gweithio'n well fel clawr llyfr. Cynllun syml ond medrus yn defnyddio llinellau clir oedd eiddo *CS5*. Ymgais dda iawn. Edrychai gwaith *CS6* fel ymgais cynllunydd ifanc. Mae'n defnyddio lliwiau a phatrwm yn feiddgar. Mae'r border yn cydbwyso'n dda ac yn hollol gyflawnedig. Cynnig da iawn. Mae effaith gyflawn cynllun *CS7* yn gweithio fel cynllun cefnlen, ac rwy'n hoffi'n benodol ei ddefnydd o chwyth-beintio. Yn fedrus iawn, llwyddodd i gynnwys y logo ac elfennau lleol eraill. Er hyn, yn anffodus, ni fyddai yn fy marn i wedi gweithio fel cynllun gorffenedig. Ymgais fedrus i ddefnyddio logo swyddogol 'Pen Tost' a gafwyd gan *CS8* – ond ar y cyfan nid yw'r cynllun yn gytbwys. Mae'n defnyddio llewych yn fedrus, ond beth yw canolbwynt y cynllun? Cafwyd ymgais dda iawn gan *C9*. Hoffwn ei ddefnydd o liw a graffeg. Fy unig feirniadaeth yw ei fod yn rhy llythrennol debyg i'r teitl. Defnydd syml ac effeithiol o liwiau du a gwyn a gafwyd gan *CS10*. Mae'n gynnig trawiadol ac effeithiol. Roedd gwaith graffeg yn amlwg yng ngwaith *Olive*, ond er bod ei hymgais yn dda roedd ei dewis o liwiau'n wael.

Ffrwydrad o liw a gafwyd gan *Andrea Pedro Sanchez*. Mae'r cynllun graffeg a beiddgar yma'n tebygu i gynllun *comic strip*. Rwy'n teimlo bod ei ddefnydd o'r pyst pren a'r weiren bigog i roi effaith tri dimensiwn yn ddyfeisgar iawn, ynghyd â chael gwifren ffiws yn llifo drwy'r teitl 'Pen Tost' wedi ei gynllunio'n ofalus. Heb amheuaeth, dyma'r enillydd, a phob lwc gyda'r gwaith o droi'r cynllun yn realiti. Estynnaf fy llongyfarchion iddo ac edrychaf ymlaen at weld y gwaith gorffenedig.

Cynllunio clawr tâp ar gyfer casét newydd a ryddheir yn Hydref 1998 er budd Tŷ Hafan

BEIRNIADAETH ROBERT GRIFFIN

Elfen siomedig yn y gystadleuaeth hon oedd diffyg cystadleuwyr. Mae'r enillydd, *Beatrice*, yn darlunio silwét o blant yn chwarae offerynnau yn erbyn cefndir coch a gwyn. Er bod y cynnig yma braidd yn ddynwaredol y mae'r ddelwedd yn eithaf graffig a gellid bod wedi ei gwella wrth arsylwi a recordio'r ffurf dynol yn fanylach. Mae'r dylunydd wedi ceisio dangos plant yn mwynhau'r profiad cerddorol ac mae'r syniad yma o fwynhad yn addas iawn ar gyfer achos Tŷ Hafan. Byddai'r gynulleidfa ar gyfer casét newydd yn amrywio a byddai portreadu plant o fewn y cyswllt cerddorol, gredaf i, yn ennyn apêl a chymeradwyaeth eang.

RHAI YSTADEGAU

Bu 672 o gystadleuwyr, gan gynnwys grwpiau. Nid yw'r ffigur yn hollol gywir gan i rai anfon mwy nag un ymgais i gystadleuaeth.

Cynigiodd yr Eisteddfod £17,225 mewn gwobrau.

Ataliwyd £1,735.

Ataliwyd y wobr yn 27, 86, 103, 133, 159, 174, 185.

Ni bu cystadlu am £1,200.

Ni bu cystadlu mewn deg cystadleuaeth: 11, 110, 111, 127, 131, 137, 139, 161, 175, 180.